ESTRUCTURAS DE LA EDIFICACIÓN. HORMIGÓN ESTRUCTURAL

(CON SENCILLOS EJERCICIOS PRÁCTICOS)

Javier Rodríguez Val

Estructuras de la edificación. Hormigón estructural 2ª ed. revisada

© Javier Rodríguez Val

ISBN: 978-84-9948-222-4
Depósito legal: A-597-2010

Edita: Editorial Club Universitario. Telf.: 96 567 61 33
C/ Cottolengo, 25 – San Vicente (Alicante)
www.ecu.fm
ecu@ecu.fm

Printed in Spain
Imprime: Imprenta Gamma. Telf.: 965 67 19 87
C/ Cottolengo, 25 – 03690 San Vicente (Alicante)
www.gamma.fm
gamma@gamma.fm

Í N D I C E

0.   PLANTEAMIENTO GENERAL 1

   0.1.   INTRODUCCIÓN 1

   0.2.   LA NUEVA INSTRUCCIÓN EHE-08 3

   0.3.   UNIDADES Y MAGNITUDES 11

1.   EL PROYECTO DE ESTRUCTURAS 15

   1.1.   EL ESTUDIO GEOTÉCNICO 16

   1.2.   EL TIPO DE AMBIENTE 19

      1.2.1.   Identificación del tipo de ambiente.............................19

      1.2.2.   Agrupación de los elementos estructurales.................22

      1.2.3.   Toma de decisiones 24

   1.3.   LAS ACCIONES 27

   1.4.   LAS SOLICITACIONES 29

      1.4.1.   La compresión 29

      1.4.2.   La flexión simple...29

      1.4.3.   La flexión compuesta 30

      1.4.4.   Actuaciones para optimizar una estructura 31

         1) Sobre las acciones externas.. 32

         2) Sobre la forma de las secciones....................................... 33

         3) Sobre los materiales... 33

   1.5.   LOS MATERIALES 34

      1.5.1.   El hormigón...34

         1) Resistencia característica del hormigón 34

         2) Resistencia del hormigón a tracción 35

         3) Módulo de deformación longitudinal del hormigón 35

         4) Utilización del hormigón.. 36

      1.5.2.   El acero (armaduras pasivas) 37

         1) Resistencia de cálculo 38

         2) Cuantías geométricas mínimas de acero 38

3) Capacidades mecánicas 39

1.5.3. Datos de los materiales para el Proyecto 42

1) Diagrama tensión-deformación de cálculo del acero 42

2) Diagrama tensión-deformación de cálculo del hormigón 42

2. EL ANÁLISIS ESTRUCTURAL 45

1) Concepto de análisis 45

2) Relaciones entre solicitación, tensión, sección, deformación de una pieza y módulo elástico del material 45

3) Diferencia cualitativa entre tracción y compresión: acción equilibrante o desequilibrante 48

4) La flexión en las vigas 48

5) Relación entre carga, cortante y flector 49

6) Las deformaciones. Ecuación de la elástica 50

7) Cálculo de la flecha en una viga 51

8) La importancia de los efectos de 2º orden 52

2.1. IDEALIZACIÓN DE LA ESTRUCTURA 53

2.1.1. Tipología de las estructuras 53

2.1.2. El análisis mediante modelos 54

2.2. TIPOS DE ANÁLISIS 57

2.2.1. El análisis lineal 57

2.2.2. El análisis no lineal 57

2.2.3. Análisis lineal con redistribución limitada 58

2.2.4. Análisis plástico 58

2.3. ESTRUCTURAS RETICULARES PLANAS 61

2.3.1. Las estructuras porticadas 61

1) Pilares 61

2) Vigas 62

2.3.2. Análisis de pórticos por el Método de Cross 64

1) Planteamiento 64

2) Definiciones 65

3) Procedimiento 66

2.3.3. Análisis de pórticos por el método de la EH-91 74

1) Condiciones 74

2) Procedimiento 74

3) Resultados 77

2.3.4. Análisis de pórticos por el método de Jiménez Montoya 84

1) Método de cálculo 84

2) Recomendaciones 84

3) Resultados 84

2.4. LOS FORJADOS UNIDIRECCIONALES 87

2.4.1. Generalidades 87

2.4.2. Tipología de los forjados 89

1) Forjados prefabricados 89

2) Forjados semiprefabricados 90

3) Forjados in situ 91

2.4.3. Diseño del forjado 92

1) Elección del forjado 92

2) Disposición en planta 93

2.4.4. Cálculo de esfuerzos 94

1) Acciones a considerar 94

2) Combinación de acciones 95

3) Luz de cálculo 96

2.4.5. Los procedimientos de análisis 97

1) Análisis lineal en régimen elástico 98

2) Análisis lineal con redistribución limitada 98

3) Método simplificado de la Instrucción 99

2.4.6. El método de Cross para forjados 101

2.4.7. Armado de forjados 105

2.4.8. Dimensionamiento de forjados 109

1) La capa de compresión 110

2) Piezas de entrevigado 111

3) Canto mínimo 112

4) Dimensionamiento de forjados: método gráfico 112

2.4.9. Ejecución de los forjados 117

1) Enlace por entrega 117

2) Enlace indirecto 118

3) Voladizos 118

4) Refuerzo de forjados...119

5) Huecos en forjados 120

2.4.10. Los forjados en la EHE-08 122

2.5.   EL MÉTODO DE BIELAS Y TIRANTES 125

2.5.1. Introducción 125

1) Análisis lineal mediante teoría de la elasticidad 125

2) Análisis no lineal 126

3) Método de las bielas y tirantes 126

2.5.2. Principios generales del método 128

2.5.3. Aplicación práctica del método 128

1) Fase I: Definición de cargas exteriores, esfuerzos y reacciones en frontera........128

2) Fase II: Definición del modelo de bielas y tirantes 130

3) Fase III: Cálculo de la celosía 134

4) Fase IV: Comprobación de bielas, tirantes y nudos 134

5) Fase V: Ajuste de la geometría y nuevo cálculo 136

2.6.   LOS ESTADOS LÍMITE ÚLTIMOS 137

2.6.1. Introducción 137

2.6.2. El método de los Estados Límite 138

1) Método de estado límite último de agotamiento 139

2) Análisis del proceso de rotura 139

3) El cálculo en agotamiento 140

4) Definiciones 141

5) Las hipótesis de cálculo 141

2.6.3. Metodología general de cálculo 142

1) Conocimiento del estado límite último 142

2) Diagramas de cálculo tensión / deformación para el hormigón 143

3) Diagramas de cálculo tensión / deformación para el acero 144

4) Condiciones de equilibrio 145

5) Situación de una sección según el dominio 145

2.7.   MÉTODOS PARA EL ARMADO DE SECCIONES 149

2.7.1. La expresión del brazo mecánico para flexión simple 149

2.7.2. El método de la Parábola-Rectángulo 150

1) Armado de secciones sometidas a flexión simple 151

2) Armado de secciones sometidas a flexión compuesta..........................152

3) Armado de secciones sometidas a compresión compuesta 153

2.7.3.   El método del Diagrama Rectangular (EHE-08, Anejo 7) 159

1) Alcance 159

2) Limitaciones y variables utilizadas 160

3) Flexión simple para secciones rectangulares 161

4) Flexión compuesta para secciones rectangulares 162

2.7.4.   Las Fórmulas Aproximadas de Jiménez Montoya 165

2.8.   EL ESFUERZO CORTANTE 169

2.8.1.   Generalidades 169

2.8.2.   Dimensionamiento por el método de rotura 169

2.8.3.   El esfuerzo cortante según la Instrucción..........................170

2.8.4.   Recomendaciones y limitaciones 172

2.9.   DISPOSICIONES RELATIVAS A LAS ARMADURAS 173

2.9.1.   Generalidades 173

2.9.2.   Flexión simple o compuesta 174

1) Armadura longitudinal 174

2) Separación y forma de cercos..176

3) Cuantías mínimas...176

2.9.3.   Compresión simple y compuesta.....................................177

1) Armadura longitudinal. Cuantías mínimas................................177

2) Disposición de armaduras 178

3.   LOS ELEMENTOS ESTRUCTURALES 181

3.1.   ELEMENTOS DE CIMENTACIÓN...181

3.1.1.   Introducción 181

1) Clasificación de las cimentaciones de hormigón estructural 181

2) Tipología de zapatas 182

3) Criterios generales de proyecto 182

3.1.2.   Zapatas aisladas centradas 183

1) Predimensionamiento de la zapata 183

2) Distribución de presiones en el terreno 184

3) Comprobación al vuelco y al deslizamiento 185

4) Zapatas de hormigón en masa 186

5) Cálculo estructural del cimiento 188

6) Zapatas rígidas. Cálculo de la cimentación 189

7) Zapatas flexibles. Cálculo de las armaduras... 193

8) Comprobación a cortante.. 194

9) Comprobación a punzonamiento 195

3.1.3. Encepados de dos pilotes 195

3.1.4. Zapatas de medianería 197

1) Introducción 197

2) Zapata de medianería con biela.. 198

3) Zapata de medianería con viga tirante 198

4) Zapata de medianería con zapata combinada 199

5) Zapata de medianería con viga centradora 200

6) Recomendaciones para zapatas de medianería 203

7) Vigas centradoras y vigas de atado 204

3.2. MUROS DE CONTENCIÓN Y MUROS DE SÓTANO 209

3.2.1. Los muros en la Instrucción EHE-08 209

3.2.2. Muros de contención 209

1) Definiciones... 209

2) Tipos generales de muro 210

3) Funcionamiento 210

4) Deformación del muro.. 211

5) Agotamiento del muro.. 211

6) Proyecto del muro 212

7) Dimensionamiento de la estructura.. 224

8) Detalles constructivos... 224

3.2.3. Muros de sótano..226

1) Introducción... 226

2) Cálculo del empuje... 227

3) Esquema de funcionamiento 227

4) La seguridad frente al deslizamiento.. 229

5) Cálculo del muro en sentido transversal... 232

6) Cálculo del muro como viga de cimentación 236

3.3. ELEMENTOS LINEALES: PILARES Y VIGAS...243

3.3.1. Las vigas y pilares en la Instrucción EHE-08.................................243

3.3.2.   Soportes de hormigón armado 244

1) Generalidades.. 244

2) Compresión simple 245

3) Disposiciones relativas a las armaduras 246

3.3.3.   Vigas de hormigón armado 249

1) Dimensiones de la sección transversal 249

2) Armado práctico de una viga 250

ESTRUCTURAS DE LA EDIFICACIÓN. HORMIGÓN ESTRUCTURAL

0. PLANTEAMIENTO GENERAL

0.1. INTRODUCCIÓN

Esta publicación, que pretende servir como guía y libro de consulta para mis alumnos y ex alumnos de la Escuela Universitaria de Arquitectura Técnica de Guadalajara, no es –y no puede ser– un documento reglamentario, sino más bien un intento de poner al día los conocimientos que ya adquirieron en su momento mientras cursaban sus estudios universitarios con la exposición de los conceptos fundamentales que se manejan en la Instrucción EHE-08 para el hormigón estructural y con la aplicación de los procedimientos y metodologías mediante una serie de pequeños ejemplos prácticos.

En el próximo apartado, y a modo de aclaración previa, se expone un listado de las unidades y magnitudes más usuales utilizadas por la Instrucción con la abreviatura correspondiente.

El primer capítulo se dedica al Proyecto de estructuras con los métodos y criterios más importantes para desarrollar los aspectos más importantes cara a la aplicación de la EHE-08 a la edificación.

Entre los primeros aspectos considerados en este primer capítulo, se comenta la necesidad de efectuar un estudio geotécnico y a pesar de no ser el objeto de esta publicación, se dan pautas para efectuar las campañas de reconocimiento y se incluye un listado con los parámetros geotécnicos y ensayos que habría que efectuar en función del cálculo que se requiera.

También se recoge la identificación del tipo de ambiente, tan importante para poder determinar el tipo de hormigón a utilizar, mediante un diagrama de flujo y mediante tablas y cuadros que permiten identificar las clases de exposición a los que están sometidos los elementos más habituales en la edificación.

El siguiente paso previo a efectuar dentro del Proyecto de estructuras es el del tratamiento general de las acciones que se contempla en la Instrucción a partir de los criterios definidos por la vigente reglamentación y el de sus combinaciones para los estados límite últimos (ELU) y estados límite de servicio, aunque aquí nos detendremos solamente en los ELU de agotamiento.

Las solicitaciones a las que se puede ver sometida una pieza estructural, desde la tracción simple hasta la compresión centrada, pasando por las solicitaciones normales compuestas o las tangenciales, se exponen de forma somera en otro apartado.

El siguiente aspecto a tener en cuenta es la selección de los materiales –hormigón y acero–, mediante la determinación de algunos criterios básicos. Por medio de tablas se resumen las especificaciones más significativas, tanto de un material como del otro, así como las hipótesis previas de cálculo a partir de los diagramas tensión-deformación de los mismos.

En el segundo capítulo se expone el análisis estructural aportando las bases para, mediante una metodología sencilla, determinar esfuerzos en los elementos más habituales de la edificación. Se identifican los criterios para poder aplicar modelos unidimensionales y se incide en algunos conceptos importantes como luz de cálculo, canto total y útil, sección bruta, neta y homogeneizada. Además se plantean los métodos de cálculo admitidos por la EHE-08, especialmente el caso de análisis lineal con redistribución limitada, que es el modelo más frecuente en edificación.

Dentro de este capítulo se exponen algunos conceptos básicos del método de bielas y tirantes, ya que desde la aparición de la primera EHE (1998) es un método que ha sido minuciosamente desarrollado para el cálculo de esfuerzos en la celosía y la comprobación de sus elementos (bielas, tirantes y nudos).

Los Estados Límite Últimos se tratan a continuación como el método más habitual para el cálculo de las estructuras de hormigón, con los postulados de la Instrucción EHE y recogiendo los criterios más empleados en edificación. Algunos aspectos como el tratamiento del esfuerzo cortante se han procurado desarrollar de forma sencilla y precisa.

El capítulo dedicado a los distintos elementos estructurales se desarrolla con un mayor detalle, de tal manera que para cada tipo de elemento se ha intentado desarrollar una misma metodología basada en los siguientes puntos: predimensionamiento del elemento, cálculo de esfuerzos, disposiciones de armaduras y cuantías mínimas a considerar.

Todo este capítulo, igual que el anterior, está acompañado de una serie de ejemplos prácticos, en los que se desarrollan numéricamente aplicaciones directas sobre determinados elementos.

Dado que, como se ha dicho al principio, este no pretende ser un manual de aplicación de la Normativa vigente al cálculo de las estructuras de hormigón, sino simplemente un recordatorio y actualización de contenidos expuestos a lo largo de más de una década de enseñanza de esta disciplina en la EUAT de Guadalajara, tiene por finalidad dar respuesta a una demanda, quizás más bien una sugerencia, que un grupo de antiguos alumnos de la Escuela tuvo la ¿feliz? idea de proponerme.

Se lo agradezco… y seguimos con lo prometido.

0.2. LA NUEVA INSTRUCCIÓN EHE-08

Con la aparición en su momento de la Instrucción de Hormigón Estructural EHE se marcó un punto de inflexión en el planteamiento de los proyectos y las obras de estructuras de hormigón que se desarrollaban en España hasta ese momento.

El concepto de "hormigón estructural" logró un planteamiento homogéneo que permitía abordar cualquier tipo de edificación desde las construcciones más modestas hasta los edificios de gran altura basándose en la misma normativa.

Desde las primeras normativas EH-68, EH-73, EH-80, EH-82, EH-88, EH-91, las actualizaciones que se realizaban eran básicamente por el avance de la técnica de hormigón armado, métodos de cálculo y criterios de resistencia.

La instrucción EHE del año 1999, representó un avance al agrupar el concepto de estructuras de hormigón y no tratar las mismas por separado: hormigón armado, hormigón pretensado, hormigón postensado.

Señaló como resistencia característica mínima para el hormigón armado (el HA-25) los 250 kp/cm², que representó un aumento considerable sobre el mínimo establecido anteriormente, pretendiendo aumentar la seguridad y la durabilidad de las estructuras.

Estableció la obligatoriedad del sistema internacional de unidades. Cambió de nomenclatura para definir la topología del hormigón, etc., y estableció los criterios de prestaciones y durabilidad.

La nueva instrucción EHE-08 continúa la anterior pero recogiendo la armonización con las nuevas normas y ampliando el contenido de la misma tanto en el aspecto técnico como en otros criterios de sostenibilidad medioambiental, gestión de la calidad, durabilidad, materiales reciclados, etc., y con la incorporación de los avances de la técnica aparecidos en el sector.

Las modificaciones de la norma se deben principalmente a los siguientes conceptos:

1.- Aparece por el avance de la técnica, novedades debidas al tiempo transcurrido desde la anterior norma, especialmente en el ámbito europeo:

  • El Comité Europeo de Normalización ha desarrollado el programa de eurocódigos estructurales, en especial el Eurocódigo 2- Proyectos estructurales de hormigón.

  • Marcado CE productos de construcción.

2.- También, las nuevas normas aparecidas en el ámbito estatal:

  • Aprobación del Código Técnico de la Edificación.

  • Normas sismorresistentes (NCSE-02).

3.- Enfoques armonizadores con las normas indicadas anteriormente:

  • Enfoque de prestaciones

- Adopta el sistema de seguridad de las normas europeas (eurocódigos estructurales).

4.- Nuevos conceptos explícitos:

- Durabilidad de las estructuras de hormigón, con procedimientos para estimación de la vida útil.
- Gestión de la calidad a realizar en la obra.
- Fomentar la incorporación de criterios de sostenibilidad al proyecto y ejecución de la estructura, con criterios medioambientales.
- Mantenimiento de estructuras.

5.- Nuevos materiales y tecnologías:

- Hormigones reciclados
- Hormigones autocompactantes
- Hormigones de fibras
- Hormigones de áridos ligeros

6.- Agrupación de otras normas:

- Los forjados prefabricados se incluyen en la presente norma, con la novedad de que no será exigible la autorización de uso de forjados en el caso de disponer de marcado CE.

7.- Control y calidad de ejecución.

- Amplía todo lo referente a calidad de ejecución, bases generales de control, control de calidad del proyecto, control de conformidad de los productos, documentación y controles para garantizar la estructura de hormigón, con la trazabilidad de los productos y los documentos de control necesarios en todas las fases de la obra.

NOVEDADES DE LA EHE-08

Indicamos a continuación algunos aspectos nuevos destacados, pero consideramos que todo el contenido de la nueva instrucción es más amplio que la anterior y por tanto en casi todos los artículos aparecen novedades a tener en cuenta.

Capítulo I. Principios generales.

Establece la base de la instrucción y sus novedades, destacando el apartado 4.2 de condiciones técnicas para la conformidad con esta instrucción y el artículo 5.

Requisitos, en donde se establece la vida útil nominal de los diferentes tipos de estructuras y las exigencias que deben cumplir las estructuras de hormigón.

Capítulo II. Criterios de Seguridad y Bases de Cálculo.

Aparece en el artículo 8. Bases de cálculo, además de los estados límites Último y de Servicio, el estado límite de Durabilidad.

Capítulo III. Acciones.

Los coeficientes de seguridad de las acciones adoptan los valores de la tabla 12.1.a, en resumen, cargas gravitatorias permanentes, el valor 1,35 y para variables, 1,50 (iguales al CTE, y al artículo correspondiente de la norma anterior, pero sin la modificación del artículo 95 de niveles de control de ejecución, que establecía para control normal, los valores de cargas gravitatorias 1,5 y cargas variables 1,6), por tanto **ya no dependen del control de ejecución.**

Aparecen en el artículo 92.3 dos tipos de control de ejecución normal e intenso, este sólo aplicable cuando el constructor esté en posesión de un sistema de calidad certificado.

Las combinaciones de acciones se siguen iguales, pero en el artículo de combinación de acciones han quitado la simplificación para situaciones con dos o más acciones variables (coeficiente de 0,9 para suma de acciones variables).

Capítulo IV. Materiales y Geometría.

Los coeficientes parciales de seguridad del hormigón 1,50 y del acero 1,15 siguen siendo los mismos, pero indican las condiciones para reducir el de seguridad del acero a 1,10, y del hormigón a 1,40 en caso general o 1,35 en prefabricados, cuando se cumplan las condiciones de control de ejecución intenso y el hormigón tenga un distintivo de calidad oficialmente reconocido.

Capítulo V. Análisis estructural.

Hay actualizaciones de contenido. En forjados unidireccionales establecen como luz de cálculo la existente entre los ejes de los soportes de las vigas.

Capítulo VI. Materiales.

En el artículo 28, en el apartado de designación de los áridos, aparece un nuevo formato, en donde además del tamaño d/D, es necesario indicar la forma de presentación: R rodado, T triturado y M de mezcla.

En el artículo 29, aditivos, se mencionan cinco tipos de aditivos y su función.

En el artículo 31. Hormigones, las condiciones de calidad y designación no varían.

Los valores mínimos de resistencia son igual que antes, HM 20 N/mm2 y HA 25 N/mm2.

Para obras de pequeña importancia, que se realicen con control indirecto de la resistencia (artículo 86.5.6) (desaparece el denominado control reducido y ahora se llama indirecto), para obras de ingeniería de pequeña importancia, se adoptará f_{cd}= 10 N/mm², pero sólo en obras de ambiente I o II. También se aplicará para el caso de hormigones no estructurales según se indica en el anejo 18.

Se indica que los hormigones no estructurales: hormigón de limpieza, hormigones de relleno, bordillos y aceras, no tienen que cumplir un valor mínimo de resistencia, ni deben identificarse con el formato de identificación del hormigón estructural y que se rigen por el anejo 18.

Los tipos de docilidad se aumentan en uno nuevo denominada líquida (L).

En el apartado *acero*, se mantienen las calidades anteriores y se amplía en contenido.

Capítulo VII. Durabilidad.

En el apartado de recubrimientos mínimos de las armaduras, aparecen valores distintos según la vida útil del proyecto para 50 años o 100 años y se indican los valores para las distintas clases de exposición y tipo de cemento.

Capítulo VIII. Datos de los Materiales para el proyecto.

Se mantiene el formato de tipificación del hormigón: T-R/C/TM/A. Se amplían las resistencias especificadas hasta el valor de 100 N/mm². Se recomienda utilizar la siguiente serie: 20, 25, 30, 35, 40, 45, 50, 55, 60, 70, 80, 90, 100 N/mm².

La resistencia de cálculo del hormigón se puede reducir en un coeficiente de valor de 0,85 a 1,00. Esto se debe a que en el diagrama de tensión-deformación de cálculo del hormigón han quitado el coeficiente reductor de 0,85 de la resistencia de cálculo, coeficiente denominado de cansancio del hormigón a altos niveles de tensión de compresión debido a cargas de larga duración. **Por tanto, se puede considerar que la resistencia de hormigón aumenta al poder considerar 1,00 f_{cd}.**

En el artículo 39.5 Diagrama de tensión-deformación de cálculo del hormigón, por lo tanto, desaparece el coeficiente de 0,85 que afectaba a las tensiones y es bastante interesante pues establecen las ecuaciones de la parábola y del diagrama rectangular para hormigones de resistencia f_{ck} menor de 50 N/mm² o mayor de 50 N/mm².

La resistencia de cálculo del acero se mantiene igual. Como no existe el control reducido, no hay valor de cálculo reducido del acero.

Capítulo IX. Capacidad resistente de bielas, tirantes y nudos.

Ha quedado básicamente igual que en la EHE anterior, con su definición de las llamadas "regiones D" (zonas de discontinuidad) y su aplicación a zapatas rígidas, vigas de gran canto, ménsulas cortas, nudos rígidos, encepados y zonas de introducción de los tendones en las piezas pretensadas.

Capítulo X. Cálculos relativos a los Estados Límite Últimos.

Cuantías geométricas mínimas, aparecen para forjados unidireccionales. Indican con notas adicionales una serie de conceptos que antes no estaban, como por ejemplo, que en la cuantía geométrica para losas de cimentación y zapatas se adoptaran los valores mitad que para losas (para B500S se toma 0,9 por mil), dispuestos en las dos direcciones de la cara inferior.

Se modifican algunos valores del cálculo de pandeo. La esbeltez mecánica inferior a 35 no necesitaba calcularse a pandeo y ahora proponen una expresión para considerar el límite para no considerar el cálculo de los efectos de segundo orden.

En el artículo 44, de estados límites de agotamiento frente al cortante, se modifican las fórmulas de cálculo, sobre todo las de la capacidad de agotamiento por tracción del alma. La separación longitudinal entre armaduras transversales se modifica y debe ser menor que 0,75 d, en lugar de 0,8 d.

Modificaciones en el cálculo del punzonamiento.

Capítulo XI. Cálculos relativos a Estados Límite de Servicio.

El cálculo de fisuración es igual.

En el cálculo de deformación hay variaciones.

Capítulo XII. Elementos estructurales.

Aparece un nuevo artículo 59. Estructuras construidas con elementos prefabricados, bastante interesante, para determinar apoyos de prefabricados, cálices o cestos de unión de pilares prefabricados y las zapatas de cimentación.

Los forjados unidireccionales con viguetas o losas alveolares quedan incorporados a la presente norma, reglamentados en este capítulo y en el anejo 12.

Capítulo XIII. Ejecución.

Nueva y amplia redacción de los criterios para la ejecución de la estructura.

Consideraciones de carácter medioambiental y de contribución a la sostenibilidad.

En los cálculos de anclajes las fórmulas se han pasado de cm a mm.

En el artículo de transporte y suministro del hormigón, se mantiene el tiempo desde adición de agua del amasado y la colocación en obra de máximo hora y media, pero se añade el párrafo "salvo que se utilicen aditivos retardadores de fraguado".

El artículo 77. Aspectos medioambientales básicos y buenas prácticas, recoge tanto el aspecto de residuos, como emisiones a la atmósfera por polvo, como la recogida de aguas residuales de medios de transporte, o el aspecto del ruido.

Capítulo XIV. Bases generales de control.

Nuevo y muy amplio de articulado.

Capítulo XV. Control de la calidad del proyecto.

Igualmente nuevo y muy amplio de contenido. La propiedad podrá decidir la realización del control del proyecto, pudiendo elegir dos niveles de control: normal y reducido.

Capítulo XVI. Control de conformidad de los productos.

La dirección facultativa, en nombre de la propiedad, tiene la obligación de comprobar la conformidad de los productos que se reciben en la obra. Las actividades relacionadas con este control deben reflejarse en el programa de control.

En el control de resistencia del hormigón durante el suministro (86.5.4), en el cálculo de lotes se ha quitado el concepto de número de amasadas, quedando los otros conceptos igual. Cuando el lote esté constituido por amasadas de hormigón en posesión de un distintivo oficialmente reconocido, podrá aumentarse el tamaño del lote multiplicando el valor de la tabla por 5 o por 2.

Antes de realizar el suministro del hormigón, la dirección facultativa comunicará al constructor y éste al suministrador el criterio de aceptación aplicable.

La conformidad del lote a partir del valor medio de dos probetas por cada una de las N amasadas, determinadas según nueva tabla según resistencia y tipo de central. Aparecen distintos casos para aceptación o rechazo de la resistencia. Necesario un certificado del hormigón suministrado.

Además de los controles y certificado de los aceros, aparece un nuevo artículo sobre control de las armaduras para comprobar la conformidad antes del montaje.

El artículo 91 establece los criterios de control de los elementos prefabricados, a comprobar a su recepción en obra.

Capítulo XVII. Control de la ejecución.

Ampliado en contenido, incluyendo estructuras prefabricadas de hormigón.

Capítulo XVIII. Mantenimiento.

Articulado nuevo para establecer conceptos y criterios de mantenimiento de estructuras.

Deben figurar en el proyecto los criterios de inspección y mantenimiento.

Anejo 1. Notaciones y unidades.

Se incluye el apartado de unidades. Lógicamente se mantiene el Sistema Internacional.

Las unidades de resistencia $N/mm^2 = MN/m^2 = Mpa$.

Anejo 2. Relación de normas UNE.

Con la posibilidad de añadir e incorporar las nuevas normas que vayan apareciendo.

Anejo 3. Prescripciones para la utilización del cemento de aluminato de calcio.

Anejo 4. Recomendaciones para la selección del tipo de cemento a emplear en hormigones estructurales.

Anejo 5. Método de ensayo para determinar la estabilidad de la inyección.

Anejo 6. Recomendaciones para la protección adicional contra el fuego de elementos estructurales.

Similar en contenido y formato con el Anejo C. Resistencia al fuego de estructuras de hormigón armado del CTE DB-SI Seguridad en caso de incendios.

Anejo 7. Cálculo simplificado de secciones en Estado Límite de Agotamiento frente a solicitaciones normales.

Amplía el contenido de la norma anterior.

Anejo 8. Análisis en situación de servicio de secciones y elementos estructurales sometidos a flexión simple.

Similar al del anterior reglamento.

Anejo 9. Consideraciones adicionales sobre durabilidad.

Amplía los conceptos y calcula la durabilidad.

Anejo 10. Requisitos especiales recomendados para estructuras sometidas a acciones sísmicas.

Es complementario a las normas sismorresistentes.

Anejo 11. Tolerancias.

Apartado muy interesante. Se debe indicar en el proyecto que el criterio de tolerancias a cumplir es el especificado en este anejo.

Anejo 12. Aspectos constructivos y de cálculo específicos de forjados unidireccionales con viguetas y losas alveolares prefabricadas.

Todo lo específico para forjados, que recoge la anterior norma de forjados más las ampliaciones incorporadas.

Anejo 13. Índice de contribución de la estructura a la sostenibilidad.

Cálculo detallado del nivel de sostenibilidad.

Anejo 14. Recomendaciones para la utilización de hormigón con fibras.

Contenido muy amplio, con indicaciones complementarias al texto de la instrucción referidas a títulos, capítulos, artículos y apartados que se modifican por empleo de hormigón con fibras.

El artículo 39.2 tipificaciones de los hormigones, para fibras es: T-R/f-R1-R3/C/TMTF/ A. donde T será HMF hormigón en masa, HAF armado y HPF pretensado, f tipo de fibras que será A fibras de acero, P poliméricas, V de vidrio, R resistencia a flexotracción, TM-TF tamaño máximo árido y longitud de la fibra. Hay otra tipificación para designación por dosificación.

Anejo 15. Recomendaciones para la utilización de hormigones reciclados.

Contenido muy amplio, con indicaciones complementarias al texto de la instrucción referidas a títulos, capítulos, artículos y apartados de esta instrucción de las recomendaciones por empleo de hormigón reciclados.

Anejo 16. Recomendaciones para la utilización de hormigón ligero.

Contenido muy amplio, con indicaciones complementarias al texto de la instrucción referidas a títulos, capítulos, artículos y apartados de la instrucción, de las recomendaciones por empleo de hormigones ligeros estructurales elaborados con áridos ligeros.

Anejo 17. Recomendaciones para la utilización del hormigón autocompactante.

Contenido muy amplio, con indicaciones complementarias al texto de la instrucción referidas a títulos, capítulos, artículos y apartados de la instrucción, de las recomendaciones para el empleo de hormigón autocompactante.

Anejo 18. Hormigones de uso no estructural.

Se clasifican en dos clases: Hormigón de Limpieza (HL) y Hormigón No Estructural (HNE) para conformar volúmenes de material resistente.

La tipificación del único hormigón de limpieza utilizable es: HL-150/C/TM, donde 150 kg/m^3 es la dosificación mínima de cemento.

La tipificación de hormigones no estructurales es: HNE-15/C/TM, donde 15 N/mm2 es la resistencia característica mínima de los hormigones no estructurales.

Anejo 19. Niveles de garantía y requisitos para el reconocimiento oficial de los distintivos de calidad.

Anejo 20. Lista de comprobación para el control del proyecto.

Puede servir de guión de los puntos a considerar en el proyecto.

Anejo 21. Documentación de suministro y control.

Muy importante pues detalla la documentación exigible en obra. El suministrador deberá entregar la documentación relevante contemplada que se detalla en este anejo.

Anejo 22. Ensayos previos y característicos del hormigón.

Para los casos en que no hay experiencia previa.

Anejo 23. Procedimiento de preparación por enderezado de muestras de acero procedente de rollo, para su caracterización mecánica.

Anejo 24. Recomendaciones relativas a elementos auxiliares de obra para la construcción de puentes de hormigón.

0.3.   UNIDADES Y MAGNITUDES

En la tabla siguiente se exponen las magnitudes más utilizadas en la EHE-08, su abreviatura, la unidad de medida que se utiliza en el Sistema Internacional (S.I.) y la que se solía utilizar tradicionalmente en anteriores normativas. Conviene mencionar el redondeo que se efectúa al establecer la equivalencia entre 1 kg-fuerza y 10 N en lugar de los 9,81 N que nos daría un resultado más exacto pero iría en detrimento del aspecto práctico.

MAGNITUD	UNIDADES MKS (EH-91 y anteriores normas)	UNIDADES S.I. (EHE y EHE-08)
Longitudes: Distancias (a) Ancho (b) Canto útil (d)	1 m	1 m 100 cm 1.000 mm
Recubrimientos (d') Excentricidad (e_0, e) Flecha (f) Canto total. Espesor (h)	1 cm	10^{-2} m 1 cm 10 mm
Luz. Longitud (l) Separación armaduras (s) Profundidad fibra neutra (x) Brazo de palanca (z)	1 mm	10^{-3} m 0,1 cm 1 mm
Áreas: Área total de acero (A_s) Área total de hormigón (A_c)	1 m²	1 m² 10^{-6} mm²
Área de acero traccionado (A_{s1}) Área de acero comprimido (A_{s2}) Área de armadura transversal (A_{st})	1 cm²	10^{-4} m² 10^2 mm²
Módulo resistente:	1 cm³	10^{-6} m³ 10^3 mm³
Momento de Inercia:	1 cm⁴	10^{-8} m⁴ 10^4 mm⁴
Tensiones: Resistencia del hormigón (f_{ck}) Límite elástico del acero (f_{yk}) Resistencias de cálculo (f_{cd}, f_{yd})	1 kg/cm²	0,1 N/mm² 100 kN/m²
Tensiones en el hormigón (σ_c, σ_{cd}) Tensiones en el acero (σ_s, σ_{sd})	1 T/m²	10^{-2} N/mm² 10 kN/m²
Módulos de deformación: Del hormigón (E_c) Módulo elástico del acero (E_s)	1 kg/cm²	0,1 N/mm² 100 kN/m² 10^{-2} N/mm²

MAGNITUD	UNIDADES MKS (EH-91 y anteriores normas)	UNIDADES S.I. (EHE y EHE-08)
	1 T/m²	10 kN/m²
Acciones: Cargas puntuales Cargas lineales Cargas superficiales	1 T 1 T/m 1 T/m²	10 kN 10 kN/m 10^{-2} N/mm² 10 kN/m²
Esfuerzos-fuerza: Esfuerzo normal y cortante (N, V) Ídem de cálculo (N_d, V_d) Ídem últimos (N_u, V_u) Capacidades mecánicas (U_c, U_s)	1 T	10 kN
Esfuerzos-momento: Momento flector (M) Momento flector de cálculo (M_d) Momento flector último (M_u)	1 T m 1 m T	10 kN m
Momentos por unidad de longitud: Momento por metro	1 T m/m	10 kN m/m

EJEMPLOS

1. Hormigón antes denominado H-250, de 250 kg/cm² de resistencia característica a compresión será, con el S.I. de medidas:

$$250 \text{ kg/cm}^2 \times 0,1 = 25 \text{ N/mm}^2$$

se correspondería con el hormigón de tipo HA-25.

2. El momento en el centro del vano de una viga es de 7,5 m T en el sistema MKS. En el S.I. de medidas será:

$$7,5 \text{ m T} \times 10 = 75 \text{ kN m}$$

3. El esfuerzo cortante de la sección extrema de una viga sobre un pilar es de 10,5 T. Con el S.I. de medidas será:

$$10,5 \times 10 = 105 \text{ kN}$$

4. El módulo de elasticidad del acero de las armaduras de un pilar es de 2.100.000 kg/cm². En el Sistema Internacional será:

$$2.100.000 \times 0,1 = 2,1 \cdot 10^5 \text{ N/mm}^2$$

5. La tensión admisible de un terreno es de 2,0 kg/cm² (también se puede designar como 20 T/m²). En el S.I. de medidas será:

$$2,0 \times 0,1 = 0,2 \text{ N/mm}^2$$

$$2,0 \times 100 = 200 \text{ kN/m}^2$$

$$20 \times 10^{-2} = 0,2 \text{ N/mm}^2$$

$$20 \times 10 = 200 \text{ kN/m}^2$$

1. EL PROYECTO DE ESTRUCTURAS

El Artículo 4º "Documentos del Proyecto" de la anterior Instrucción EHE establecía que un Proyecto debe contener, entre otros, los documentos siguientes:

- Una Memoria donde figuren los métodos de cálculo empleados, los materiales considerados y la modalidad de control prevista. Incluirá un Anejo de Cálculo donde se justifique el cumplimiento de las condiciones que se exigen a la estructura.

- Cuando se efectúen cálculos con ordenador, este Anejo de Cálculo indicará la identificación del programa, su objeto y el campo de aplicación. Se establece en los Comentarios que al menos se deberá incluir: título, versión y fecha del programa utilizado.

En lo que se refiere a la Presentación de datos y resultados, se deberán incluir los siguientes:

- Listado de datos, donde figuren los datos introducidos por el proyectista y los generados por el programa.

- Listado de salida, con los resultados necesarios para una justificación adecuada de la solución obtenida.

- Los planos necesarios para que la obra quede perfectamente definida, con todos los detalles precisos. Las dimensiones se acotarán en metros con dos cifras decimales, salvo los diámetros de las armaduras, que se expresarán en milímetros.

- Deberán poder efectuarse las mediciones de todos los elementos, sin utilizar más dimensiones que las acotadas. Si no hubiera despiece detallado de armaduras, deberán poder deducirse directamente de los planos todas las dimensiones de las mismas.

- En cada plano de la estructura figurará un cuadro con la tipificación de los hormigones, las características resistentes de los aceros, las modalidades de control previstas y los coeficientes de seguridad adoptados en el cálculo.

1.1. EL ESTUDIO GEOTÉCNICO

En el citado Artículo 4 se establece la necesidad de incorporar en todos los proyectos "Un estudio geotécnico de los terrenos sobre los que la obra se va a ejecutar, salvo cuando resulte incompatible con la naturaleza de la obra", es decir, salvo cuando la obra no precise de actuaciones en el terreno.

Esto significa que cualquiera que sea la importancia económica o estructural de una obra, siempre será necesario un estudio geotécnico si la edificación comprende actuaciones que requieren un conocimiento del terreno.

Un estudio geotécnico es un documento escrito en el que se describen las actividades llevadas a cabo para conocer las características geológicas y geotécnicas del terreno en todos los aspectos necesarios para el Proyecto y se establecen recomendaciones concretas suficientemente fiables para su redacción. Figurará de forma expresa el autor o autores del estudio y su cualificación.

Las actividades que lleven al establecimiento de conclusiones pueden ser muy variadas, pero lo que la Instrucción recoge es la obligatoriedad de un Estudio Geotécnico en el que el autor que lo firma describe las características del terreno y las fuentes de información consideradas, que pueden ser datos o experiencias previas, pudiendo no ser necesarios los ensayos de campo si se justifica debidamente.

Con un estudio geotécnico se debe dar respuesta a las cuestiones que se requieran de entre las siguientes:

1) Recomendación del tipo de cimentación.

2) Parámetros geotécnicos para el proyecto, cálculo y dimensionamiento de la cimentación.

   Estos parámetros, en función del tipo de cimentación recomendado, serán:

   - Para cimentaciones superficiales (zapatas aisladas, corridas o pozos):
     - La profundidad del plano de apoyo de cimentación con la definición del nivel de terreno que se debe alcanzar.
   - Para cimentaciones mediante elementos continuos como vigas o losas:
     - Las condiciones de rigidez de la cimentación y deformabilidad del terreno definida mediante un coeficiente de balasto.
   - Para cimentaciones profundas mediante pozos o pantallas:
     - Los sistemas y procedimientos constructivos aplicables.
     - La profundidad y empotramiento mínimos recomendables.
     - La resistencia de rotura unitaria del terreno por fuste y por punta.

3) Tipología del sistema constructivo para la excavación de sótanos u otros vaciados.

   Dependiendo del método recomendado, se indicarán los siguientes puntos:

   - En excavaciones ataluzadas y con muro convencional:
     - Pendientes de taludes recomendables.
     - Dimensiones máximas de bataches.

- Recomendaciones constructivas.
- Parámetros geotécnicos para el proyecto del muro.
- Tipo de relleno del trasdós y drenaje.

- En excavaciones apantalladas:
  - Tipologías de pantallas recomendables.
  - Condicionantes para las profundidades o empotramientos mínimos.
  - Parámetros del terreno para el cálculo de empujes.
  - Posición de los niveles freáticos y potencia de los mismos.

4) En su caso, otros aspectos especiales a considerar, debidos a:

- Condiciones hidrogeológicas. Situación y potencia de acuíferos. Existencia de circulación de agua. Permeabilidad de las distintas capas.
- La existencia de suelos potencialmente expansivos o colapsables.
- Las debidas a la agresividad química de los suelos o de las aguas.

No queremos entrar en cuestiones más específicas de los estudios geotécnicos como la Metodología para la elaboración de estudios o la Planificación de las campañas de reconocimiento, que claramente exceden de nuestro cometido en esta publicación.

1.2. EL TIPO DE AMBIENTE

La selección del tipo de ambiente debe efectuarse conforme a lo establecido en la EHE-08, para lo cual se propone una metodología práctica basada en los siguientes pasos:

i.   Identificar el tipo de ambiente para cada uno de los elementos estructurales.

ii. Agrupar los elementos para lograr una mejor gestión de la ejecución.

iii. Tomar las decisiones pertinentes.

A continuación se detallan los pasos citados.

1.2.1. Identificación del tipo de ambiente

En la identificación del tipo de ambiente para un elemento estructural concreto de un edificio se puede seguir una metodología muy simple en función del tipo de elemento estructural, tal y como se señala en las tablas siguientes, resumida también en el diagrama de flujo que se expone a continuación, recogido en una publicación de la Comisión Permanente del Hormigón.

Los tipos de elementos estructurales más habituales en las edificaciones se pueden establecer según los siguientes grupos:

- Cimentaciones (zapatas, losas, pozos, pilotes).
- Muros de sótano.
- Vigas o pilares interiores.
- Vigas o pilares exteriores revestidos.
- Vigas o pilares vistos y a la intemperie.
- Forjados interiores.
- Forjados de cubierta con impermeabilización.
- Forjados sanitarios.

En las tablas siguientes se establecen los tipos de ambiente en función de las características de los elementos de estos grupos.

a. Cimentaciones, muros de sótano y otros elementos en contacto con el terreno.

Tipo de terreno	Tipo de ambiente
Terrenos agresivos	IIa + Qb
Otros	IIa

b. Pilares, vigas y otros elementos estructurales situados a la intemperie.

¿Hormigón visto o revestido?	¿A menos de 5 km de la costa?	Precipitación media anual	Tipo de ambiente
Visto*	Sí	Cualquiera	IIIa
	No	>600 mm	IIa
		<600 mm	IIb
Revestido	Sí	Cualquiera	IIa
	No	>600 mm	IIa
		<600 mm	IIb

* Para elementos vistos a la intemperie en ambientes de temperatura media igual o inferior a 12,5 °C y humedad relativa media en invierno superior al 75% (o en contacto frecuente con agua) la clase específica de exposición será H.

c. Pilares, vigas y otros elementos estructurales interiores.

¿Puede haber condensación?	Tipo de ambiente
Sí	IIa
No	I

d. Clases de exposición en forjados.

Clase de exposición	Posición del forjado	Proceso
I	Interior excepto cocinas y baños. Cubierta protegida.	Ninguno.
IIa	Cámara sanitaria. Interior en cocinas y baños. Cubierta no protegida.	Corrosión por carbonatación. Humedad alta.
IIb	Exterior en zona no marina.	Corrosión por carbonatación. Humedad media.
IIIa	Exterior en zona marina aérea.	Corrosión por cloruros. Atmósfera aérea marina.

EJEMPLOS

Tipos de ambiente para algunos elementos estructurales:

Descripción	Clase general de exposición	Clase específica de exposición	Tipo de ambiente
Cimentación mediante zapatas en terrenos yesíferos	IIa	Qb	IIa +Qb
Muros de sótano en terreno no agresivo	IIa	No hay	IIa
Pilar interior no revestido ni sometido a condensaciones	I	No hay	I
Viga exterior no protegida en zona de precipitación media anual <600 mm	IIb	No hay	IIb
Pilar a la intemperie visto a menos de 5 km de la costa	IIIa	No hay	IIIa
Forjado interior de vivienda sin condensación	I	No hay	I
Forjado sanitario no sometido a condensación	IIa (nervios o viguetas)	No hay	IIa
	I (losa superior)	No hay	I
Forjado de cubierta impermeabilizada, no sometida a condensación interior, HR en invierno >75% y temperatura media <12,5 °C con precipitación media anual <600 mm	I (Viguetas y losa superior)	No hay	I

1.2.2.   Agrupación de los elementos estructurales

Una vez que se han definido los tipos de ambientes para cada uno de los elementos estructurales, conviene agruparlos con el fin de facilitar la aplicación de las exigencias que depende de cada clase de exposición. Es importante entonces poder gestionar de forma adecuada la gestión de la ejecución de manera que nos limitemos a unos pocos tipos de hormigón (cuantos menos mejor) para una buena economía de la obra.

Los criterios para efectuar esta agrupación responden a dos ideas básicas:

- Que los tipos de ambiente iniciales sean los mismos para cada grupo de elementos.

- Que los grupos sean compatibles con los procesos de ejecución en lo referente a ubicación de los elementos.

Para cada uno de los grupos que se formen de esta manera se redefinirá un tipo de ambiente que se corresponderá con la combinación más exigente de las clases generales y específicas correspondientes a los elementos estructurales que conforman el grupo.

Es importante a este respecto definir una serie de criterios que ayuden a facilitar el proceso de agrupamiento de los elementos, como podrían ser:

i.   El volumen de cada grupo no debe ser inferior a unos 3 metros cúbicos (la mitad de una hormigonera convencional).

ii. No conviene tener grupos con elementos que formen parte de distintas fases de la obra y no puedan ejecutarse de forma simultánea.

iii. La cimentación debe constituir un grupo separado del resto de la obra.

iv. Conviene minimizar el número de grupos en la misma estructura con el fin de simplificar la gestión de la ejecución de la obra.

v.   Siempre se deberá considerar que todos los elementos de un mismo grupo tienen el ambiente más agresivo de los que tienen sus componentes.

Según los anteriores criterios, podríamos establecer una serie de grupos en una obra, por ejemplo:

a. El conjunto formado por forjados, vigas y pilares interiores no sometidos a condensación: Tipo de Ambiente I.

b. Conjunto formado por la cimentación y muros de sótano en terrenos yesíferos: Tipo de Ambiente IIa + Qb.

c. Conjunto formado por vigas, pilares y forjados interiores donde puedan darse condensaciones y no están protegidos (incluyendo forjados sanitarios): Tipo de Ambiente IIa.

d. Pilares y vigas de planta baja en una edificación donde algunos de ellos están a la intemperie a menos de 5 km de la costa y otros son interiores. Se toma el tipo de ambiente más agresivo, es decir, el envolvente. Tipo de Ambiente IIb.

e. Forjado de cubierta impermeabilizado con elementos de última planta (pilares, vigas) a la intemperie, no protegidos, en un ambiente de precipitación media <600 mm y distancia a la costa >5 km. Tipo de Ambiente IIb.

1.2.3. Toma de decisiones

La elección del tipo de ambiente asociado a cada elemento estructural comporta una serie de decisiones que habrá que tomar durante el proyecto y en la ejecución de la obra. Los aspectos más relevantes en cuanto a decisiones a tomar en fase de proyecto se adjuntan en la tabla siguiente.

Resumen de decisiones derivadas del tipo de ambiente en fase de Proyecto
1) En la Memoria: <ul><li>Justificación de los tipos de ambiente adoptados para los diferentes tipos de elementos.</li></ul>
2) En el Anejo de Cálculo: <ul><li>Comprobación del ancho de fisuras.</li></ul>
3) En los Planos: <ul><li>Obligación de reflejar el ambiente en los planos.</li><li>Tipificación del hormigón.</li><li>Recubrimientos.</li><li>Separadores.</li></ul>
4) En el Pliego de Prescripciones Técnicas Particulares: <ul><li>Selección del cemento: tipo de cemento, uso de cemento resistente a los sulfatos y uso de cemento resistente al agua marina.</li><li>Selección del árido: naturaleza y contenido de finos en la arena.</li><li>Eficacia de las adiciones minerales.</li><li>Dosificación del hormigón: selección de la relación agua/cemento máxima y selección del contenido de cemento.</li><li>Resistencia del hormigón.</li><li>Tipificación del hormigón.</li><li>En su caso, especificaciones del revestimiento empleado.</li><li>En su caso, especificaciones del sistema de impermeabilización empleado.</li></ul>

El diagrama de flujo que se expone a continuación, recogido en una publicación de la Comisión Permanente del Hormigón, resume el proceso para elegir el tipo de ambiente para un elemento estructural concreto de un edificio, sin más que responder SÍ o NO a las preguntas que sobre el proyecto se van planteando.

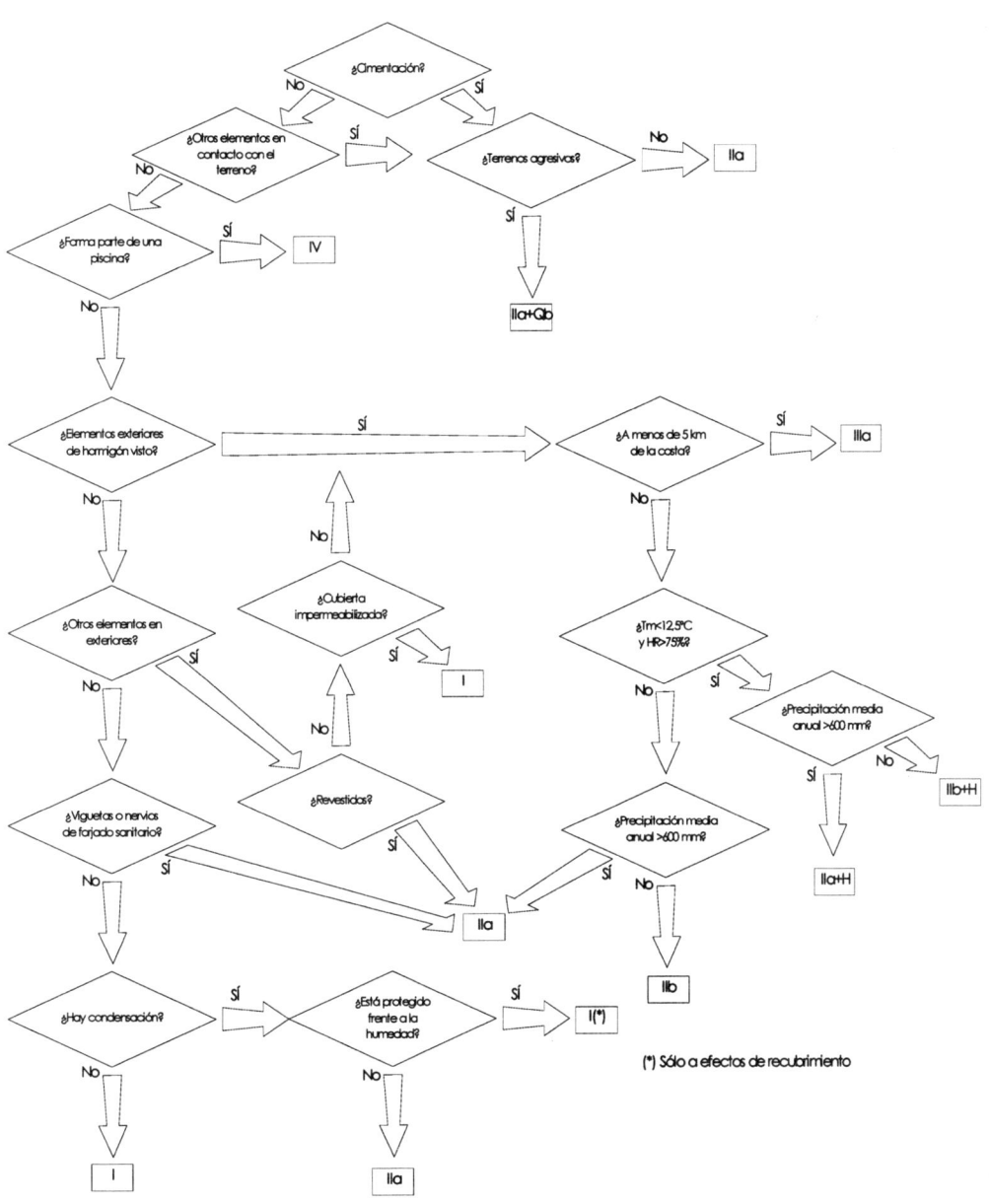

1.3. LAS ACCIONES

En la memoria del Proyecto deben figurar de forma expresa las acciones consideradas, las posibles combinaciones y los coeficientes de seguridad adoptados en cada caso, tal y como indicaba el Artículo 4º de la anterior EHE.

Las acciones en la EHE (Art. 9º) se clasifican de acuerdo a su naturaleza en directas e indirectas o según su variación en el tiempo.

En cuanto a las situaciones de proyecto, se definen las siguientes:

- Uso normal de la estructura = Situación persistente.
- Construcción o reparación de la estructura = Situación transitoria.
- Condiciones excepcionales = Situación accidental.

Los tipos de acción se clasifican en permanentes, permanentes de valor no constante, variables y accidentales. La descripción de estos tipos de acción se expresa en la tabla siguiente.

Tipo de acción	Descripción
Permanente (G)	Constante en magnitud y posición (peso propio, cargas fijas...)
Permanente de valor no constante (G*)	Constante en posición pero no en magnitud (acciones reológicas, pretensado).
Variable (Q)	Puede actuar o no (sobrecarga de uso, viento, nieve...)
Accidental (A)	De gran magnitud pero poca probabilidad (explosiones, impactos, sismo...)

Para la comprobación según los Estados Límite Últimos, el Artículo 12º establece unos coeficientes parciales de seguridad que se relacionan a continuación.

Tipo de acción	Situación persistente o transitoria		Situación accidental	
	Efecto favorable	Efecto desfavorable	Efecto favorable	Efecto desfavorable
Permanente	$\gamma_G = 1,00$	$\gamma_G = 1,35$	$\gamma_G = 1,00$	$\gamma_G = 1,00$
Pretensado	$\gamma_P = 1,00$	$\gamma_P = 1,00$	$\gamma_G = 1,00$	$\gamma_G = 1,00$
Permanente de valor no constante	$\gamma_{G^*} = 1,00$	$\gamma_{G^*} = 1,50$	$\gamma_{G^*} = 1,00$	$\gamma_{G^*} = 1,00$
Variable	$\gamma_Q = 0,00$	$\gamma_Q = 1,50$	$\gamma_Q = 0,00$	$\gamma_Q = 1,00$
Accidental	--	--	$\gamma_A = 1,00$	$\gamma_A = 1,00$

En esta nueva Instrucción no se tiene en cuenta el grado de control.

El valor característico del peso de un forjado unidireccional es de 3,5 kN/m². El valor de cálculo en Estado Límite Último será:

$$1,5 \times 3,5 = 5,25 \text{ kN/m}^2 \ (0,525 \text{ T/m}^2 \text{ o } 525 \text{ kg/m}^2 \text{ en el sistema MKS})$$

El valor de proyecto de la sobrecarga de uso en un edificio de oficinas es de 3,0 kN/m². El valor de cálculo en Estado Límite Último será:

$$1,5 \times 3,0 = 4,5 \text{ kN/m}^2 \ (0,450 \text{ T/m}^2 \text{ o } 450 \text{ kg/m}^2 \text{ en el sistema MKS})$$

Para una ulterior profundización en este tema, especialmente en lo referente a combinación de acciones y sus correspondientes coeficientes Ψ para el cálculo de las mismas, remitimos a la Instrucción EHE-08, a la NBE-AE/88 y a cualquier otra publicación especializada.

La correspondencia entre la clasificación de acciones de la EHE y la prevista en la norma NBE-AE/88 se exponen en la siguiente tabla.

		\multicolumn{9}{c}{Tipo de acciones según NBE-AE/88}
		\multicolumn{4}{c}{Gravitatorias}	Viento	Térmicas	Reológicas	Sísmicas	Terreno
		PP	CP	SU	SN					
Tipo de acciones según EHE										
Por su naturaleza	Directas	X	X	X	X	X				X (empujes)
	Indirectas						X	X	X	X (asientos)
Por su variación en el tiempo	Permanentes	X	X							X
	Permanentes de valor no constante							X		
	Variables			X	X	X	X			X
	Accidentales								X	

1.4. LAS SOLICITACIONES

1.4.1. La compresión

En una solicitación de compresión simple la tensión σ es directamente proporcional al valor **N** de la carga e inversamente proporcional al área **A** de la sección considerada.

$$\sigma = \frac{N}{A}$$

Las deformaciones unitarias también son iguales en todas las fibras de la sección.

A medida que el punto de aplicación de la carga se desplaza del centro de la sección, las tensiones varían en la superficie de la misma, al igual que las correspondientes deformaciones unitarias. El caso extremo se tiene cuando el punto de aplicación de la carga está situado en el límite del tercio central de la sección. En este caso la tensión máxima será el doble de la media y la mínima será nula.

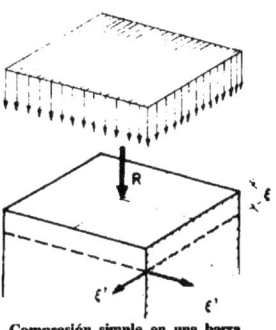

Compresión simple en una barra.

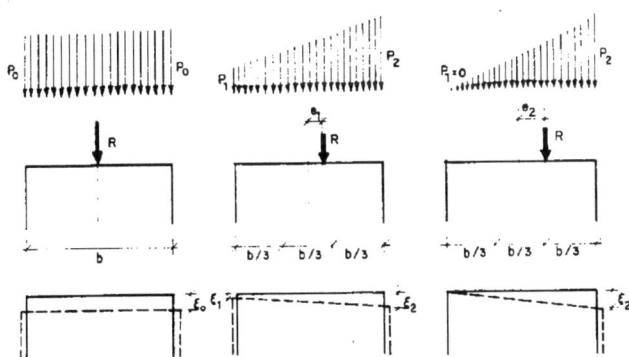

Efecto del desplazamiento de la resultante en la sección de la barra.

1.4.2. La flexión simple

En el caso de la **flexión simple** provocada por un momento **M**, las tensiones σ de compresión o tracción originadas por **M** en cada punto de una sección transversal serán directamente proporcionales al momento **M** y a la distancia **x** del baricentro de la sección al punto considerado, e inversamente proporcional al momento de inercia **I** de dicha sección.

$$\sigma = \pm \frac{Mx}{I}$$

29 •

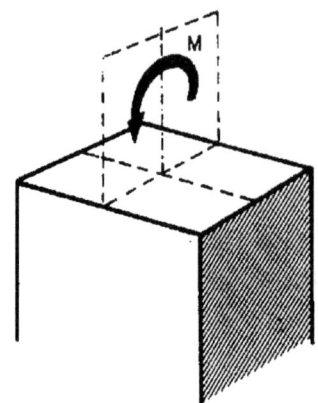

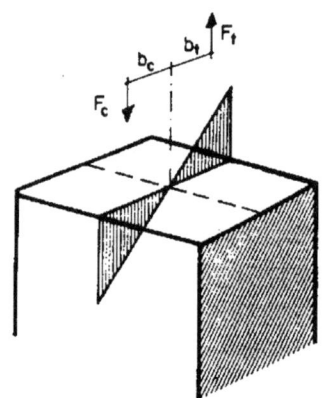

Flexión simple.   **Descomposición del momento flector.**

La compresión (y tracción) que provoca el momento **M** en los puntos más alejados del baricentro tendrán el valor:

$$\sigma = \pm \frac{M\,h}{2\,I}$$

Para el caso de la sección rectangular (momento de inercia $I = b \cdot h^3 / 12$), las tensiones de compresión y tracción en dichos puntos serán:

$$\sigma = \pm \frac{6\,M}{b\,h^2}$$

y, siendo $W = I/(h/2)$ el momento resistente de la sección, obtendremos la segunda de las condiciones de estabilidad:

$$\sigma = \pm \frac{M}{W}$$

1.4.3.   La flexión compuesta

Las dos relaciones fundamentales en las estructuras son, por lo tanto:

$$\sigma = \frac{N}{A} \qquad \text{y} \qquad \sigma = \pm \frac{M}{W}$$

en las que la primera representa la estabilidad a la compresión y tracción y la segunda la estabilidad a la flexión.

Ambas ecuaciones se pueden combinar por superposición de efectos, en cuyo caso

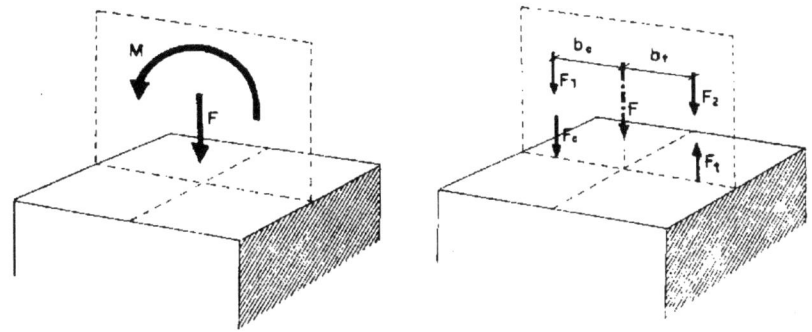

Flexión compuesta: Descomposición de esfuerzos.

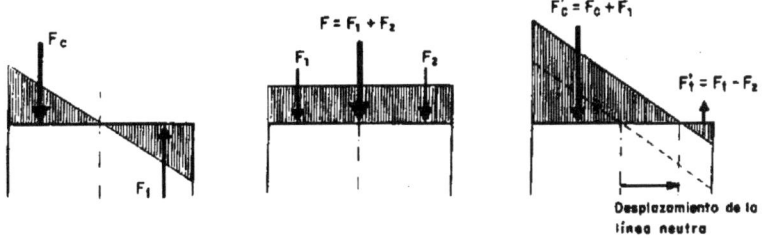

Efecto de la flexión compuesta en la sección. ($F_1 > F_2$)

tendremos una solicitación de flexión compuesta.

Estas ecuaciones tienen analogías formales y sustanciales: el primer miembro σ es una magnitud ligada a factores internos, es decir, al material que constituye el sólido, mientras que el segundo miembro es una relación simple entre magnitudes ligadas a factores externos (cargas y momentos que son independientes del sistema que solicitan) y otras que dependen del sistema mismo y de sus dimensiones geométricas (área **A** y momento resistente **W**).

1.4.4. Actuaciones para optimizar una estructura

Las dos ecuaciones nos permiten analizar algunos procedimientos para la optimización de las estructuras. Estos procedimientos conciernen a la posibilidad de actuar:

- sobre los valores de las cargas y los momentos,
- sobre la forma de las secciones resistentes y
- sobre los materiales.

1) Sobre las acciones externas

La operación de disminuir el efecto de las cargas sobre la estructura es posible si se puede modificar su intensidad o su posición.

Las cargas permanentes pueden variar mediante una adecuada elección de los materiales, mientras que las cargas variables constituyen un problema distinto: el efecto sobre axiles y momentos en pilares y vigas de un edificio se puede modificar variando las distancias entre soportes y las luces e interejes de los pórticos (la reducción de luces implica una importante disminución de los momentos).

Influye también sobre los momentos el comportamiento de los nudos de la estructura: el momento flector máximo $M = q \cdot l^2/8$ en una viga simplemente apoyada sometida a una carga uniforme se reparte entre los momentos negativos M^- en los apoyos en continuidad y el momento positivo M^+ en el centro del vano, si lo que tenemos es una viga continua sobre múltiples apoyos.

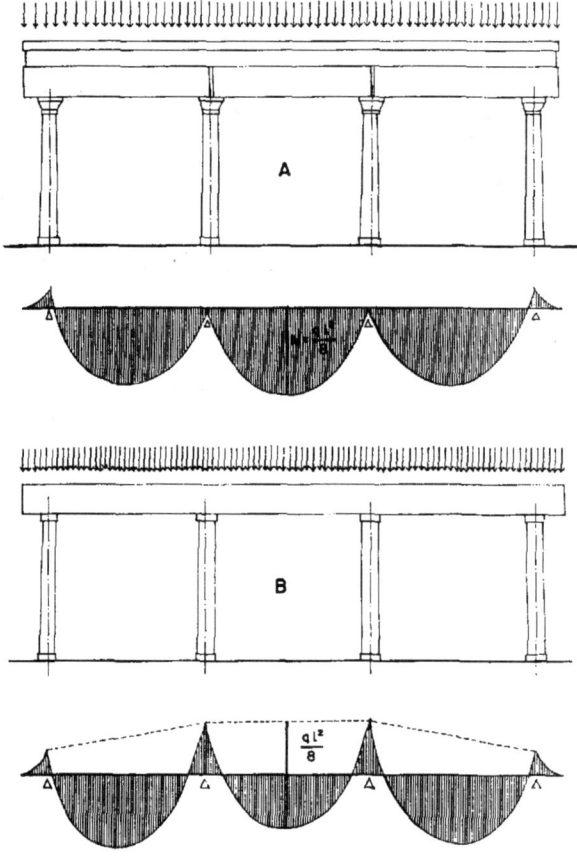

Diferencia de comportamiento en Pórticos.

En la figura siguiente se puede intuir cómo influye en el comportamiento de una estructura la tipología de los nudos de la misma.

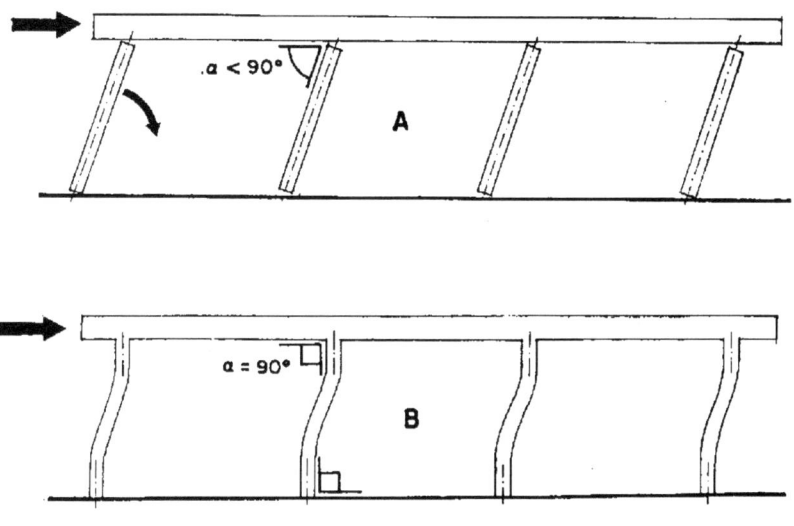

Diferencia de comportamiento entre pórticos frente a esfuerzos horizontales

2) Sobre la forma de las secciones

La intervención sobre la forma de las secciones depende de las dos magnitudes **A** y **W** que afectan a las tensiones producidas por los esfuerzos axiles y por las solicitaciones de flexión. Está claro que una sección con una determinada área **A** puede tener distintos valores de **W** según la relación que exista entre las dimensiones de la sección.

Las mejores soluciones se obtienen combinando áreas pequeñas con mayores momentos resistentes y proporcionando una mayor resistencia en las zonas más alejadas de la fibra neutra, bien por un aumento de la anchura de sección (vigas en T y en doble T) o bien por la elección de un material más resistente (armaduras de acero) en las fibras más solicitadas.

3) Sobre los materiales

La elección de los materiales adecuados, es también primordial a la hora de la resistencia (y de la economía) de una estructura: se puede obtener una reducción de los materiales cuando éstos tengan una adecuada resistencia: es obvio que para un pilar sometido a compresión, la solución en fábrica de ladrillo requerirá una sección muy superior a la que sería necesaria con un pilar de hormigón, debido a la mayor resistencia que posee este material.

1.5. LOS MATERIALES

En este apartado se sintetizan los puntos principales que deben tenerse en cuenta a la hora de seleccionar los tipos de hormigón y las armaduras a utilizar en el Proyecto. Asimismo se introducen algunos conceptos básicos que posteriormente utilizaremos, como la resistencia a compresión del hormigón, el límite elástico del acero, las resistencias de cálculo y los diagramas tensión-deformación de cálculo de ambos materiales.

1.5.1. El hormigón

1) Resistencia característica del hormigón

La resistencia a compresión simple es la característica mecánica más importante de un hormigón. Su determinación se efectúa mediante el ensayo de probetas según métodos normalizados.

El problema se plantea así: dados **n** resultados obtenidos al ensayar a compresión simple **n** probetas cilíndricas de 15x30 cm de un mismo hormigón, determinar un valor que sea representativo de la serie. La media aritmética f_{cm} de los **n** valores de roturas es la llamada resistencia media, pero es un valor que no refleja la verdadera calidad del hormigón en obra, ya que no tiene en cuenta la dispersión de la serie: entre dos hormigones que tengan la misma resistencia media será más fiable aquel que presente menor dispersión de resultados.

Para evitar este problema se ha adoptado el concepto de **resistencia característica del hormigón a compresión**, que tiene en cuenta los resultados obtenidos en ensayos de rotura a compresión a 28 días, realizados sobre probetas cilíndricas de 15 cm de diámetro y 30 cm de altura, fabricadas, conservadas y ensayadas conforme a la Instrucción.

Se define entonces como resistencia característica f_{ck} del hormigón aquel valor que presenta un grado de confianza del 95%, es decir, que el 95% de los valores de las probetas den una resistencia superior.

La Instrucción EHE (art. 39.2) recomienda utilizar la siguiente serie de resistencias en los hormigones:

20, 25, 30, 35, 40, 45, 50

que se emplean generalmente en estructuras de edificación, y

55, 60, 70, 80, 90 y 100

que tienen su principal aplicación en obras de ingeniería y en prefabricación, todas ellas expresadas en N/mm² de resistencia característica de compresión a 28 días.

La resistencia mínima de proyecto f_{ck}=20 N/mm² se limita en su utilización a hormigones en masa.

En lo que se refiere a la tipificación, la propia Instrucción establece el formato que se debe reflejar en los planos de proyecto y en el pliego de prescripciones técnicas particulares, que será el siguiente:

Tipo – Resistencia / Consistencia / Tamaño Máximo / Ambiente

Por ejemplo: HA–25 / B / 20 / IIb

que corresponde a un hormigón armado de 25 N/mm² de resistencia característica a compresión, consistencia blanda, árido máximo de 20 mm y ambiente de agresividad normal y humedad media.

La resistencia de cálculo **f$_{cd}$** del hormigón es el valor de la resistencia característica de proyecto f$_{ck}$ dividida por el coeficiente parcial de seguridad γ$_c$ que corresponda, es decir:

$$f_{cd} = \frac{f_{ck}}{\gamma_c}$$

Conforme al Artículo 15° de la EHE-08, para situaciones persistentes o transitorias en edificación, γ$_c$=1,5 y para situaciones accidentales el valor será γ$_c$=1,3.

2) Resistencia del hormigón a tracción

Aunque no debe contarse con la resistencia a tracción del hormigón a efectos resistentes, se debe conocer su valor, ya que juega un papel importante en fenómenos como la fisuración, el esfuerzo cortante, la adherencia y el deslizamiento de las armaduras.

La resistencia a tracción es también un valor convencional que depende de ensayos. Los valores obtenidos en los ensayos son bastante dispersos, pero la anterior EHE admitía las siguientes relaciones entre la resistencia característica a tracción y la resistencia característica a compresión del hormigón:

$$f_{ctk} = 0,21\sqrt[3]{f_{ck}^2}$$

siendo f$_{ck}$ la resistencia característica a compresión y f$_{ctk}$ la resistencia característica a tracción, todas ellas expresadas en N/mm².

La EHE-08 considera la resistencia de cálculo a tracción del hormigón (Art. 39.4) el valor de la relación entre la resistencia característica a tracción y el coeficiente parcial de seguridad citado anteriormente, es decir:

$$f_{ctd} = \frac{f_{ct.k}}{\gamma_c}$$

3) Módulo de deformación longitudinal del hormigón

No siendo el hormigón un cuerpo completamente elástico, no cabe hablar de módulo de elasticidad sino de módulo de deformación longitudinal, el cual no tiene un valor constante en el diagrama σ-ε de tensiones-deformaciones, dada la curvatura del mismo.

Cabe entonces distinguir los conceptos siguientes:

Módulo tangente, llamado también módulo de elasticidad, cuyo valor es variable en cada punto y viene medido por la inclinación de la tangente a la curva en dicho punto.

Módulo secante, también llamado módulo de deformación, cuyo valor es variable en cada punto y viene medido por la inclinación de la recta que une el origen con dicho punto.

Módulo inicial, también llamado módulo de elasticidad en el origen, que corresponde a la tensión nula, en cuyo caso coinciden el módulo tangente y el secante. Viene dado por la inclinación de la tangente a la curva en el origen.

Cuando se trata de determinar deformaciones para cargas que produzcan tensiones de hasta el 40% de la de rotura, se puede adoptar como módulo de deformación un valor constante, para cada tipo de hormigón, igual al módulo de elasticidad inicial E_{c0} del diagrama.

a) Para cargas instantáneas o rápidamente variables, el módulo de deformación longitudinal inicial del hormigón a 28 días puede tomarse, según la Instrucción EHE, igual a:

$$E_{om} = 10.000 \sqrt[3]{f_{cm}}$$

donde f_{cm} es la resistencia media a compresión del hormigón a los 28 días, en N/mm².

b) Como módulo de deformación longitudinal secante a 28 días, la EHE-08 establece el siguiente valor, que será válido mientras la curvatura del diagrama no sea excesiva (las tensiones del hormigón no deben sobrepasar el valor de 0,40 f_{cm}):

$$E_{cm} = 8.500 \sqrt[3]{f_{cm}}$$

Cuando se trate de cargas permanentes o duraderas, los módulos de deformación valdrán 2/3 de los valores anteriores en climas húmedos y 2/5 en climas secos, para evaluar la deformación diferida final que, sumada a la instantánea, proporciona la deformación final.

4) Utilización del hormigón

Se recomienda, por razones de calidad y garantía, utilizar únicamente hormigón fabricado en central (hormigón preparado o fabricado en central de obra).

La resistencia **mínima** característica (f_{ck}) de proyecto que exige la EHE es la siguiente según el tipo de hormigón que se utilice:

- Hormigón en masa: 20 N/mm²
- Armado o pretensado: 25 N/mm²
- Hormigón de limpieza (*):   --

  (*) El hormigón de limpieza se considera no estructural, lo mismo que el de elementos como bordillos o aceras y, por lo tanto, la Instrucción EHE no establece un mínimo de f_{ck} para ellos.

Para los casos específicos de obras de edificación, se recomienda aplicar los siguientes criterios para seleccionar el hormigón a emplear.

Propiedad	Criterio a aplicar
Resistencia a compresión	Emplear los valores 25-30 N/mm² (para hormigón en masa, basta con 20 N/mm²).
Consistencia	Asiento recomendado ≥ 6 cm.

Propiedad	Criterio a aplicar
Tamaño máximo del árido	En función del recubrimiento, distancia entre armaduras y dimensión mínima de la pieza.
Coherencia en la dosificación del hormigón	Clases de exposición más agresivas requieren mayor contenido de cemento, menor relación A/C y mayor resistencia a compresión.

Las piezas con mayor densidad de armaduras necesitan hormigones con un mayor asiento. En la siguiente tabla se establecen los valores máximo y mínimo recomendados de asiento (en cm) en distintos tipos de pieza y densidad de armaduras para obras de edificación.

Tipo de pieza	Densidad de armaduras		
	Débil	Media	Fuerte
Cimentaciones, muros	6-7	6-9	6-10
Pilares, vigas, pantallas	6-9	7-11	8-15
Forjados, losas, escaleras	6-7	6-9	6-10

1.5.2. El acero (armaduras pasivas)

Las armaduras para el hormigón armado, según la EHE, serán de acero y estarán constituidas por barras corrugadas y mallas.

Los diámetros nominales de las barras corrugadas se ajustarán a la serie siguiente, de acuerdo con la tabla 6 de la UNE-EN 10080:

6, 8, 10, 12, 14, 16, 20, 25, 32 y 40 mm

Los diámetros nominales de los alambres corrugados empleados en las mallas electrosoldadas serán los siguientes (Art. 32.2 de la EHE-08):

4, 4,5, 5, 5,5, 6, 6,5, 7, 7,5, 8, 8,5, 9, 9,5, 10, 10,5, 11, 11,5, 12, 14 y 16 mm

Para el reparto y control de la fisuración superficial se podrán utilizar también mallas electrosoldadas formadas por alambres corrugados de diámetros 4 y 4,5 mm.

La sección equivalente no será inferior al 95,5% de su sección nominal.

Se considera límite elástico fy del acero el valor de la tensión que produce una deformación del 0,2 por 100.

Las barras corrugadas son, según la EHE, las que presentan ciertos valores en la tensión media de adherencia τ_{bm} y en la tensión de rotura de adherencia τ_{bu}, tal y como se determina en la Instrucción, tras el ensayo de adherencia por flexión, y cumplen los requisitos de la UNE 36.068:94.

La tabla siguiente sintetiza los distintos tipos de acero utilizables como base para las armaduras pasivas.

Elementos	Ductilidad	Designación	Diámetros (mm)	Límite elástico f_y (N/mm²)	Carga unitaria de rotura f_s (N/mm²)	Alargamiento en rotura sobre base de 5 diámetros A_s (%)
Barras corrugadas	Normal	B 400 S	6 a 40	400	440	14
	Alta	B 400 SD	6 a 40	400	480	20
	Normal	B 500 S	6 a 40	500	550	12
	Alta	B 500 SD	6 a 40	500	575	16
Alambres	Normal	B 500 T	4 a 16	500	550	8

1) Resistencia de cálculo

Se considera como resistencia de cálculo f_{yd} del acero el valor del límite elástico de proyecto f_{yk} dividido por el coeficiente γ_s de minoración del acero definido en el artículo 15.3 de la Instrucción, cuyo valor será de 1,15 para situaciones de proyecto persistentes o transitorias y de 1,0 para situaciones accidentales. La expresión es válida tanto para tracción como para compresión.

2) Cuantías geométricas mínimas de acero

En cuanto a las cuantías geométricas mínimas de armadura, referidas a la sección total de hormigón en tanto por 1.000, el art. 42.3.5 de la Instrucción establece las siguientes:

TIPO DE ELEMENTO		Aceros con $F_y = 400$ N/mm²	Aceros con $F_y = 500$ N/mm²
PILARES		4,0	4,0
LOSAS [1]		2,0	1,8
FORJADOS UNIDIRECCIONALES	Nervios [2]	4,0	3,0
	Armadura reparto perpendicular a los nervios [3]	1,4	1,1
	Armadura reparto paralela a los nervios [3]	0,7	0,6
VIGAS [4]		3,3	2,8
MUROS	Horizontal [4]	4,0	3,2
	Vertical	1,2	0,9

(1) Para cada una de las armaduras, longitudinal y transversal, repartidas en las dos caras. Para losas de cimentación y zapatas armadas será la mitad de estos valores en cada dirección y solo en la cara.

(2) La cuantía se referirá a la sección de ancho b_w (ancho mínimo del nervio) y canto el del forjado, aplicándose solo en los nervios. Todas las viguetas deberán tener en la zona inferior al menos dos armaduras longitudinales simétricas respecto al plano medio vertical.

(3) Cuantía mínima referida al espesor de la capa de compresión hormigonada in situ.

(4) Cuantía mínima correspondiente a la cara de tracción. Para la cara opuesta se recomienda disponer al menos un 30% de la anterior.

En la tabla siguiente se exponen los pesos (en kN/m) y secciones (en mm²) de los distintos diámetros de las armaduras de acero para hormigón.

DIÁMETRO	PESO	NÚMERO DE BARRAS (SECCIÓN EN mm²)									
φ (mm)	(N/m)	1	2	3	4	5	6	7	8	9	10
6	2,220	28,27	56,55	84,82	113,10	141,37	169,65	197,92	226,19	254,47	282,74
8	3,946	50,27	100,53	150,80	201,06	251,33	301,59	351,86	402,12	452,39	502,65
10	6,165	78,54	157,08	235,62	314,16	392,70	471,24	549,78	628,32	706,86	785,40
12	8,878	113,10	226,19	339,29	452,39	565,49	678,58	791,68	904,78	1017,88	1130,97
14	12,084	153,94	307,88	461,81	615,75	769,69	923,63	1077,57	1231,50	1385,44	1539,38
16	15,783	201,06	402,12	603,19	804,25	1005,31	1206,37	1407,43	1608,50	1809,56	2010,62
20	24,662	314,16	628,32	942,48	1256,64	1570,80	1884,96	2199,11	2513,27	2827,43	3141,59
25	38,534	490,87	981,75	1472,62	1963,50	2454,37	2945,24	3436,12	3926,99	4417,86	4908,74
32	63,133	804,25	1608,50	2412,74	3216,99	4021,24	4825,49	5629,73	6433,98	7238,23	8042,48

3) Capacidades mecánicas

Se define como **capacidad mecánica** de una armadura al producto del área de su sección por su resistencia de cálculo, es decir:

$$U_s = A_s \cdot f_{yd}$$

Se incluyen en las páginas siguientes las tablas de las capacidades mecánicas (en toneladas y en kN) para los aceros de límite elástico 400 y 500 N/mm² (B-400S y B-500S) con un coeficiente parcial de seguridad $\gamma_s = 1,15$ para el B-400s y limitando a 400 N/mm² (4.000 Kp/cm²) la resistencia de cálculo del B-500S con el fin de admitir que pueda trabajar a compresión.

TABLAS DE CAPACIDADES MECÁNICAS ($\gamma_s = 1,15$)

CAPACIDAD MECÁNICA EN TONELADAS   **B-400 S**

$U_1 = A_1 \cdot f_{yd}$

$f_{yk} = 400 \ N/mm^2$

$U_2 = A_2 \cdot f_{yd}$

$\gamma_s = 1,15$

Diámetro Ø (mm)	NÚMERO DE BARRAS									
	1	2	3	4	5	6	7	8	9	10
6	1,01	2,02	3,02	4,03	5,04	6,05	7,06	8,06	9,07	10,08
8	1,79	3,58	5,38	7,17	8,96	10,75	12,54	14,34	16,13	17,92
10	2,80	5,60	8,40	11,20	14,00	16,80	19,60	22,40	25,20	28,00
12	4,03	8,06	12,10	16,13	20,16	24,19	28,23	32,26	36,29	40,32
14	5,49	10,98	16,46	21,95	27,44	32,93	38,42	43,91	49,39	54,88
16	7,17	14,34	21,50	28,67	35,84	43,01	50,18	57,35	64,51	71,68
20	11,20	22,40	33,60	44,80	56,00	67,20	78,40	89,60	100,80	112,00
25	17,50	35,00	52,50	70,00	87,50	105,00	122,51	140,01	157,51	175,01
32	28,67	57,35	86,02	114,69	143,37	172,04	200,71	229,39	258,06	286,73

CAPACIDAD MECÁNICA EN TONELADAS   **B-500 S**

$U_1 = A_1 \cdot f_{yd}$

$f_{yk} = 500 \ N/mm^2$

$U_2 = A_2 \cdot f_{yd}$

$f_{yd} = 400 \ N/mm^2$

Diámetro Ø (mm)	NÚMERO DE BARRAS									
	1	2	3	4	5	6	7	8	9	10
6	1,13	2,26	3,39	4,52	5,65	6,79	7,92	9,05	10,18	11,31
8	2,01	4,02	6,03	8,04	10,05	12,06	14,07	16,08	18,10	20,11
10	3,14	6,28	9,42	12,57	15,71	18,85	21,99	25,13	28,27	31,42
12	4,52	9,05	13,57	18,10	22,62	27,14	31,67	36,19	40,72	45,24
14	6,16	12,32	18,47	24,63	30,79	36,95	43,10	49,26	55,42	61,58
16	8,04	16,08	24,13	32,17	40,21	48,25	56,30	64,34	72,38	80,42
20	12,57	25,13	37,70	50,27	62,83	75,40	87,96	100,53	113,10	125,66
25	19,63	39,27	58,90	78,54	98,17	117,81	137,44	157,08	176,71	196,35
32	32,17	64,34	96,51	128,68	160,85	193,02	225,19	257,36	289,53	321,70

TABLAS DE CAPACIDADES MECÁNICAS (γ_s = 1,15)

CAPACIDAD MECÁNICA EN kN   **B-400 S**

$U_1 = A_1 \cdot f_{yd}$ f_{yk} = 400 N/mm^2

$U_2 = A_2 \cdot f_{yd}$ γ_s = 1,15

Diámetro Ø (mm)	NÚMERO DE BARRAS									
	1	2	3	4	5	6	7	8	9	10
6	9,8	19,7	29,5	39,3	49,2	59,0	68,8	78,7	88,5	98,3
8	17,5	35,0	52,5	69,9	87,4	104,9	122,4	139,9	157,4	174,8
10	27,3	54,6	82,0	109,3	136,6	163,9	191,2	218,5	245,9	273,2
12	39,3	78,7	118,0	157,4	196,7	236,0	275,4	314,7	354,0	393,4
14	53,5	107,1	160,6	214,2	267,7	321,3	374,8	428,3	481,9	535,4
16	69,9	139,9	209,8	279,7	349,7	419,6	489,5	559,5	629,4	699,3
20	109,3	218,5	327,8	437,1	546,4	655,6	764,9	874,2	983,5	1092,7
25	170,7	341,5	512,2	683,0	853,7	1024,4	1195,2	1365,9	1536,6	1707,4
32	279,7	559,5	839,2	1119,0	1398,7	1678,4	1958,2	2237,9	2517,6	2797,4

CAPACIDAD MECÁNICA EN kN   **B-500 S**

$U_1 = A_1 \cdot f_{yd}$ f_{yk} = 500 N/mm^2

$U_2 = A_2 \cdot f_{yd}$ f_{yd} = 400 N/mm^2

Diámetro Ø (mm)	NÚMERO DE BARRAS									
	1	2	3	4	5	6	7	8	9	10
6	11,3	22,6	33,9	45,2	56,5	67,9	79,2	90,5	101,8	113,1
8	20,1	40,2	60,3	80,4	100,5	120,6	140,7	160,8	181,0	201,1
10	31,4	62,8	94,2	125,7	157,1	188,5	219,9	251,3	282,7	314,2
12	45,2	90,5	135,7	181,0	226,2	271,4	316,7	361,9	407,2	452,4
14	61,6	123,2	184,7	246,3	307,9	369,5	431,0	492,6	554,2	615,8
16	80,4	160,8	241,3	321,7	402,1	482,5	563,0	643,4	723,8	804,2
20	125,7	251,3	377,0	502,7	628,3	754,0	879,6	1005,3	1131,0	1256,6
25	196,3	392,7	589,0	785,4	981,7	1178,1	1374,4	1570,8	1767,1	1963,5
32	321,7	643,4	965,1	1286,8	1608,5	1930,2	2251,9	2573,6	2895,3	3217,0

1.5.3. Datos de los materiales para el Proyecto

1) Diagrama tensión-deformación de cálculo del acero

La tensión de cualquier armadura se obtiene a partir de la deformación correspondiente, mediante el diagrama de cálculo tensión-deformación del acero.

Para las tensiones de cálculo en los aceros habituales para edificación, se admite un diagrama simplificado de cálculo como el de la figura adjunta, donde se utiliza un diagrama bilineal con una rama elástica según el módulo de deformación longitudinal de valor E_s = 200.000 N/mm² y una rama horizontal a partir de la resistencia de cálculo f_{yd}.

La deformación límite es del 10 por mil en tracción y del 3,5 por mil en compresión.

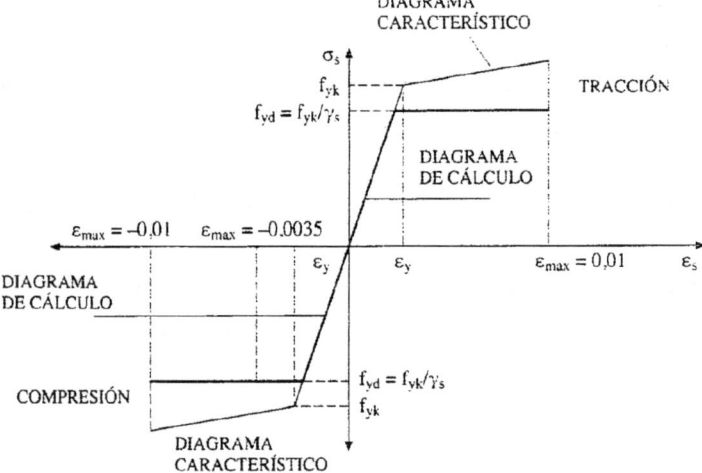

La resistencia de cálculo f_{yd} del acero tiene el valor:

$$f_{yd} = \frac{f_y}{\gamma_s}$$

Donde f_y es el límite elástico del acero y γ_s el coeficiente parcial de seguridad, cuyo valor es de 1,15 para Estados Límite Últimos en situaciones persistente y transitoria y de 1,00 para situaciones accidentales.

2) Diagrama tensión-deformación de cálculo del hormigón

Para dimensionar secciones sometidas a solicitaciones normales se admiten por la Instrucción EHE-08 (Artículo 39.5), para los Estados Límite Últimos, los siguientes diagramas para el hormigón (prescindiendo siempre de su colaboración en tracción):

a) Diagrama parábola-rectángulo de cálculo, formado por una parábola de segundo grado y un segmento rectilíneo. El vértice de la parábola se encuentra en la abscisa del 0,2% de deformación (rotura en compresión simple) y el vértice del rectángulo en la abscisa del 0,35% (rotura del hormigón por flexión). La ordenada máxima de este diagrama corresponde a una tensión de compresión igual a f_{cd}, es decir, a la resistencia minorada (resistencia de cálculo) del hormigón a compresión. _La anterior EHE establecía la ordenada en el 85% de la resistencia de cálculo._ **Esta es una de las principales diferencias introducidas en la nueva Instrucción EHE-08 respecto a la anterior EHE en lo que al cálculo se refiere.**

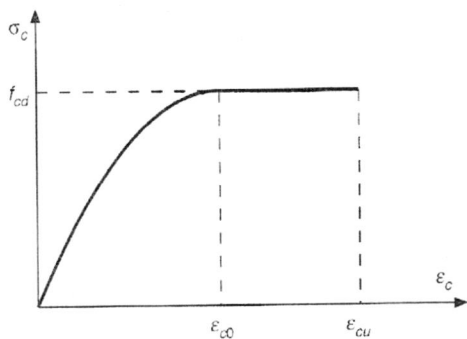

b) Diagrama rectangular de cálculo, formado por un rectángulo de anchura $\eta(x) \cdot f_{cd}$ y cuya altura es una función de la profundidad de la fibra neutra. El valor de $\eta(x)$ en hormigones de hasta 50 N/mm² de resistencia característica vale 1.

En el caso de hormigones de resistencia característica hasta 50 N/mm², para profundidades del eje neutro menores que el canto de la sección, el diagrama rectangular equivale a una tensión f_{cd} y una profundidad y=0,8·x

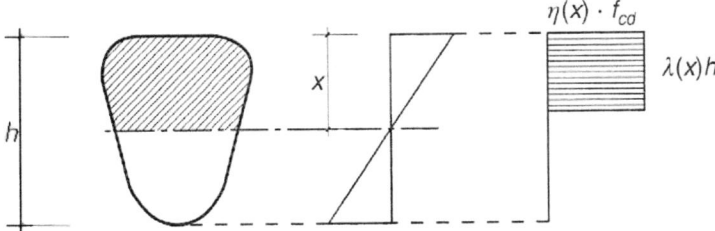

En compresión centrada (toda la sección comprimida), el bloque rectangular que comprime la sección con una intensidad constante f_{cd} en coherencia con el diagrama parábola rectángulo.

Con este diagrama se consiguen unas simplificaciones muy útiles cuando no se dispone de tablas.

c) Cualquier otro diagrama de cálculo (parabólico, birrectilíneo, trapezoidal) se admitirá siempre que los resultados que se obtengan sean concordantes con los correspondientes a los de parábola-rectángulo o queden del lado de la seguridad.

Recordemos dos conceptos fundamentales para el Análisis Estructural que estudiaremos en el próximo capítulo:

> ➢ La **resistencia de cálculo del hormigón** es el cociente entre su resistencia característica y el coeficiente parcial de seguridad: $f_{cd} = f_{ck}/\gamma_c$. (Art. 15.3 de la Instrucción EHE). Habitualmente vale **1,5**.

> ➢ La **resistencia de cálculo del acero** es el cociente entre su límite elástico y el coeficiente parcial de seguridad correspondiente: $f_{yd} = f_{yk}/\gamma_s$. (Art. 15.3 de la Instrucción EHE). Su valor normal es de **1,15**.

2. EL ANÁLISIS ESTRUCTURAL

1) Concepto de análisis

El análisis estructural consiste en determinar los efectos que las acciones producen sobre una estructura o parte de la misma, con el objeto de efectuar comprobaciones en los Estados Límite Últimos o de Servicio.

La obtención de la solicitación es lo que se conoce como cálculo de la estructura (obtención de esfuerzos, reacciones, desplazamientos y deformaciones), mientras que la determinación de la respuesta se realiza a nivel de sección (cálculo de los esfuerzos que una sección puede resistir, como momento flector último, cortante de agotamiento por compresión del alma, etc.).

La solicitación y la respuesta se comparan a través de la inecuación $S_d \leq R_d$, la cual se utiliza para comprobar o para dimensionar determinadas variables incógnitas, tales como las cuantías de armaduras.

Este proceso es común a todas las estructuras, sea cual sea el elemento a estudiar, el tipo de estructura o la naturaleza de las acciones.

2) Relaciones entre solicitación, tensión, sección, deformación de una pieza y módulo elástico del material

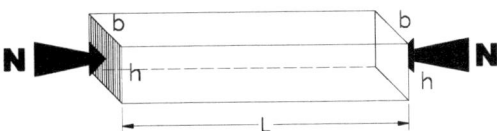

Siendo **N** la fuerza aplicada sobre una pieza prismática, **A** el área de su sección transversal, **L** su longitud y **ΔL** el alargamiento experimentado, se trazan sobre dos ejes cartesianos las relaciones:

$$\frac{N}{A} = \sigma \qquad \frac{\Delta L}{L} = \varepsilon$$

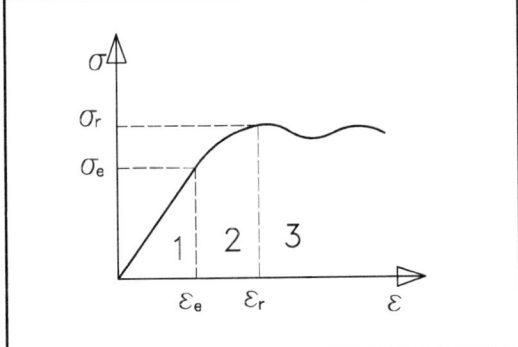

y se construye el diagrama de tensiones y deformaciones, con las tensiones σ sobre el eje de ordenadas y las deformaciones unitarias ε sobre el eje de abscisas.

En este diagrama se distinguen tres zonas que se derivan del comportamiento del material en función de las fuerzas aplicadas:

- -la fase elástica, en la que la deformación del material aumenta en correspondencia con el aumento de la tensión;
- -la fase plástica, donde la relación entre deformaciones y tensiones no sigue una proporcionalidad directa;
- -la fase de rotura, en la que puede continuar deformándose el material incluso tras una disminución de la fuerza aplicada.

La relación entre los valores de σ y ε, constante en el tramo recto inicial correspondiente a la fase elástica, nos da el módulo elástico **E** del material, que se suele expresar en Kg/cm². Esta característica, específica de cada material, es fácilmente medible en fase elástica, ya que representa un valor constante (el valor de la tangente trigonométrica del ángulo que forma en cada punto la curva del diagrama con el eje horizontal).

La ley de Hooke permite determinar de forma práctica la deformación longitudinal que experimenta un sólido elástico, isótropo y homogéneo bajo la acción de una fuerza externa, o bien determinar la fuerza a aplicar para que un sólido se alargue o acorte una determinada dimensión.

En efecto, en la fase elástica, la deformación longitudinal de un sólido es directamente proporcional a la fuerza **N** que lo solicita e inversamente proporcional al área **A** de su sección transversal y al módulo elástico **E** del material:

$$\Delta L = \frac{NL}{EA} \quad \text{de donde } N = \frac{EA\ \Delta L}{L}$$

Para una longitud unitaria **L=1** se obtiene el valor de la deformación relativa ε y de la fuerza que la genera:

$$\varepsilon = \frac{N}{EA} \quad \text{de donde } N = \varepsilon\, EA$$

CONCLUSIÓN:

Las tensiones dependen de la sección **A** del área resistente.

Las deformaciones dependen del material de la pieza.

Las causas de la deformación de un entramado estructural pueden ser de tipo mecánico (cargas, desplazamientos), debidas a la acción de determinados dispositivos usados en la construcción (tensores), o de tipo térmico (variaciones de temperatura). En el caso de las variaciones de temperatura la deformación se determina mediante la fórmula:

$$\Delta L = \alpha\, L\, \Delta t$$

donde α es el coeficiente de dilatación lineal del material,

           Δt es la diferencia entre las temperaturas final e inicial.

PROBLEMAS SIMPLES DE APLICACIÓN

---

1) Hallar los alargamientos unitario y total de un redondo ϕ 20 de acero de 5,00 metros de longitud sometido a una tracción de 5 toneladas (Módulo elástico del acero = 210.000 N/mm²).

   Solución: $\varepsilon = 7,58 \cdot 10^{-4}$ $\Delta L = 3,79$ mm

2) Determinar el esfuerzo al que está sometido el tirante de acero ϕ25 de un arco de 2,50 m de radio por el efecto de una vuelta de tensor cuyo paso de rosca es de 2,5 mm. Hallar la tensión a la que está sometido el cable. (Módulo elástico del acero = 210.000 N/mm²).

   Solución: N = 51,55 kN $\sigma = 105$ N/mm²

3) Hallar el esfuerzo de compresión al que está sometida una barra de hormigón de 6 metros de luz y sección rectangular de 250x400 mm por un aumento de temperatura de 45 °C suponiendo que el alargamiento está impedido por sus conexiones con el resto de la estructura (Módulo elástico = 25.700 N/mm²; Coeficiente de dilatación térmica = $1 \cdot 10^{-5}$).

   Solución: N = 1.156,5 kN $\sigma = 11,565$ N/mm²

4) Hallar el alargamiento unitario que experimentará un tubo de acero sometido a una tensión de tracción σ=16,75 kN/mm². Hallar la fuerza de tracción N si es un tubo redondo ϕ100/5. (Módulo elástico del acero = 210.000 N/mm²).

   Solución: $\varepsilon = 7,976 \cdot 10^{-4}$ N = 249,94 kN

5) ¿Cuánto hay que enfriar una barra de hierro dulce fija en sus extremos para que se rompa? Datos: E = 100.000 N/mm²; α = 10^{-5}; tensión de rotura σ = 200 N/mm².

   Solución: ΔT = 200 °C

6) Determinar el alargamiento total de una barra de acero de 0,60 m de longitud si la tensión de tracción es σ = 100 N/mm². (Módulo elástico del acero = 210.000 N/mm²).

   Solución: ΔL = 0,286 mm

7) Determinar la fuerza total de tracción de una varilla de acero de ϕ20 mm si el alargamiento unitario vale $0,7 \cdot 10^{-3}$. (Módulo elástico del acero = 210.000 N/mm²).

   Solución: N = 46,18 kN

8) Una barra prismática de acero de 60 cm de longitud alarga 0,60 mm bajo la acción de una fuerza de tracción. Hallar el valor de la fuerza si el volumen de la barra es de 16 cm³. (Módulo elástico del acero = 210.000 N/mm²).

   Solución: N = 56,0 kN

9) Un trozo de alambre de 30 cm de largo sometido a una fuerza de tracción de 5,00 kN alarga 25 mm. Hallar el módulo elástico del material si el área del alambre es 25 mm².

   Solución: E = 2.400 N/mm²

---

3) Diferencia cualitativa entre tracción y compresión: acción equilibrante o desequilibrante

La tracción y la compresión son las solicitaciones más sencillas, puesto que en ellas coincide su dirección con la directriz del elemento estructural.

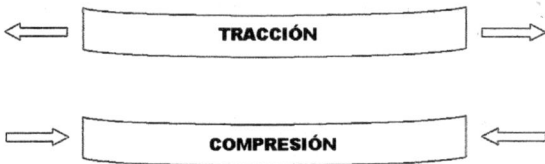

Existe sin embargo una diferencia cualitativa entre estas dos solicitaciones: la tracción es una acción equilibrante y la compresión es desequilibrante, lo que se traduce en un aumento de la cantidad de estructura necesaria.

Si a una barra traccionada se le aplica una deformación por medio de una flexión, los momentos resultantes de la no alineación de las secciones con la trayectoria de las acciones tenderán a reducir la curvatura de la barra, con lo que disminuirán los momentos.

Si hacemos lo mismo con la barra comprimida, los momentos resultantes de la excentricidad tenderán a aumentar la curvatura y por lo tanto a agravar el problema.

Esta diferencia explica que un alambre no soporte compresiones, pese a que las resistencias del material a tracción y a compresión sean idénticas.

El análisis de primer orden, en el que suponemos inalterada la geometría de la pieza durante el proceso de carga, no detecta los posibles problemas de inestabilidad. Más adelante veremos los efectos de segundo orden en una pieza comprimida.

> El pandeo es un fallo por inestabilidad: no es una solicitación sino la ruina causada por acciones que estarían dentro de las admisibles teóricamente por el material. Un análisis de segundo orden permitirá determinar puntos con tensiones que sí pueden sobrepasar los valores admisibles.

4) La flexión en las vigas

De la misma forma que el esfuerzo axil **N** es un factor directo de la carga, el momento flector **M** depende del valor y del tipo de carga y de las condiciones de sustentación de la pieza.

Una viga apoyada en sus extremos y sometida a una determinada carga vertical **Q** provoca unas reacciones de valor igual a **Q/2** en los apoyos. Las líneas que unen la carga con las reacciones equivalen al recorrido que efectúan las fuerzas de compresión dentro de la pieza solicitada.

Estas fuerzas se descomponen en dos reacciones verticales y dos pares de fuerzas horizontales en los extremos de la viga, tal y como se ve en la figura.

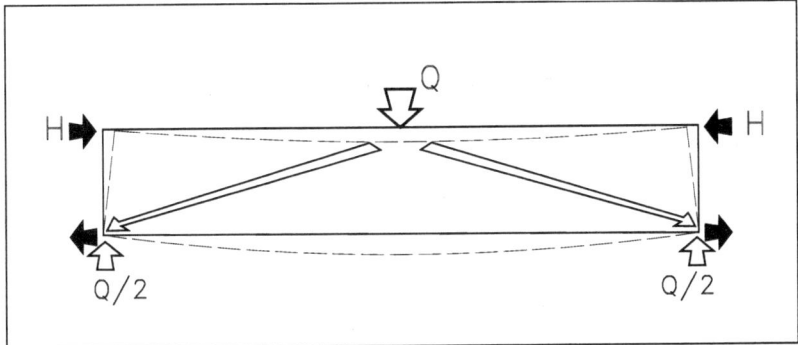

Relaciones entre momento $\underline{M}$, área de la sección resistente $\underline{A_c}$, tensión $\underline{\sigma}$, fuerza horizontal $\underline{H}$ y brazo $\underline{z}$:

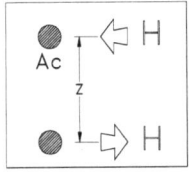

$$H = \sigma\, A_c$$
$$M = H\, z$$
$$M = \sigma\, A_c\, z$$
$$\sigma = \frac{M}{A_c\, z} = \frac{M}{W}$$

W = módulo resistente de la sección

W depende de la geometría de la sección (es función de la forma).

5) Relación entre carga, cortante y flector

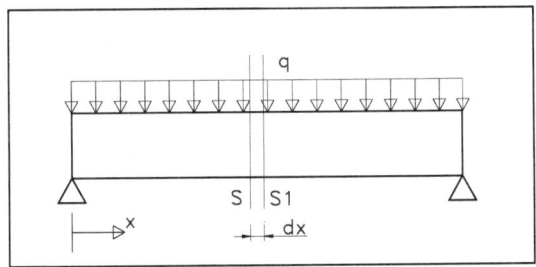

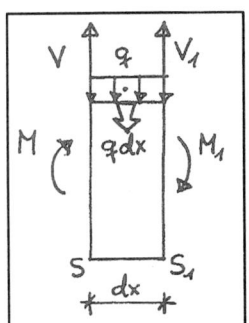

Consideremos un tramo de una viga apoyada sometida a flexión con una carga repartida q, y sean V y M las solicitaciones de cortante y momento flector en una sección dada S.

Las solicitaciones V_1 y M_1 en una sección S_1 situada a una distancia dx de S serán:

$$V_1 = V + dV = V - q \cdot dx$$

$$M_1 = M + dM = M + V \cdot dx - q \cdot dx \cdot dx/2 = M + V \cdot dx$$

por ser despreciable el término $q \cdot dx \cdot dx/2$ (infinitésimo de 2° orden), con lo cual:

$$dV = -q \cdot dx$$

$$dM = V \cdot dx$$

Podemos calcular, entonces, el cortante V y el momento flector M en función de la carga q según las expresiones:

$$V = -\int q\, dx + C_1 = -q\,x + \frac{qL}{2}$$

siendo C_1 el cortante en $x = 0$, es decir, $q \cdot L/2$;

$$M = \int V\, dx + C_2 = \int (-q\,x + L)\, dx = -\frac{q\,x^2}{2} + \frac{qL\,x}{2}$$

siendo C_2 el momento en $x = 0$, que en el caso de la viga apoyada es nulo.

CONCLUSIÓN:

El cortante es la integral, cambiada de signo, de la carga unitaria a lo largo de la viga.

El momento flector es la integral del cortante a lo largo de la misma.

---

6) Las deformaciones. Ecuación de la elástica

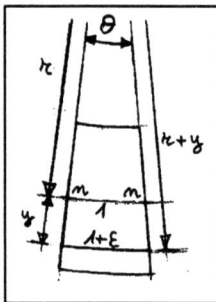

Si tomamos un tramo de viga sometida a flexión constante M, las secciones experimentan una rotación θ. Las fibras longitudinales se convierten en arcos de longitud proporcional al radio de curvatura. Si **r** es el radio del eje baricéntrico, una fibra que esté a una distancia **y** del eje tendrá una deformación ε tal que:

$$\frac{1+\varepsilon}{1} = \frac{r+y}{r}, \text{ es decir, } \varepsilon = \frac{y}{r}$$

con lo que la tensión será:

$$\sigma = E\,\varepsilon = E\,\frac{y}{r}$$

pero, por otra parte, sabemos que la tensión en un punto de una sección vale:

$$\sigma = \frac{M\,y}{I}, \text{luego} \quad E\frac{y}{r} = M\frac{y}{I}, \text{ es decir, } \quad \frac{1}{r} = \frac{M}{EI}$$

de lo que se deduce que podemos conocer el radio de curvatura (o lo que es lo mismo, el ángulo θ entre dos secciones del tramo) en función del momento flector **M** y de las características **I** y **E** de la sección.

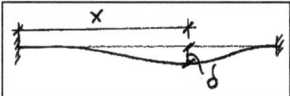

Si el momento flector es variable a lo largo de la viga, como ocurre en el caso de una viga cargada uniformemente, el ángulo de giro que ha experimentado una determinada sección a una distancia x del extremo de la viga será:

$$\theta = \int \frac{M}{EI} dx$$

y el descenso que habrá sufrido dicha sección, será:

$$\delta = \int \frac{M\,x}{EI}\, dx$$

CONCLUSIÓN:

el giro de una sección es la integral del momento a lo largo de la viga;

el descenso de una sección es la integral del giro a lo largo de la misma.

7) Cálculo de la flecha en una viga

Se puede entonces calcular, mediante la ecuación de la línea elástica, la flecha máxima en una viga simplemente apoyada, de luz L, sometida a una carga uniformemente repartida de valor **q.**

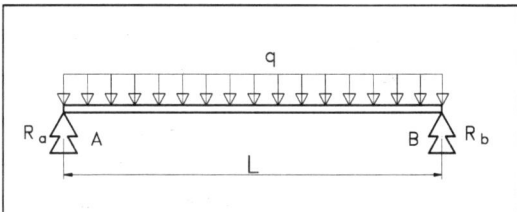

1. Ecuación del cortante:

$$V = -\int q\,dx + R_a = -qx + q\frac{L}{2} = q\left(\frac{L}{2} - x\right)$$

2. Ecuación del momento:

$$M = \int V\,dx + M_a = \int q\left(\frac{L}{2} - x\right) dx = \frac{q}{2}\left(Lx - x^2\right)$$

3. Ecuación de la elástica:

$$\delta = \int \frac{Mx}{EI}dx = \frac{q}{2EI}\int\left(Lx^2 - x^3\right)dx$$

es decir:

$$\delta = \frac{q}{2EI}\left(\frac{Lx^3}{3} - \frac{x^4}{4}\right)$$

4. El descenso máximo (flecha) se dará en la sección de momento máximo, donde el cortante es nulo, o sea $V = q\,(L/2 - x) = 0$ para $x = L/2$.

5. La flecha de la viga, para estas condiciones, tendrá entonces el valor:

$$\delta = \frac{q}{2EI}\left(\frac{L^4}{24} - \frac{L^4}{64}\right) = \frac{5qL^4}{384EI}$$

8) La importancia de los efectos de 2° orden

Sea un pilar de 40x40 cm de sección y 10 metros de alto sometido a una fuerza horizontal F_h = 10 kN (1,0 T) y a una carga vertical F_v = 1.000 kN (100 T).

Los parámetros son:	Reacciones en el empotramiento:
A = 40x40 = 1.600 cm²	N = 1.000 kN (100 T)
I = 40x40³/12 = 213.333 cm⁴	V = 10 kN (1 T)
E = 30.000 N/mm² (300.000 kg/cm²)	M = 100 kN m (10 T m)

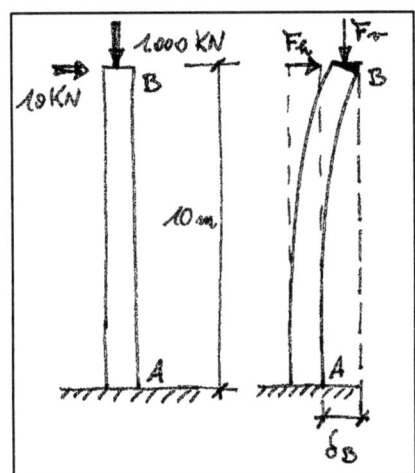

Pero los esfuerzos reales serán los que se deriven de considerar la no linealidad geométrica que se produce al deformarse horizontalmente el extremo B por efecto de la fuerza F_h de 10 kN.

La deformación horizontal será:

$$\delta = \int \frac{Mx}{EI}dx = \int \frac{F_h x^2}{EI}dx = \left[\frac{F_h x^3}{3EI}\right]_0^H$$

Y dando valores (en kN y mm):

$$\delta = \frac{10\,(kN) \times 10^{12}\,(mm^3)}{3 \times 30\,(kN/mm^2) \times 2{,}133x10^9\,mm^4} = \frac{1 \cdot 10^{13}}{1{,}92 \cdot 10^{11}} = 52{,}1\,mm$$

Debido a este desplazamiento habrá un momento añadido en la base del pilar de valor:

$$\Delta M = F_V \cdot \delta_B = 100\,(T) \times 0{,}0521\,(m) = 5{,}21\,T \cdot m$$

Es decir que, analizando el problema sin tener en cuenta los efectos de 2º orden (nuevos momentos provocados por las deformaciones), hubiéramos cometido un error del 52%.

2.1. IDEALIZACIÓN DE LA ESTRUCTURA

2.1.1. Tipología de las estructuras

La aparición primero del hierro y después del hormigón armado en la ingeniería civil y luego en la construcción arquitectónica, introdujo una variación fundamental en el concepto de estabilidad, a causa de la posibilidad de tener estructuras con una importante interacción entre sus elementos.

Las estructuras de hormigón armado son adaptables a muchas formas, dada la versatilidad del material. Pero esto no es suficiente: las especiales características mecánicas del hormigón armado deben reducir su empleo en las estructuras a aquellas tipologías en que se pueda obtener el máximo rendimiento del material.

Es evidente que conviene establecer unos límites de utilización del hormigón armado, fuera de los cuales no se deben utilizar estos materiales, ya que se estarían superando o desperdiciando sus posibilidades mecánicas y formales y donde sería más conveniente emplear otras tecnologías.

Una aproximación a la clasificación de los tipos de estructuras se puede efectuar en función del tipo de elementos que las componen. Así tendremos:

1) Estructuras a base de elementos lineales:

    a) con elementos rectos (pórticos planos y espaciales);

    b) con triangulaciones (cerchas planas y espaciales);

    c) con elementos curvos (arcos y vigas curvas).

2) Estructuras a base de elementos superficiales:

    a) con elementos superficiales verticales (muros de contención, muros de sótano, pantallas);

    b) con elementos planos horizontales (forjados y losas);

    c) con elementos planos compuestos (plegaduras);

    d) con elementos curvos (bóvedas, cúpulas, láminas).

3) Estructuras a base de elementos macizos: cimentaciones directas y presas.

En cuanto a los elementos estructurales, se puede establecer la siguiente clasificación:

LINEALES	Rectos	Comprimidos	Pilares
		Flectados	Vigas
			Zunchos
		Traccionados	Tirantes
	Quebrados	Vigas zancas	
	Curvos	Arcos y vigas curvas	
SUPERFICIALES	Planos	Horizontales	Losas
			Forjados
			Soleras
		Inclinados	Placas
		Verticales	Muros
			Vigas pared
	Quebrados	Losas plegadas	
		Losas zancas	
	Curvos	Bóvedas	
		Cúpulas	
		Paraboloides	
MACIZOS	Zapatas de cimentación		

2.1.2.   El análisis mediante modelos

Otra forma de idealizar una estructura es analizando las acciones, las condiciones de apoyo y las tensiones mediante modelos que reproduzcan el comportamiento estructural dominante. Por ejemplo, las estructuras cuyo comportamiento es fundamentalmente unidireccional (pórticos, forjados unidireccionales), pueden idealizarse mediante elementos unidimensionales; en el caso de estructuras con un comportamiento bidireccional a flexión (por ejemplo placas) deben utilizarse modelos que tengan en cuenta flexiones en las dos direcciones así como torsiones. Si se pretende conocer, por ejemplo, el comportamiento de las tensiones tangenciales en la zona próxima a un pilar, habrá que utilizar modelos tridimensionales que reproduzcan el comportamiento de dicha zona.

Para la realización del análisis se idealizará tanto la geometría de la estructura como las acciones y las condiciones de apoyo mediante un modelo matemático capaz de reproducir adecuadamente el comportamiento estructural dominante. Después, la disposición de armaduras deberá ser coherente con hipótesis del modelo de cálculo con las que se han obtenido los esfuerzos.

En la mayoría de las estructuras de edificación se utilizan modelos simplificados de cálculo en los que, posteriormente, habrá que estudiar de forma específica las zonas locales como los zunchos de borde o las zonas próximas a huecos.

En el cuadro siguiente se ejemplifica esta otra forma de idealizar las estructuras de edificación.

Modelo	Criterio	Ejemplo
Unidimensional	Tensiones normales predominantes en una dirección	Pórticos Vigas Pilares Forjados unidireccionales
Bidimensional	Tensiones normales predominantes en dos direcciones	Placas, losas o forjados sin vigas (reticulares) Láminas Bóvedas y cúpulas
Tridimensional	Tensiones normales no predominantes en ninguna dirección	Nudos Zonas próximas a huecos Elementos a torsión Estructuras masivas o macizos

En este sentido, la metodología general de cálculo de una estructura de edificación podría ser la siguiente:

1º Cálculo general simplificado de la estructura: pórticos, forjados unidireccionales, forjados sin vigas, etc.

2º Cálculo de elementos singulares: zunchos de borde, efectos de huecos practicados, nudos de vigas planas, etc.

Los tres parámetros que de forma más inmediata se deben tener en cuenta a la hora de establecer un modelo de análisis son los datos geométricos:

a) El ancho eficaz de las secciones en T.

b) Las luces de cálculo.

c) La definición de las secciones transversales.

1) En las secciones en T, P o en cajón la distribución de tensiones normales a lo ancho de la cabeza no es uniforme, como consecuencia del arrastre por cortante, siendo máxima sobre las almas, por lo que se define un ancho menor que el real. Este ancho se denomina **ancho eficaz** y en él se obtiene una distribución uniforme de tensiones equivalente a la real.[1]

2) Salvo justificación especial, se considerará como **luz de cálculo** de las piezas la distancia entre ejes de apoyos. En forjados unidireccionales, cuando el forjado se apoye en vigas planas o mixtas no centradas con los soportes, se tomará como eje el que pasa por los centros de los pilares.[2]

3) Para el cálculo de esfuerzos (análisis global de la estructura) es aceptable utilizar como **sección de la pieza** la sección bruta, esto es la sección que resulta de las dimensiones reales de la pieza. Con esta sección no se tiene en cuenta ni el aumento de rigidez que aportan las armaduras ni la disminución debida a una posible fisuración.[3]

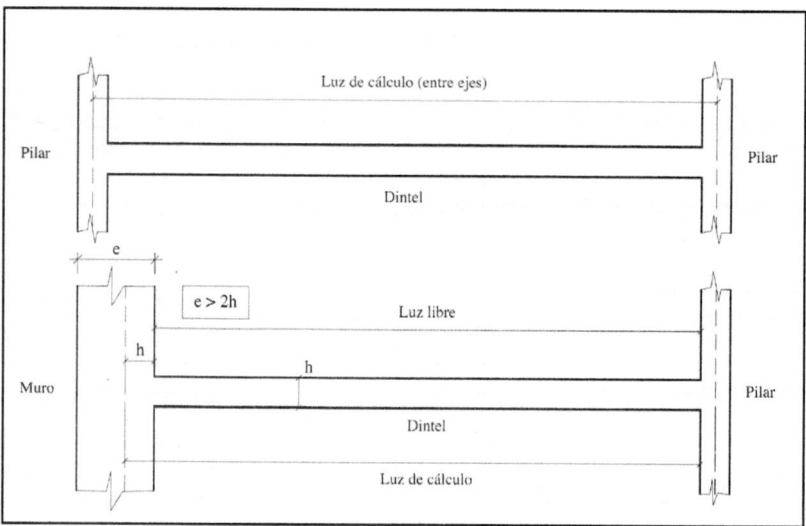

---

[1] Para una ulterior explicación sobre este punto, remitimos a los COMENTARIOS de la Comisión Permanente del Hormigón sobre el Artículo 18.2.1 de la EHE-08.

[2] Cuando la dimensión del apoyo sea grande, la luz de cálculo puede tomarse de forma simplificada como la luz libre más el canto del elemento.

[3] Las definiciones de sección bruta, neta, homogeneizada y fisurada se pueden consultar en el apartado 18.2.3. de la citada EHE-08.

2.2.   TIPOS DE ANÁLISIS

El análisis global de una estructura se puede llevar acabo, tal y como lo expresa la EHE-08 en su apartado 19.2, de acuerdo con las siguientes metodologías de cálculo:

- Análisis lineal.

- Análisis no lineal.

- Análisis lineal con redistribución limitada.

- Análisis plástico.

2.2.1.   El análisis lineal

El análisis lineal es el que se basa en la proporcionalidad entre las acciones y sus efectos (esfuerzos, reacciones, desplazamientos), como consecuencia de la linealidad de las hipótesis de partida.

Este análisis se considera, en principio, adecuado para obtener esfuerzos tanto en los Estados Límite de Servicio como en los Estados Límite Últimos en todo tipo de estructuras, cuando los efectos de 2º orden sean despreciables.

Es un método muy utilizado en el dimensionamiento, ya que tiene la enorme ventaja de que no se precisa conocer el armado de la estructura, porque las rigideces de las secciones se basan en sus dimensiones y en el módulo elástico del material.

La utilización del análisis lineal para obtener los esfuerzos en Estado Límite Último implica que se acepta una cierta ductilidad en las secciones críticas y se permite una cierta redistribución de esfuerzos sin que se produzca la rotura local.

2.2.2.   El análisis no lineal

Este tipo de análisis contempla dos efectos que rompen con la relación de proporcionalidad:

- La no linealidad del material
- La no linealidad geométrica.

La primera contempla la posibilidad de que el hormigón se fisure y el acero plastifique. La segunda tiene en cuenta que en el caso de estructuras esbeltas sometidas a importantes esfuerzos de compresión, se generan esfuerzos de segundo orden debidos al efecto del axil en una geometría ya deformada que, como hemos visto anteriormente en el ejemplo del pilar, pueden tener efectos indeseados o incluso provocar la inestabilidad estructural.

El comportamiento no lineal lleva intrínseco la invalidez de la superposición de efectos y, por tanto, el formato de seguridad que propone la Instrucción EHE-08 no es aplicable directamente en el análisis no lineal. El análisis no lineal exige, además, una definición previa completa de la estructura, tanto de la geometría como de las armaduras de todas las secciones, e implica un tratamiento de seguridad diferente.

2.2.3.   Análisis lineal con redistribución limitada

Es un método en el que los esfuerzos se determinan mediante un análisis lineal y después se efectúan redistribuciones (incrementos o disminuciones) que satisfagan las condiciones de equilibrio entre cargas, esfuerzos y reacciones. Es un tipo de análisis que se puede utilizar solamente para comprobaciones en Estados Límite Últimos.

Los aspectos más relevantes a considerar son:

- La redistribución máxima permitida es de un 15% del máximo momento flector en la sección crítica.

- Para conseguir esta redistribución, es necesario garantizar una cierta capacidad de rotación plástica de las secciones críticas (una cierta ductilidad), lo cual se consigue limitando la profundidad de la fibra neutra hasta un máximo de 0,45·d (d =canto útil).

- La redistribución también debe afectar a las leyes de cortantes y torsores para satisfacer el equilibrio entre cargas y esfuerzos.

- Se suele aplicar en dinteles de pórticos de edificación sensiblemente intraslacionales.

2.2.4.   Análisis plástico

Es un método basado en un comportamiento plástico de los materiales. Admite la formación de rótulas plásticas en vigas o placas y la formación de mecanismos de rotura. Con este método se obtienen los esfuerzos mediante planteamientos de equilibrio, si bien debe asegurarse que la ductilidad de las secciones críticas es suficiente para garantizar la formación del mecanismo de colapso planteado en el cálculo.

Es un método que requiere conocer el armado para evaluar el momento plástico en las zonas plastificadas.

El análisis plástico se puede utilizar solo para comprobaciones en Estado Límite Último y se utiliza fundamentalmente en placas. No está permitido cuando es necesario considerar efectos de segundo orden.

A modo de resumen se adjuntan en el cuadro siguiente las características y aplicaciones principales de estos métodos de análisis estructural.

Modelo	Hipótesis	Características	Aplicación
Lineal	Estructura sin deformar. Equilibrio entre tensiones y esfuerzos y entre acciones y reacciones. Linealidad en la relación entre tensión y deformación. Compatibilidad de deformaciones.	No precisa conocer el armado. Permite la superposición de acciones y efectos.	Comprobación y dimensionamiento en Estado Límite Último. Comprobación y dimensionamiento en Estado Límite de Servicio.
No lineal	No linealidad del material (hormigón fisurado o armaduras plastificadas). No linealidad geométrica (equilibrio de la estructura deformada, esfuerzos de 2º orden).	Requiere conocer el armado de la pieza.	Comprobación en Estado Límite Último y de Servicio. Dimensionamiento por prueba-error.
Lineal con redistribución limitada	Estructura sin deformar. Equilibrio entre tensiones y esfuerzos y entre acciones y reacciones. Deformación plana de secciones.	No necesita conocer el armado. Permite la superposición de acciones y efectos.	Comprobación y dimensionamiento en Estado Límite Último, siempre admisible su aplicación por tener suficiente ductilidad.
Plástico	Formación de mecanismos de rotura. Cumplimiento de al menos uno de los teoremas básicos de plasticidad.	Requiere conocer el armado (momento plástico) y la capacidad de rotación (ductilidad) de la sección.	Se utiliza sobre todo en cálculo de placas en Estado Límite Último.

En la actualidad existen numerosos programas de cálculo automático que facilitan enormemente el análisis de la estructura e incluso el armado de la misma. Es importante que el usuario conozca a fondo las hipótesis de partida del modelo que utiliza el programa, a fin de conocer las simplificaciones realizadas. Por otra parte, hasta disponer de una experiencia suficiente en el uso del programa, conviene comprobar algunos aspectos básicos del análisis, como son la satisfacción global del equilibrio entre cargas y reacciones, por ejemplo.

En el caso de programas que disponen de múltiples opciones y bibliotecas de elementos, es importante escoger con criterio el modelo más adecuado al problema que se quiere resolver, pues de ello dependerá en gran medida la bondad de los resultados. Además, no hay que olvidar el estudio de zonas locales que pudiera ser que no realice el programa.

2.3. ESTRUCTURAS RETICULARES PLANAS

Para el cálculo de solicitaciones en estructuras reticulares planas, ya sean pórticos, forjados o placas unidireccionales, se puede utilizar cualquiera de los métodos de análisis indicados en los apartados anteriores.

Cuando se utilice el análisis lineal con redistribución limitada, el Artículo 21º de la Instrucción EHE-08 establece que la magnitud de la redistribución dependerá del grado de ductilidad de las secciones. Más adelante veremos el significado y el alcance de esta limitación, tanto en el caso de las vigas de un pórtico como en el de los apoyos en continuidad de un forjado unidireccional.

2.3.1. Las estructuras porticadas

Se entiende por "estructura porticada" aquella que está constituida por una sucesión de pilares sobre los que se sustentan jácenas o vigas dispuestas según una directriz continua. Bajo esta jácena, el pórtico queda delimitado por los pilares que la sustentan.

La interacción de empotramiento entre los elementos estructurales de hormigón armado introduce una importante variación en la forma de trabajo de la jácena respecto al apoyo simple que tenía tradicionalmente, puesto que ésta ya no puede considerarse independiente, sino interrelacionada con sus elementos adyacentes.

El pórtico es una de las formas estructurales más utilizada en la aplicación del hormigón armado a la construcción de edificios, tanto por su continuidad y rigidez de nudos como por la sencillez de su realización.

1) Pilares

La misión fundamental de un pilar es la transmisión vertical de las cargas a lo largo de su directriz hacia la cimentación. Ello justifica que su directriz sea generalmente vertical o inclinada en la dirección de la transmisión de las cargas, y que adopte secciones sencillas, rectangulares o circulares.

Cuando se realiza en hormigón armado, el pilar también puede absorber momentos flectores procedentes de otros elementos. En este caso el método de sustentación debe ser el empotramiento.

Dado que la principal misión del pilar va a ser la transmisión de cargas a cotas inferiores, la solicitación más importante será la compresión, lo cual implica que el material de la mayor parte de la sección deberá ser el hormigón. El tipo de hormigón a emplear será como mínimo un HA-25 tanto para acero de tipo B400S como para el B500S, según la Instrucción EHE.

La cuantía geométrica mínima de acero a disponer será del 4 por mil de la sección, siempre que estemos por encima de 4Φ12, que es el mínimo admisible para barras sometidas a compresión, según la citada Instrucción para secciones rectangulares o 6Φ12 para secciones circulares según la propia Instrucción.

Las armaduras longitudinales tienen por misión principal cooperar con el hormigón a la transmisión de esfuerzos axiales de compresión y absorber las tracciones debidas a los esfuerzos de flexión a que se vea sometido el pilar. Estas armaduras deberán estar cerca de la cara traccionada, lo cual aconseja colocarlas junto al perímetro de la sección, de forma simétrica respecto a los ejes del pilar, garantizando siempre un mínimo recubrimiento.

Si la distancia entre dos armaduras consecutivas es de más de 35 cm (lado mayor de 40 cm), se dispondrán armaduras intermedias.

La cuantía geométrica máxima no debe superar el 35 por mil de la sección del pilar, aunque no conviene sobrepasar el 25 por mil de la misma.

Las armaduras transversales se suelen disponer en planos paralelos a la sección formando cercos o estribos cerrados, aunque en ocasiones pueden formar una armadura continua helicoidal o zunchado, especialmente en pilares de sección circular o similar.

La misión de estas armaduras es, por una parte, completar la jaula de acero a fin de conferirle una mayor rigidez para el transporte y puesta en obra, y por otro lado, reducir la longitud libre de las armaduras longitudinales que trabajen a compresión, impidiendo su pandeo, cooperar con el hormigón a absorber los esfuerzos cortantes y soportar las torsiones que puedan producirse en el pilar. La unión entre armaduras longitudinales y transversales debe hacerse por atado con alambre y nunca por soldadura.

Se deben disponer a una distancia no superior a 15 veces el diámetro de la barra comprimida más delgada. En zonas sísmicas esta separación máxima será de 12 veces el diámetro de la barra comprimida más delgada.

2) Vigas

Se entiende por viga o jácena un elemento de directriz lineal, generalmente horizontal, que se caracteriza por su trabajo a flexión y que está sustentada en uno o ambos extremos.

Las acciones que aparecen actuando en las vigas son:

1)   Una carga vertical, uniformemente repartida, producida por su propio peso y por otros elementos, provocando solicitaciones de flexión.

2)   Cargas verticales, fijas o variables, uniformes, parciales, triangulares o puntuales, debidas a elementos fijos o desplazables, que provocan momentos flectores y esfuerzos cortantes.

3)   Cargas en dirección de la directriz de la barra, en ambos sentidos, que producen compresiones y tracciones compuestas.

4)   Momentos flectores en planos normales a la directriz, provocando momentos torsores.

Atendiendo a su misión principal, las vigas pueden clasificarse en:

-vigas resistentes o vigas en sentido estricto; pueden estar sustentadas en un extremo empotrado (voladizo) o en ambos;

-vigas de arriostramiento, en las que la flexión se debe sólo a su peso propio, pero han sido concebidas para trabajar a compresión o tracción;

-zunchos de atado, como elementos cuya misión es rematar elementos planos como forjados, asegurando su monolitismo.

Puesto que la misión principal de las vigas es su trabajo a flexión, la solicitación de compresión será absorbida principalmente por el hormigón y la tracción correspondiente deberá ser soportada por el acero con un mínimo de recubrimiento de hormigón. El tipo de hormigón a emplear, en función del tipo de acero, es el mismo que ya se vio para los pilares. La Instrucción EHE aconseja que se disponga en la cara opuesta a las traccionadas una armadura al menos igual al 30% de la de tracción.

El canto de una viga suele estar comprendido entre 1/10 y 1/12 de la luz, en cuyo caso, y siempre que no sobrepase de los 70 cm, el rendimiento mecánico de los materiales es óptimo. En muchas ocasiones se emplean cantos inferiores por motivos de diseño (vigas planas). La viga se encarece, ya que la deficiencia de forma tiene que suplirse con mayores cuantías de acero (téngase en cuenta que en una sección rectangular, el momento de inercia, fundamental para la resistencia a flexión, tiene la expresión $I = b \, h^3 / 12$, donde h es el canto y b el ancho de la viga). Para el dimensionamiento de vigas planas no conviene superar la relación canto/luz de 1/28, para evitar un exceso de flecha. La anterior Instrucción EHE ya indicaba la necesidad de comprobar a flecha las vigas cuya relación canto luz sea inferior a 0,06 (h / l = 1/16).

Las armaduras longitudinales se colocarán en función de las zonas sometidas a tracción que existan en cada sección de la viga y para cooperar con el hormigón en la absorción de esfuerzos excesivos de compresión. Asimismo deberán colocarse armaduras longitudinales de montaje con el fin de completar la formación de las jaulas.

Las armaduras transversales se disponen en forma de estribos o cercos paralelos a la sección con el fin de absorber el esfuerzo cortante en las vigas, colaborando con el hormigón, y completar la formación de jaulas para un más fácil transporte y puesta en obra. A veces se suelen disponer barras levantadas, que son prolongaciones de barras traccionadas que, cuando dejan de ser necesarias para soportar tracciones, se doblan a 45° y se suben hasta la zona superior de la viga para anclarlas o prolongarlas. Esta disposición no suele ser habitual en estructuras de edificación.

La separación entre planos de estribos, **según los nuevos criterios de la EHE-08** (art. 44.2.3.4.1), debe ser:

- menor o igual a **600** mm;
- menor o igual a **0,75 d**   (**d** = canto útil de la viga).

Estas separaciones se entienden como máximas, y estarán sujetas a ulteriores comprobaciones, dependiendo de la relación que exista entre el esfuerzo cortante de cálculo V_d y el esfuerzo cortante último V_{u1} que puede soportar una determinada sección de hormigón. Estas comprobaciones de separación máxima de armaduras transversales se estudiarán más adelante, en el apartado referente al esfuerzo cortante.

En cuanto a la organización y disposición de las armaduras, pueden recogerse los siguientes principios generales:

- las armaduras de tracción deben disponerse de modo que no sea posible su deslizamiento; para ello es necesario dejar una longitud de anclaje adecuada según sea la posición de la barra (artículo 69.5 de la Instrucción EHE-08);
- para una misma cuantía de acero requerida por el cálculo, es preferible emplear un mayor número de barras más delgadas que menos barras más

gruesas, aunque con la limitación del tamaño del árido que se vaya a emplear;

- a la hora de armar una estructura, es conveniente unificar el diámetro de las barras empleadas, utilizando como máximo 3 ó 4 diámetros distintos para las armaduras principales (p. ej. 10, 16 y 20 mm);

- la distancia vertical entre armaduras longitudinales en las vigas será como máximo de 30 cm; esto implica la adopción de una armadura intermedia de Φ8 mm o superior (armadura de piel) en vigas de canto superior a 60 cm, con el fin de dar rigidez a la jaula.

2.3.2.   Análisis de pórticos por el Método de Cross

1) Planteamiento

Es un método para la resolución de estructuras hiperestáticas sometidas a cargas verticales, basado en:

- la interacción de las solicitaciones entre los extremos de las barras y

- el equilibrio de los momentos en los nudos.

Los principios en los que se apoya son los dos teoremas de Mohr:

$$\theta = \int \frac{M_x}{EI} dx \qquad \Delta = \int \frac{M_x \, x}{EI} dx$$

siendo θ el ángulo entre dos secciones cualesquiera de una barra provocado por un momento M_x y Δ el desplazamiento vertical (normal a la barra) entre las dos secciones.

a)   Interacción de las solicitaciones en los extremos de una barra.

Veamos qué ocurre en un extremo de una barra cuando en el extremo opuesto aplicamos un determinado momento flector M_1.

Por la ley de momentos flectores, en el punto x tendremos:

$$M_x = M_1 - Y_1 \cdot x$$

pero, por las ecuaciones de equilibrio:

$$Y_1 + Y_2 = 0$$

$$Y_1 \cdot L - M_1 - M_2 = 0$$

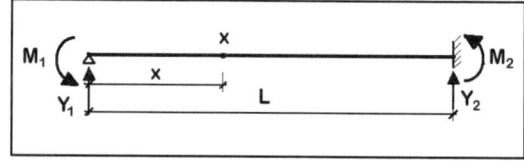

tendremos:

$$Y_1 = \frac{M_1 + M_2}{L} \qquad \text{luego:} \qquad M_x = M_1 - \frac{M_1 + M_2}{L} x$$

Por el segundo teorema de Mohr, y siendo nulo el desplazamiento Δ entre los extremos de la barra, tendremos:

$$\frac{1}{EI}\int\left(M_1 - \frac{M_1 + M_2}{L}x\right)x\,dx = 0$$

$$\frac{1}{EI}\left(\frac{M_1 x^2}{2} - \frac{M_1 + M_2}{L}\frac{x^3}{3}\right)_0^L = 0\,;\qquad \frac{M_1 L^2}{2} = \frac{M_1 + M_2}{3}L^2$$

$$\frac{M_1 L^2}{2} - \frac{M_1 L^2}{3} = \frac{M_2 L^2}{3}\,;\qquad \frac{M_1}{6} = \frac{M_2}{3}\,;\qquad M_2 = \frac{M_1}{2}$$

Es decir, si aplicamos un momento M_1 en un extremo, aparecerá un momento M_2 en el otro extremo, con valor mitad y el mismo signo.

b)   Por otra parte, la <u>condición de equilibrio en los nudos</u> nos dice que la suma de los momentos en los extremos de las barras que confluyen en un nudo se anulan: $\Sigma M_i = 0$ en cada nudo.

2) Definiciones

- Rigidez de una pieza: se define como la relación que existe entre un determinado momento flector M y el ángulo θ que provoca en la pieza: $R = M/\theta$. A mayor rigidez de la pieza, menor será el ángulo.

    La rigidez en una pieza biempotrada es: $R = 4EI/L$.

    La rigidez en una pieza empotrada-apoyada es: $R = 3EI/L$.

    En las estructuras porticadas de hormigón armado no existen rótulas articuladas, por lo que consideraremos que los extremos de las barras están siempre empotrados.

- Coeficiente de reparto: es la relación C_i que en cada nudo tiene la rigidez de cada barra respecto a la suma de las rigideces de las barras que confluyen en el nudo.

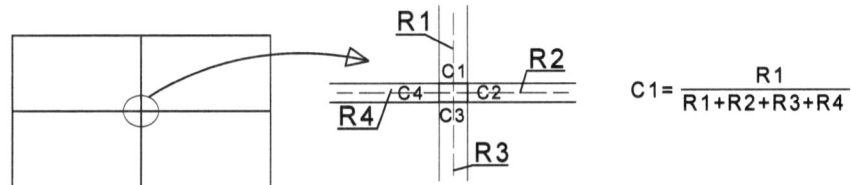

$$C_1 = \frac{R_1}{R_1 + R_2 + R_3 + R_4}$$

- Momentos de empotramiento perfecto: son los momentos M_0 de empotramiento que cada barra tendría si no transmitiera esfuerzos a las restantes, constituyendo un sistema aislado.

    En el caso de una barra biempotrada, para una carga q uniforme, vale $M_0=ql^2/12$.

    En una viga apoyada-empotrada vale $M_0=ql^2/8$.

    En el caso de una viga en voladizo es $M_0=ql^2/2$.

3) Procedimiento

El procedimiento que se sigue en el método de Cross es el siguiente:

a) Cálculo de las rigideces R_i de cada barra.

b) Cálculo de los coeficientes de reparto C_i de las barras que confluyen en cada nudo.

c) Cálculo de los momentos de empotramiento perfecto M_0 en cada nudo, transmitidos por las barras. Para el signo de los momentos se adopta el convenio de considerar positivos los antihorarios y negativos los horarios.

d) Suma de los momentos en cada nudo ΣM_i.

e) Cálculo del reparto de las ΣM_i de cada nudo proporcionalmente a los coeficientes C_i de reparto de las barras que confluyen en él.

f) Transmisión de los momentos a los nudos opuestos en cada barra.

g) Se vuelve al punto d) y se repite este procedimiento hasta que se pueda considerar cada nudo lo suficientemente equilibrado (se suele aceptar cuando la suma de los momentos en cualquier nudo está entre el 5% y el 10% del menor de las sumatorias ΣM_0 de los momentos de empotramiento perfecto).

h) Llegados a este punto, la pequeña diferencia que pueda existir en la suma de momentos en cada nudo se reparte proporcionalmente a los coeficientes de reparto C_i y se cierra el ciclo sin volver a efectuar la transmisión de momentos de extremo a extremo.

EJEMPLOS: ANÁLISIS DE PÓRTICOS POR EL MÉTODO DE CROSS

1) Analizar por el método de Cross el pórtico representado en la figura, estudiar las tres barras que lo componen y dibujar los diagramas de momentos flectores, cortantes en la viga y axiles en los pilares.

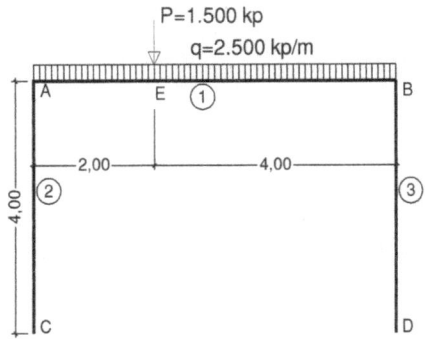

Seccion de viga: 0.60 x 0.30 m (plana)
Seccion de pilares: 0.30 x 0.30 m

Método de Cross. Reparto y transmisión de momentos

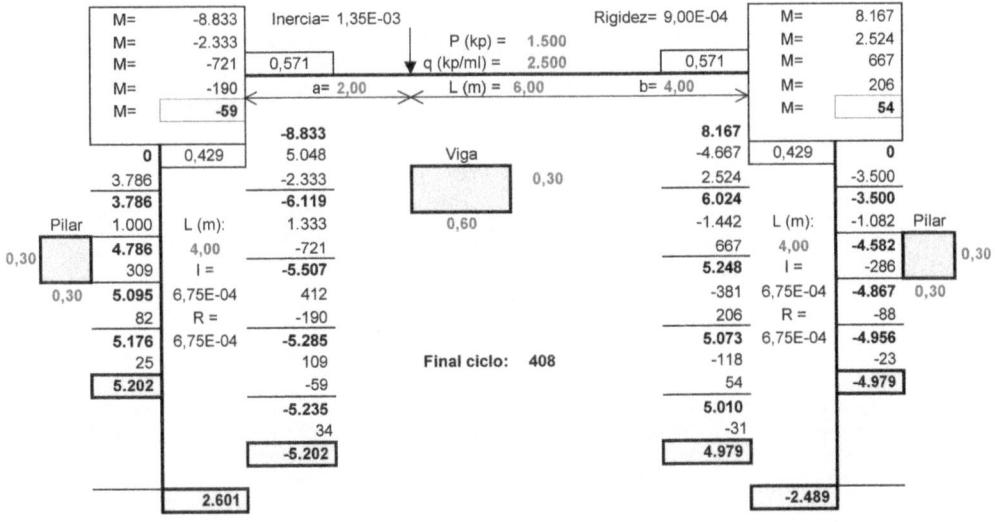

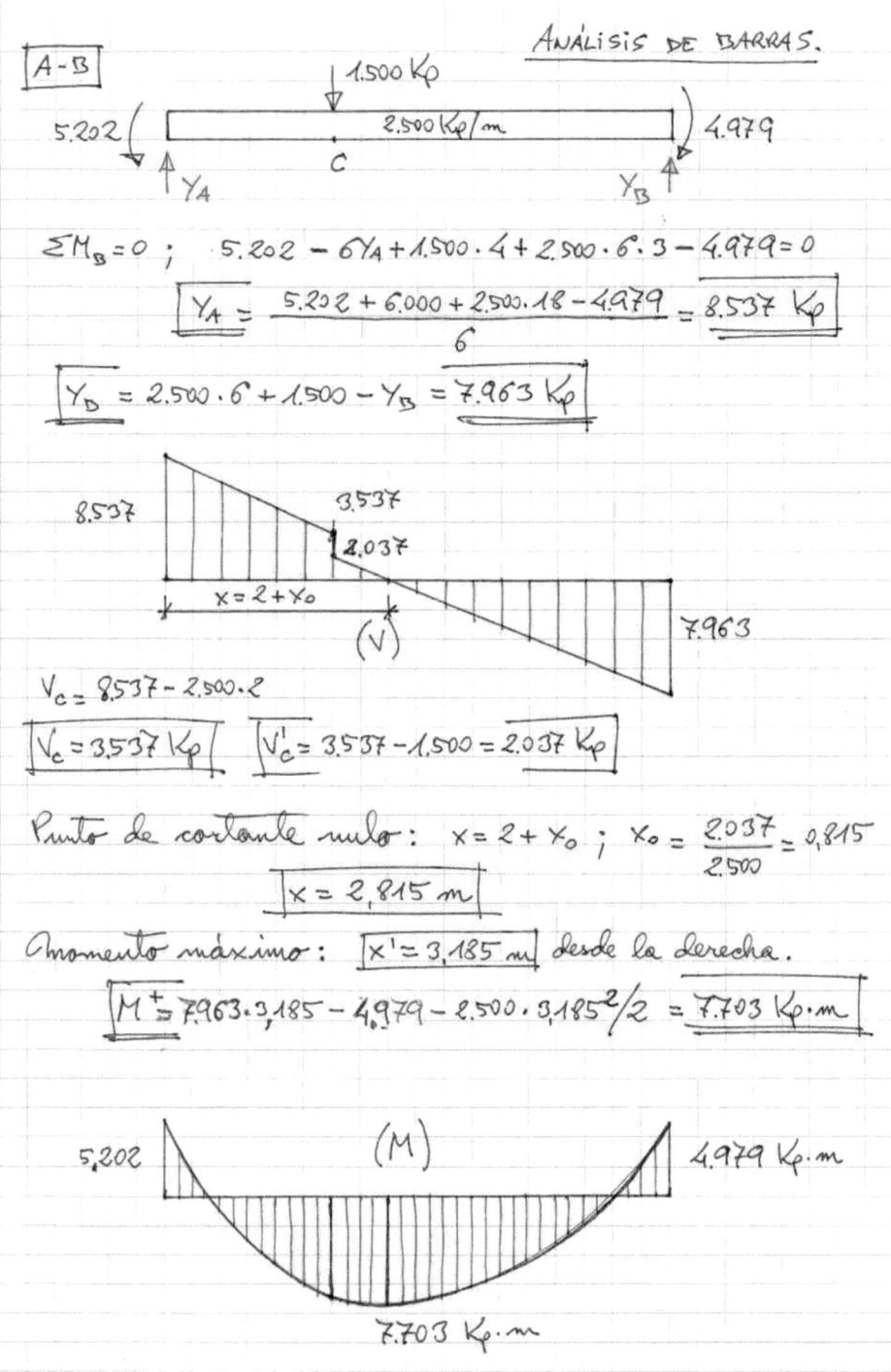

ANÁLISIS DE BARRAS.

A-B

1.500 Kp

5.202 (2.500 Kp/m) 4.979

Y_A C Y_B

$\Sigma M_B = 0$; $5.202 - 6Y_A + 1.500 \cdot 4 + 2.500 \cdot 6 \cdot 3 - 4.979 = 0$

$Y_A = \dfrac{5.202 + 6.000 + 2.500 \cdot 18 - 4.979}{6} = 8.537\ Kp$

$Y_D = 2.500 \cdot 6 + 1.500 - Y_B = 7.963\ Kp$

8.537   3.537
               2.037
$x = 2 + x_0$
(V)   7.963

$V_c = 8.537 - 2.500 \cdot 2$

$V_c = 3.537\ Kp$ $V_c' = 3.537 - 1.500 = 2.037\ Kp$

Punto de cortante nulo: $x = 2 + x_0$; $x_0 = \dfrac{2.037}{2.500} = 0,815$

$x = 2,815\ m$

Momento máximo: $x' = 3,185\ m$ desde la derecha.

$M^+ = 7.963 \cdot 3,185 - 4.979 - 2.500 \cdot 3,185^2/2 = 7.703\ Kp \cdot m$

5.202   (M)   4.979 Kp·m

7.703 Kp·m

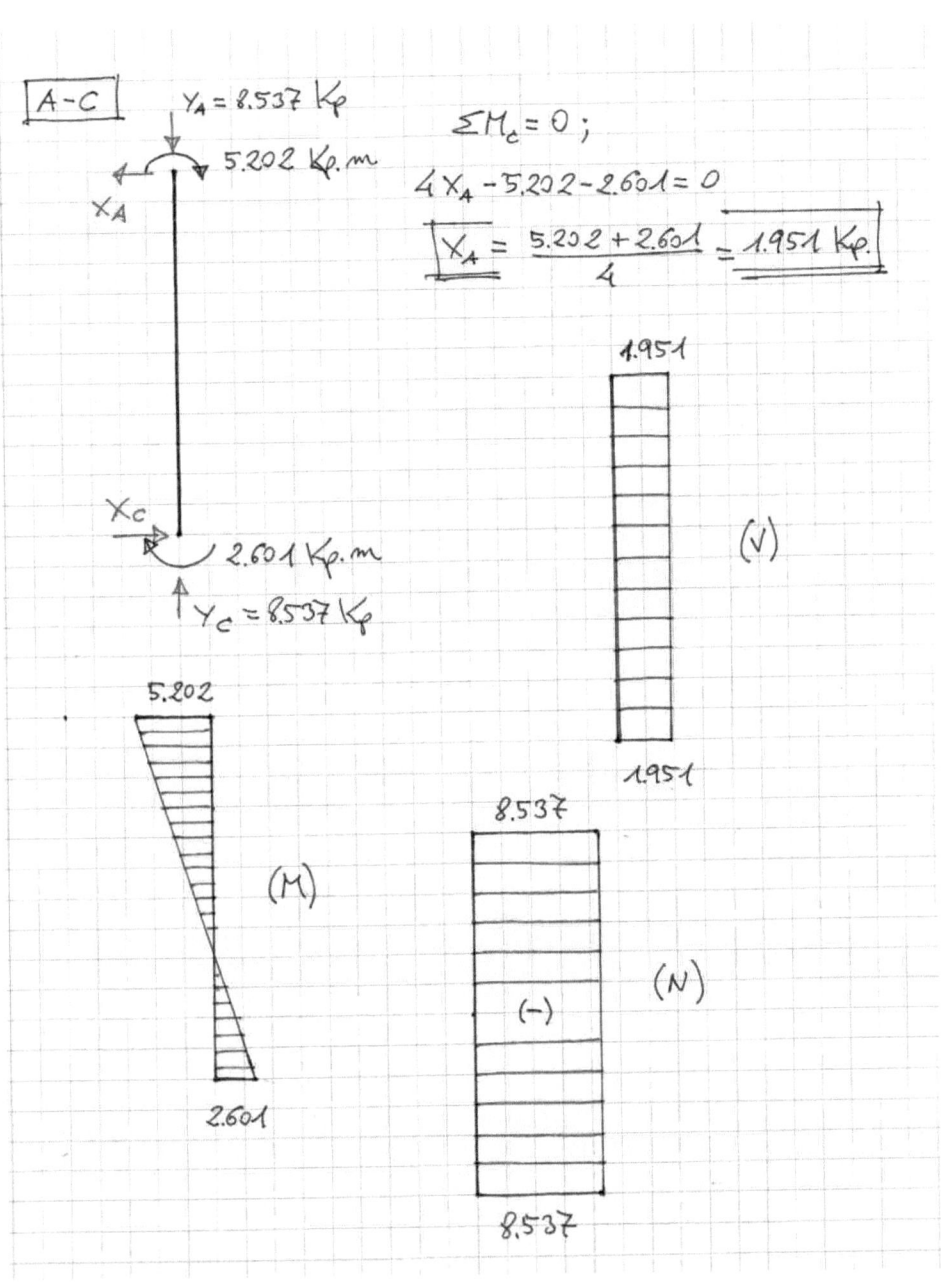

$\boxed{A-C}$ $Y_A = 8.537 \ K_\rho$

$5.202 \ K_\rho.m$

X_A

$\sum M_c = 0 \ ;$

$4X_A - 5.202 - 2.601 = 0$

$\boxed{X_A = \dfrac{5.202 + 2.601}{4} = 1.951 \ K_\rho.}$

X_c

$2.601 \ K_\rho.m$

$Y_c = 8.537 \ K_\rho$

1.951

(V)

1.951

5.202

(M)

2.601

8.537

(−)

(N)

8.537

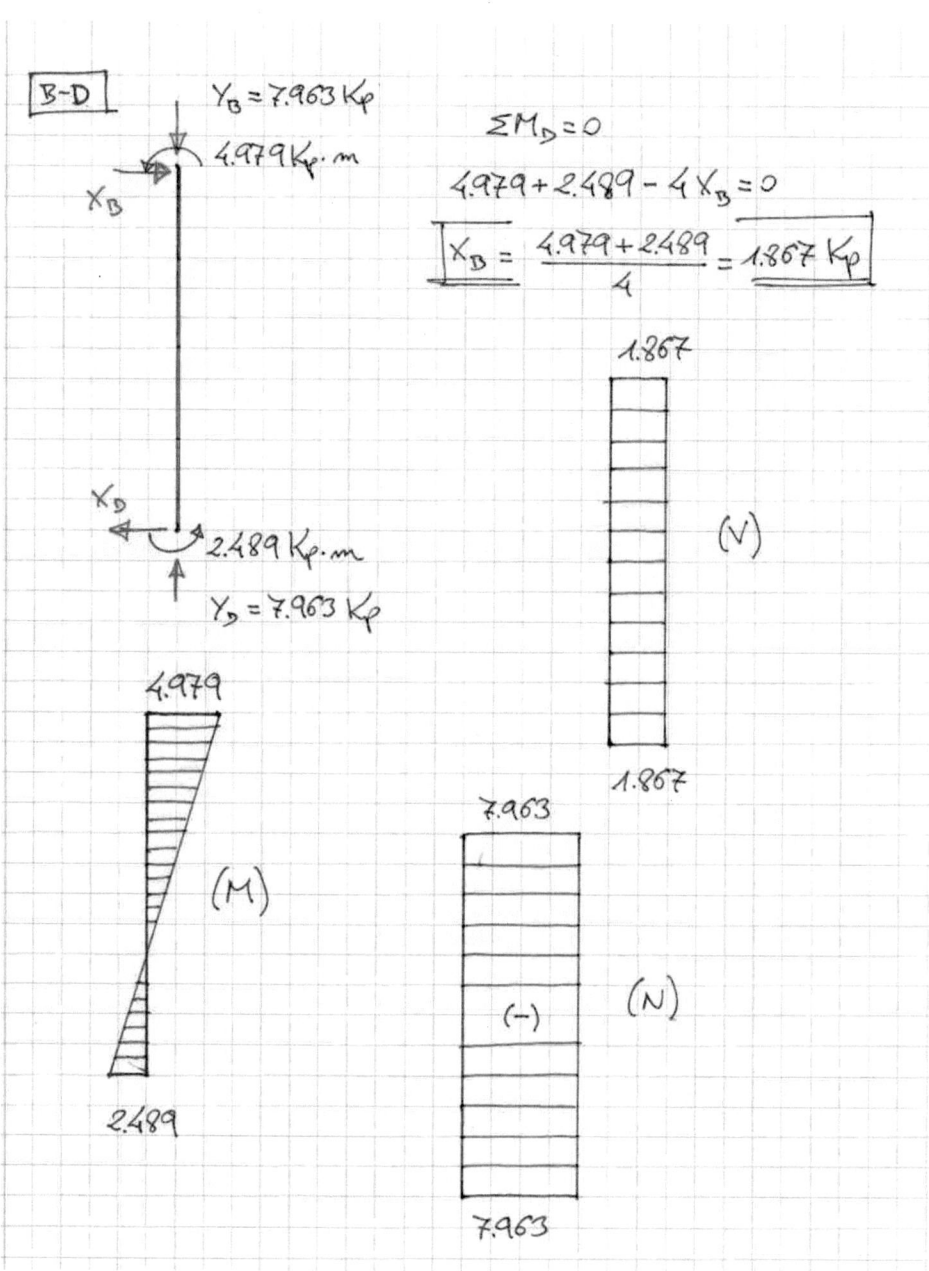

B-D

$Y_B = 7.963 \, K_p$

$4.979 \, K_p \cdot m$

X_B

X_D

$2.489 \, K_p \cdot m$

$Y_D = 7.963 \, K_p$

$$\Sigma M_D = 0$$

$$4.979 + 2.489 - 4 X_B = 0$$

$$X_B = \frac{4.979 + 2.489}{4} = 1.867 \, K_p$$

1.867

1.867

(V)

1.867

4.979

(M)

2.489

7.963

(−)

(N)

7.963

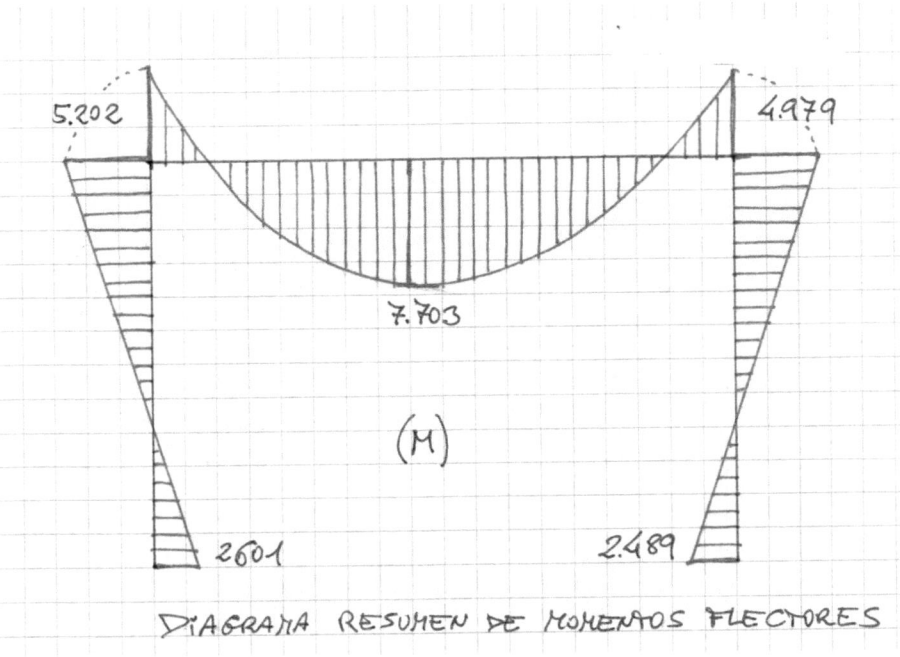

5.202   4.979

7.703

(M)

2.601   2.489

DIAGRAMA RESUMEN DE MOMENTOS FLECTORES

2) Analizar por el método de Cross el pórtico representado en la figura, estudiar las cinco barras que lo componen y dibujar los diagramas de momentos flectores, cortantes en las vigas y axiles en los pilares.

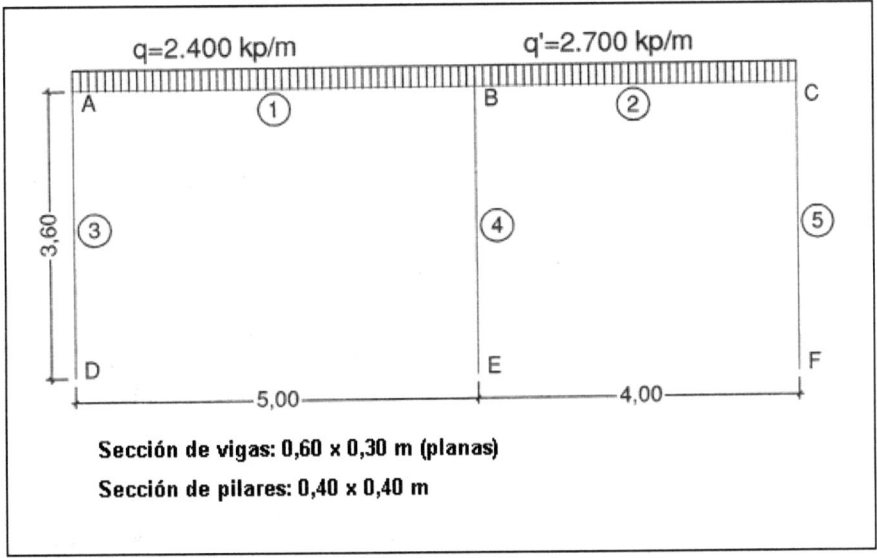

q=2.400 kp/m   q'=2.700 kp/m

A ① B ② C

③ ④ ⑤

D E F

3,60

5,00   4,00

Sección de vigas: 0,60 x 0,30 m (planas)

Sección de pilares: 0,40 x 0,40 m

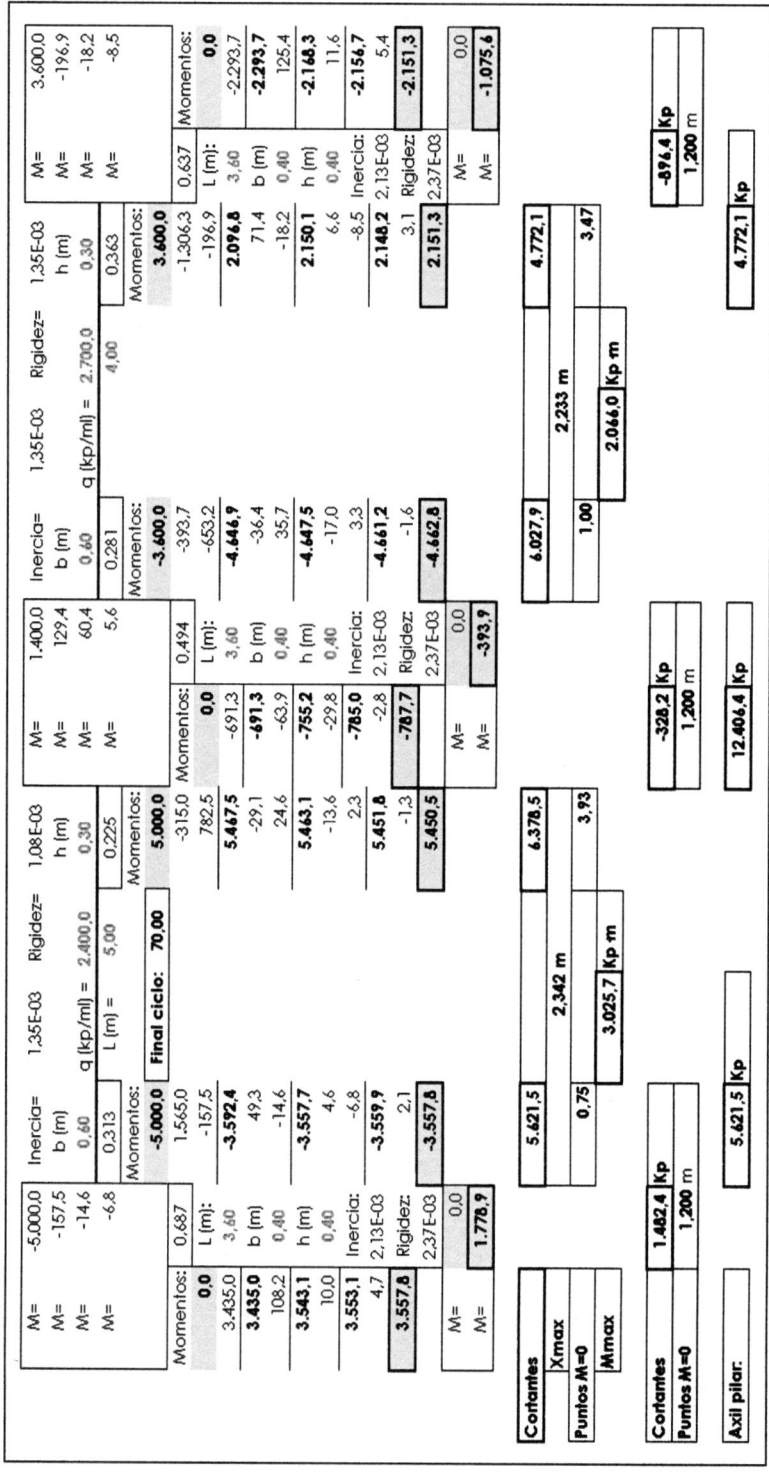

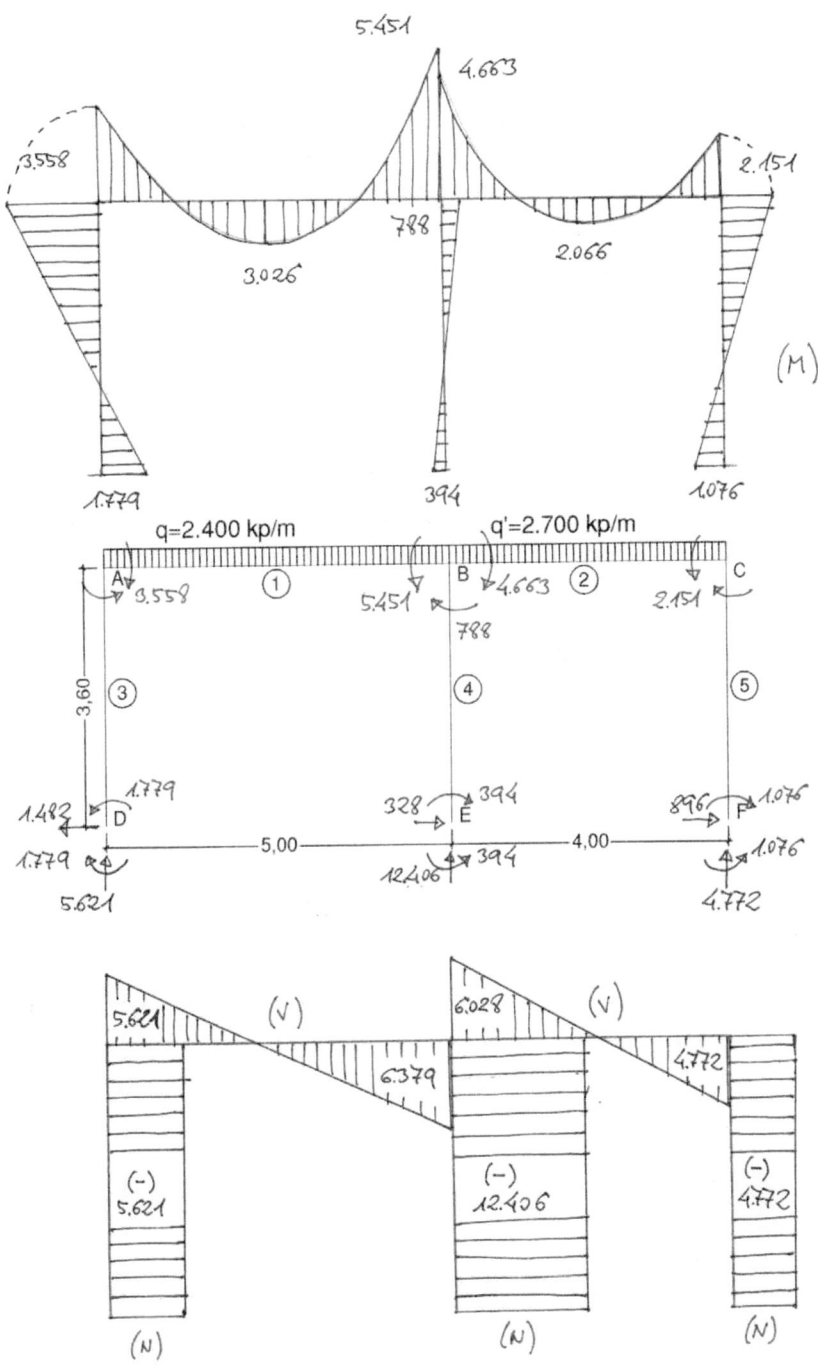

5.451

4.663

3.558   2.151

788

3.026   2.066

(M)

1.779   394   1.076

q=2.400 kp/m   q'=2.700 kp/m

A ▽ 3.558   (1)   B ▽ 4.663   (2)   2.151   C

5.451   788

3,60   (3)   (4)   (5)

1.779   328 ⤸ 394   896 ⤸ 1.076

1.482   D   F

1.779   5,00   12.406 ⤸ 394   4,00   ⤸ 1.076

5.621   E   4.772

5.621   (V)   6.028   (V)

6.379   4.772

(−)   (−)   (−)
5.621   12.406   4.772

(N)   (N)   (N)

2.3.3.   Análisis de pórticos por el método de la EH-91

1) Condiciones

El método simplificado que establecía el art. 52.2 de la Instrucción EH-91, debido al Prof. Jiménez Montoya y muy similar al del A.C.I. (American Concrete Institute), es válido siempre que se cumplan las condiciones siguientes:

a) Las cargas son sólo verticales y uniformemente repartidas con igual valor por unidad de longitud en todos los tramos de cada planta;

b) La carga variable no es superior a la mitad de la carga permanente;

c) Las piezas de cada vano son de sección constante;

d) Las luces de dos vanos adyacentes cualesquiera no difieren entre sí en más del 20% de la luz del mayor.

2) Procedimiento

Siguiendo las indicaciones de los esquemas se calculan los momentos en los extremos de cada barra y en el vano de cada viga, diferenciando entre la planta última y las restantes. Los casos pueden ser los siguientes, tanto para pórticos de dos tramos como para pórticos de tres o más vanos:

a) En el caso de la última planta, se asumen los valores tal cual, en función de la carga y de la luz de cada vano.

b) Cuando existen plantas por encima, cabe distinguir varios casos, según la casuística siguiente de rigideces relativas entre pilares Rp y vigas Rv de la planta:

1)   Rp/Rv = 1/3

2)   Rp/Rv = 1/2

3)   Rp/Rv = 1/1

4)   Rp/Rv = 2/1

5)   Rp/Rv = 3/1

En estas condiciones podrán adoptarse como valores de los momentos flectores en las vigas los que se indican en los esquemas de las páginas siguientes.

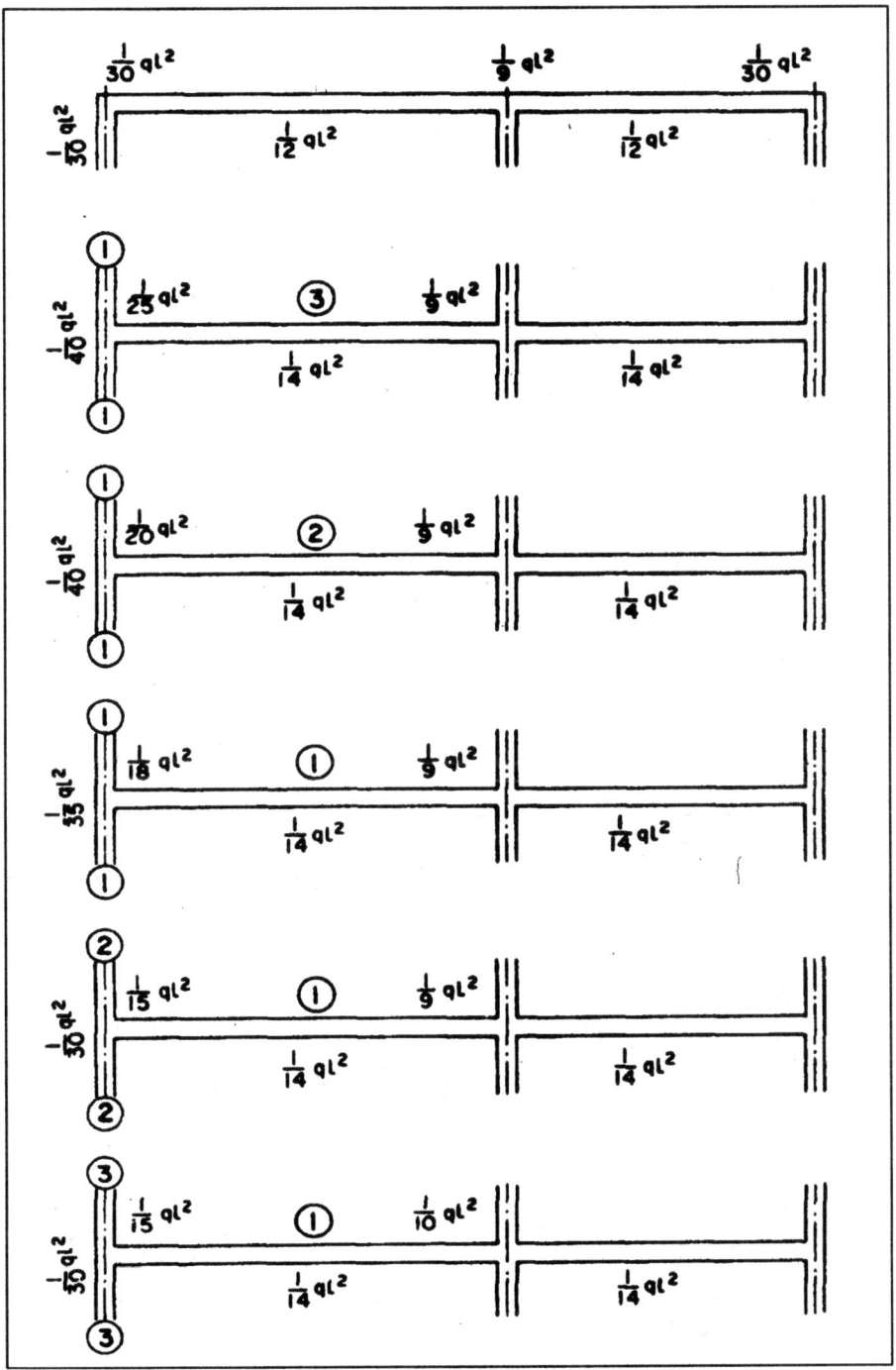

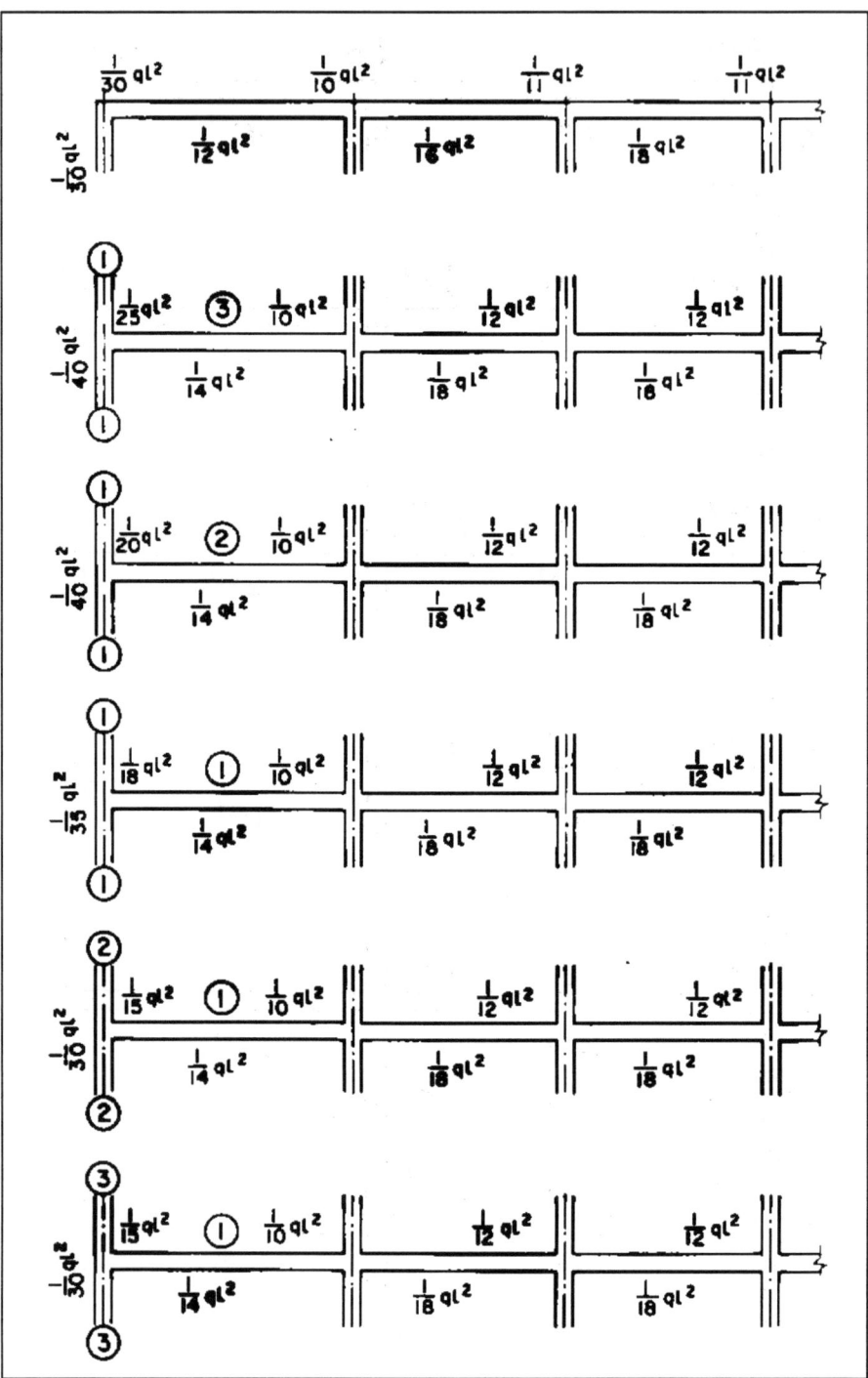

3) Resultados

Posibilidad de simplificar los cortantes.

Una vez se han calculado todos los momentos, se pueden adoptar como valores del cortante en los extremos de las vigas los siguientes, siempre que no se analicen las mismas tramo a tramo:

a) $V = 0,85 \cdot q \cdot l/2$ sobre los soportes extremos.

b) $V = 1,15 \cdot q \cdot l/2$ sobre el soporte interior de vanos extremos.

c) $V = q \cdot l/2$ en general sobre el resto de soportes.

Otros criterios

No es necesario considerar esfuerzos cortantes en los soportes ni esfuerzos axiles en las vigas.

Los axiles en pilares se calcularán por superposición de los cortantes que actúan a los lados del soporte.

Cuando la estructura tenga una aproximada simetría de geometría y cargas, no se considerarán flexiones en los soportes internos.

EJEMPLO: ANÁLISIS DE UN PÓRTICO POR EL MÉTODO DE LA EH-91

Analizar por el método de la Instrucción EH-91 el pórtico de la figura mediante el siguiente procedimiento:

1. Cálculo de momentos en las secciones significativas de todas las barras.

2. Análisis tramo a tramo, determinando los cortantes en las vigas y los correspondientes axiles en los pilares.

3. Dibujo de los diagramas de momentos de todo el pórtico, cortantes de las vigas y axiles de los pilares.

Notas: (1) Todas las vigas son de sección plana: $\boxed{0,50 \times 0,30 \text{ m}}$ las del vano izquierdo y $\boxed{0,60 \times 0,30 \text{ m}}$ las del vano derecho.

(2) *La dimensión mayor de los pilares de planta baja es la contenida en el plano del pórtico, para una mayor inercia de la sección.*

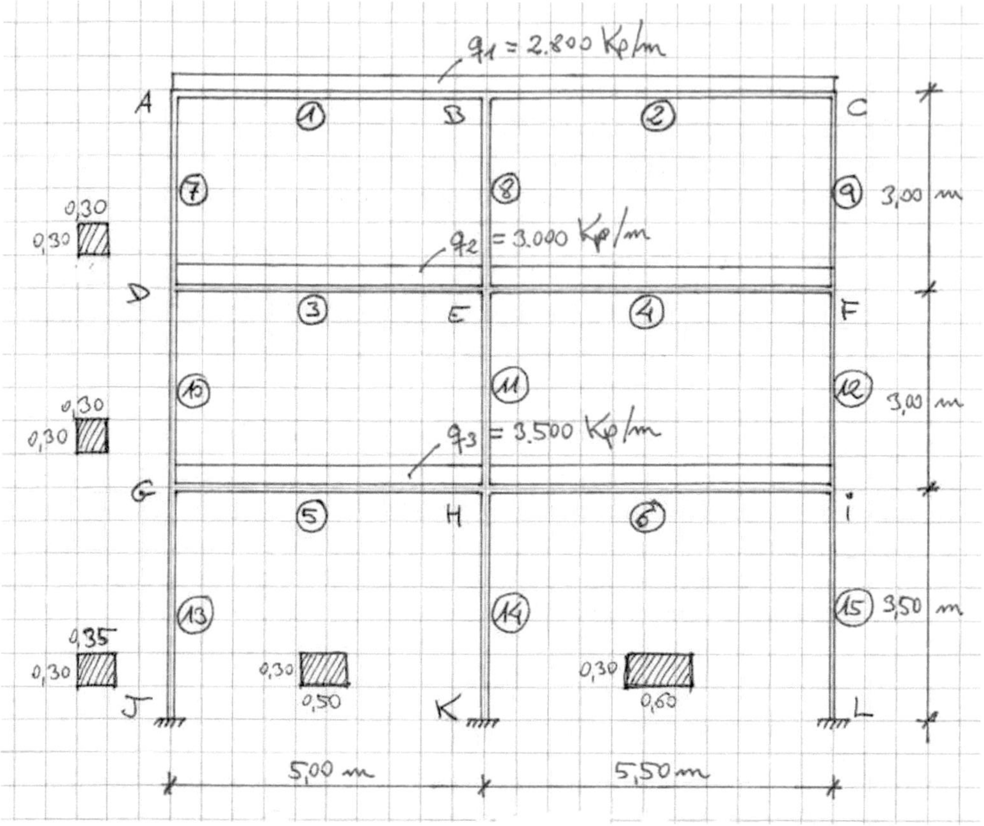

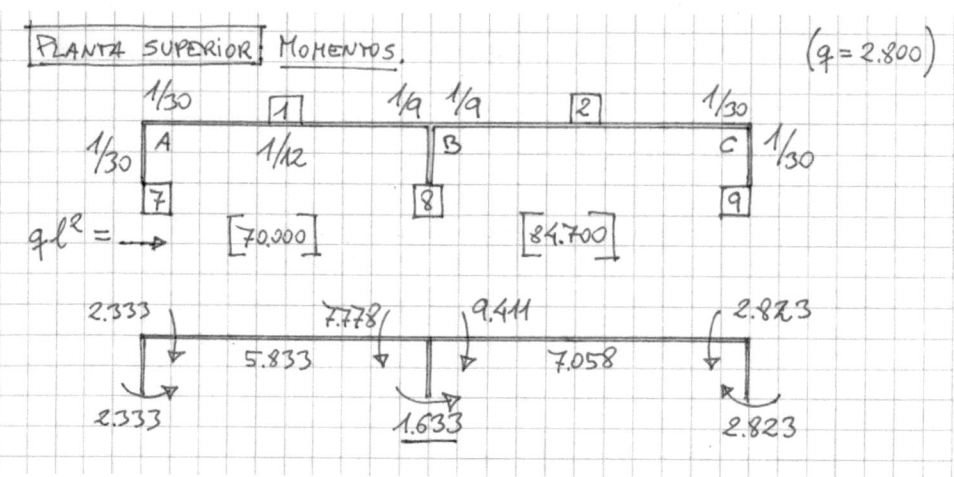

$q_1 = 2.800 \ Kp/m$

A ① B ② C 3,00 m

⑦ ⑧ ⑨

0,30
0,30 ▨

$q_2 = 3.000 \ Kp/m$

D ③ E ④ F

⑩ ⑪ ⑫ 3,00 m

0,30
0,30 ▨

$q_3 = 3.500 \ Kp/m$

G ⑤ H ⑥ i

⑬ ⑭ ⑮ 3,50 m

0,35
0,30 ▨   0,30 ▨   0,30 ▨
J   0,50   K   0,60   L

5,00 m   5,50 m

PLANTA SUPERIOR. MOMENTOS. $(q = 2.800)$

1/30   ▯1▯   1/9 1/9   ▯2▯   1/30

1/30 A   1/12   B   C 1/30

▯7▯   ▯8▯   ▯9▯

$q\ell^2 = \longrightarrow$ [70.000]   [84.700]

2.333   7.778 9.411   2.823

     5.833   7.058

2.333   1.633   2.823

78 •

PLANTA 2. RIGIDECES RELATIVAS.

- Pilares 7, 8, 9, 10, 11 y 12 : $I = \dfrac{1}{12} \, 0{,}30 \cdot 0{,}30^3 = 0{,}675 \cdot 10^{-3} \; [m^4]$

$R = 4I/L = \dfrac{4 \cdot 0{,}675 \cdot 10^{-3}}{3} = 0{,}9 \cdot 10^{-3}$

- Viga 3 : $I = \dfrac{1}{12} \, 0{,}50 \cdot 0{,}30^3 = 1{,}125 \cdot 10^{-3} \; [m^4]$

$R = 4I/L = \dfrac{4 \cdot 1{,}125 \cdot 10^{-3}}{5} = 0{,}9 \cdot 10^{-3}$

- Viga 4 : $I = \dfrac{1}{12} \, 0{,}60 \cdot 0{,}30^3 = 1{,}35 \cdot 10^{-3} \; [m^4]$

$R = 4I/L = \dfrac{4 \cdot 1{,}35 \cdot 10^{-3}}{5{,}5} = 0{,}98 \cdot 10^{-3}$

Las rigideces son casi iguales. Se asume una rigidez relativa viga/pilar de 1 a 1.

PLANTA 2 MOMENTOS. [1-1] $(q = 3.000)$

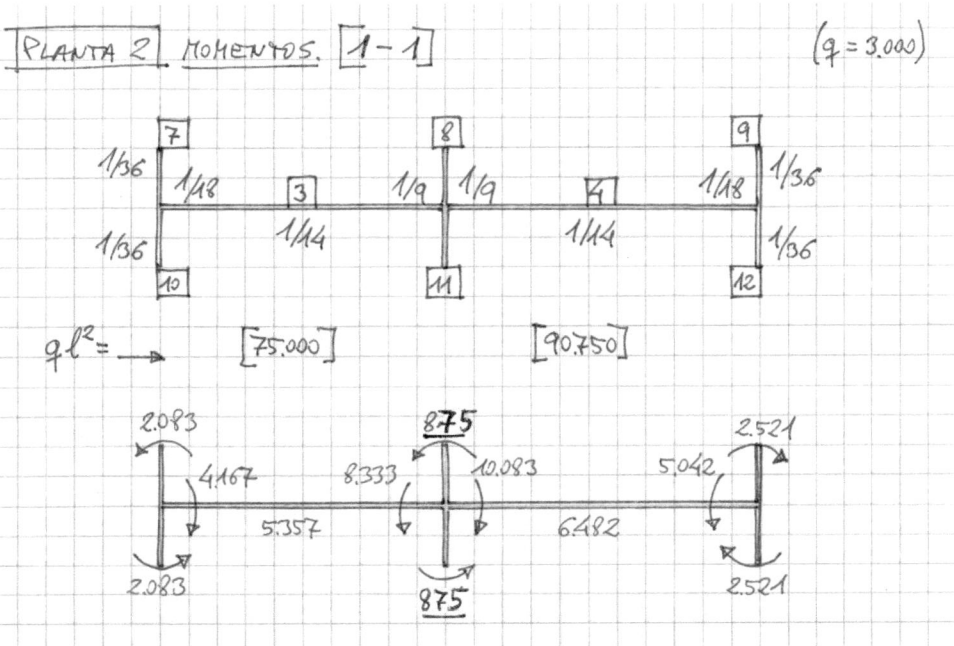

$q \ell^2 = \longrightarrow$ [75.000]   [90.750]

PLANTA 1. RIGIDECES RELATIVAS.

- Pilares 13, 14 y 15: $I = \frac{1}{12} \cdot 0{,}30 \cdot 0{,}35^3 = 1{,}07 \cdot 10^{-3} \; [m^4]$

$$R = 4I/L = \frac{4 \cdot 1{,}07 \cdot 10^{-3}}{3{,}5} = 1{,}225 \cdot 10^{-3}$$

- Viga 5: (igual que la viga 3) $R = 0{,}9 \cdot 10^{-3}$
- Viga 6: (igual que la viga 4) $R = 0{,}98 \cdot 10^{-3}$

También es un caso que se puede asimilar a una rigidez relativa viga / pilar de 1 a 1.

PLANTA 1 MOMENTOS. [1-1] $(q = 3{.}500)$

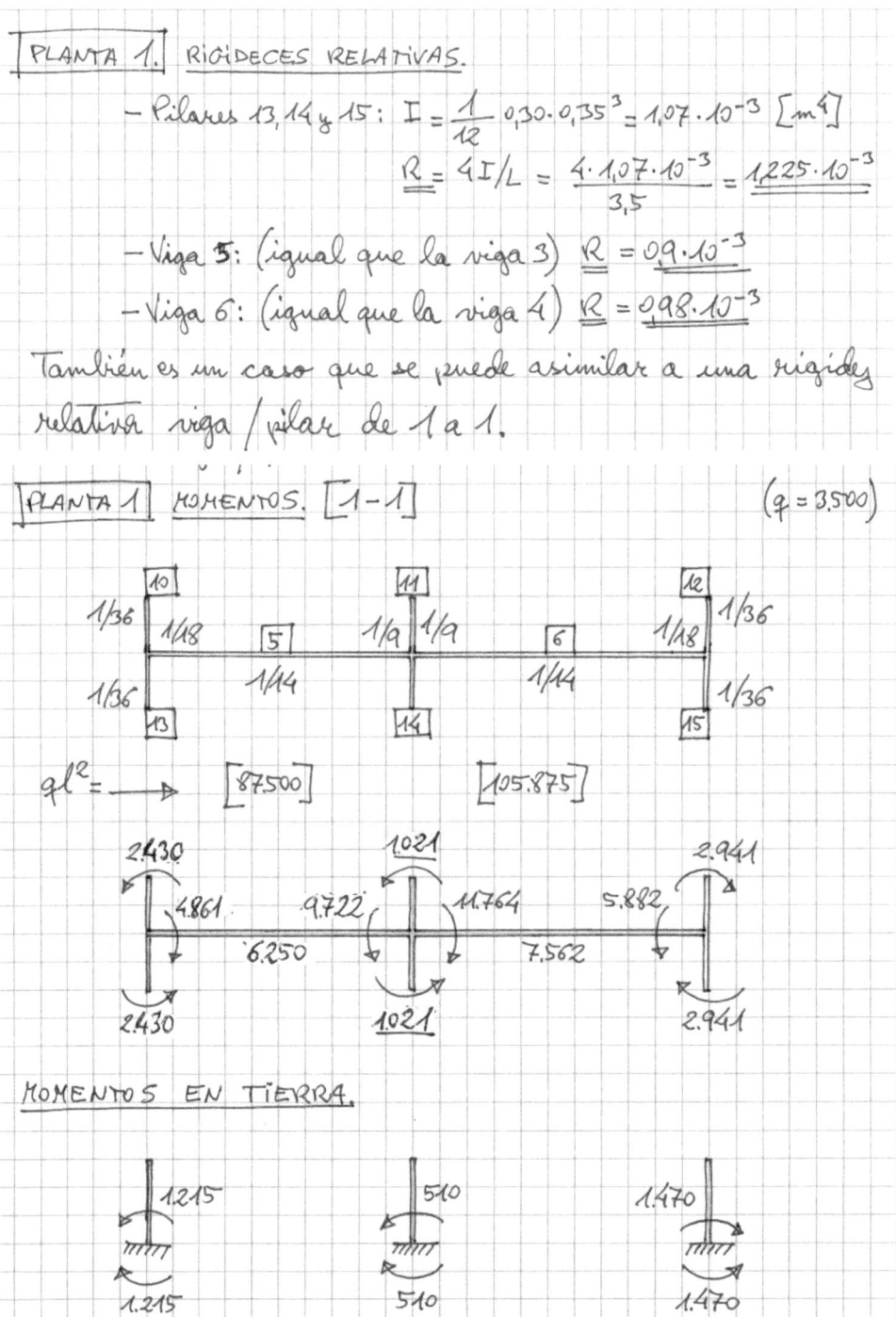

MOMENTOS EN TIERRA.

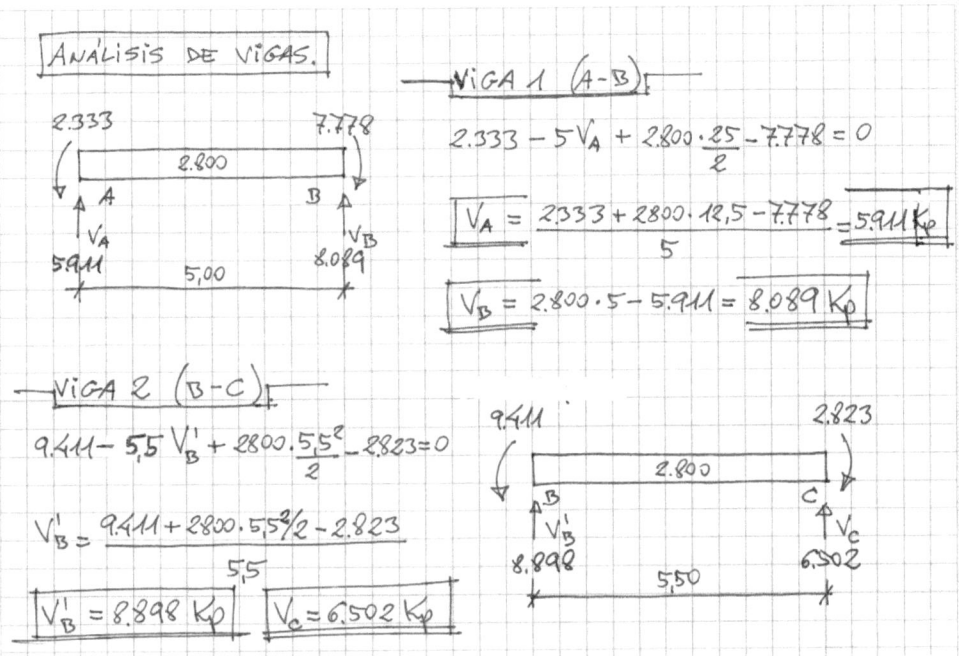

ANÁLISIS DE VIGAS.

2.333   7.778

2.800

A   B

V_A

5.911   5,00   8.089

VIGA 1 (A-B):

$$2.333 - 5V_A + 2.800 \cdot \frac{25}{2} - 7.778 = 0$$

$$V_A = \frac{2.333 + 2.800 \cdot 12,5 - 7.778}{5} = 5.911 \, K_p$$

$$V_B = 2.800 \cdot 5 - 5.911 = 8.089 \, K_p$$

VIGA 2 (B-C):

$$9.411 - 5,5 V_B' + 2800 \cdot \frac{5,5^2}{2} - 2.823 = 0$$

$$V_B' = \frac{9.411 + 2800 \cdot 5,5^2/2 - 2.823}{5,5}$$

$$V_B' = 8.898 \, K_p \qquad V_C = 6.502 \, K_p$$

9.411   2.823

2.800

B   C

V_B' V_C

8.898   5,50   6.502

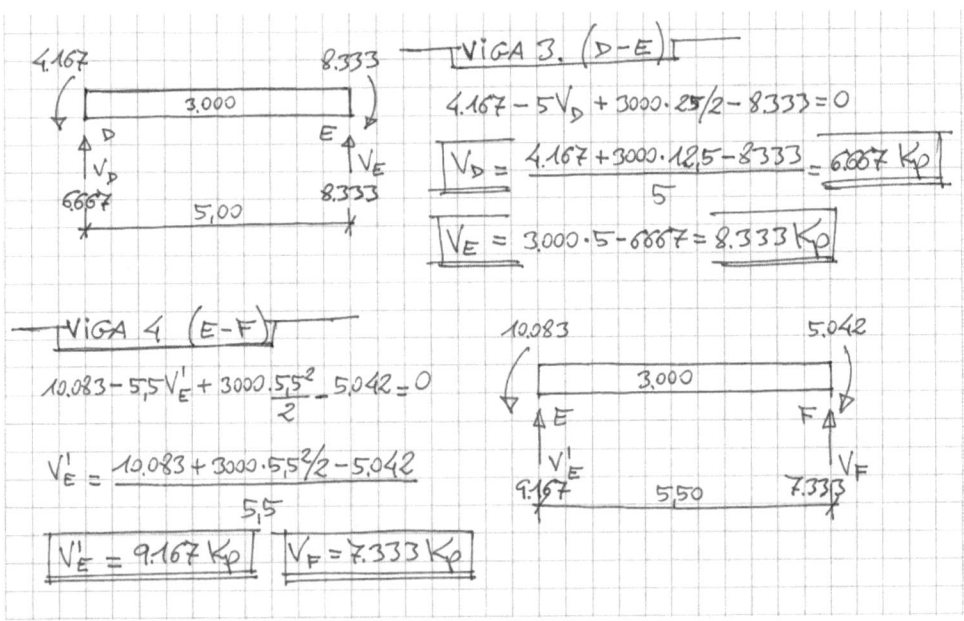

4.167   8.333

3.000

D   E

V_D V_E

6.667   5,00   8.333

VIGA 3. (D-E):

$$4.167 - 5V_D + 3000 \cdot 25/2 - 8.333 = 0$$

$$V_D = \frac{4.167 + 3000 \cdot 12,5 - 8.333}{5} = 6.667 \, K_p$$

$$V_E = 3.000 \cdot 5 - 6.667 = 8.333 \, K_p$$

VIGA 4 (E-F):

$$10.083 - 5,5 V_E' + 3000 \cdot \frac{5,5^2}{2} - 5.042 = 0$$

$$V_E' = \frac{10.083 + 3000 \cdot 5,5^2/2 - 5.042}{5,5}$$

$$V_E' = 9.167 \, K_p \qquad V_F = 7.333 \, K_p$$

10.083   5.042

3.000

E   F

V_E' V_F

9.167   5,50   7.333

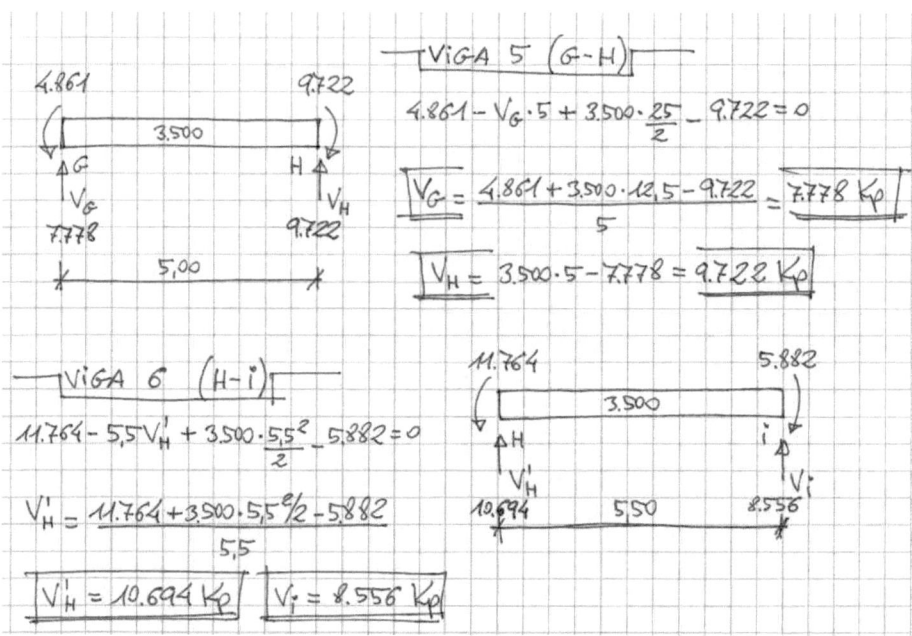

4.861   9.722

3.500

G   H

V_G V_H

7.778   9.722

5,00

VIGA 5 (G-H)

$$4.861 - V_G \cdot 5 + 3.500 \cdot \frac{25}{2} - 9.722 = 0$$

$$V_G = \frac{4.861 + 3.500 \cdot 12,5 - 9.722}{5} = 7.778 \ K_p$$

$$V_H = 3.500 \cdot 5 - 7.778 = 9.722 \ K_p$$

VIGA 6 (H-i)

$$11.764 - 5,5 V_H' + 3.500 \cdot \frac{5,5^2}{2} - 5.882 = 0$$

$$V_H' = \frac{11.764 + 3.500 \cdot 5,5^2/2 - 5.882}{5,5}$$

$$V_H' = 10.694 \ K_p \qquad V_i = 8.556 \ K_p$$

11.764   5.882

3.500

H   i

V_H'

10.694   5,50   8.556

DIAGRAMAS.

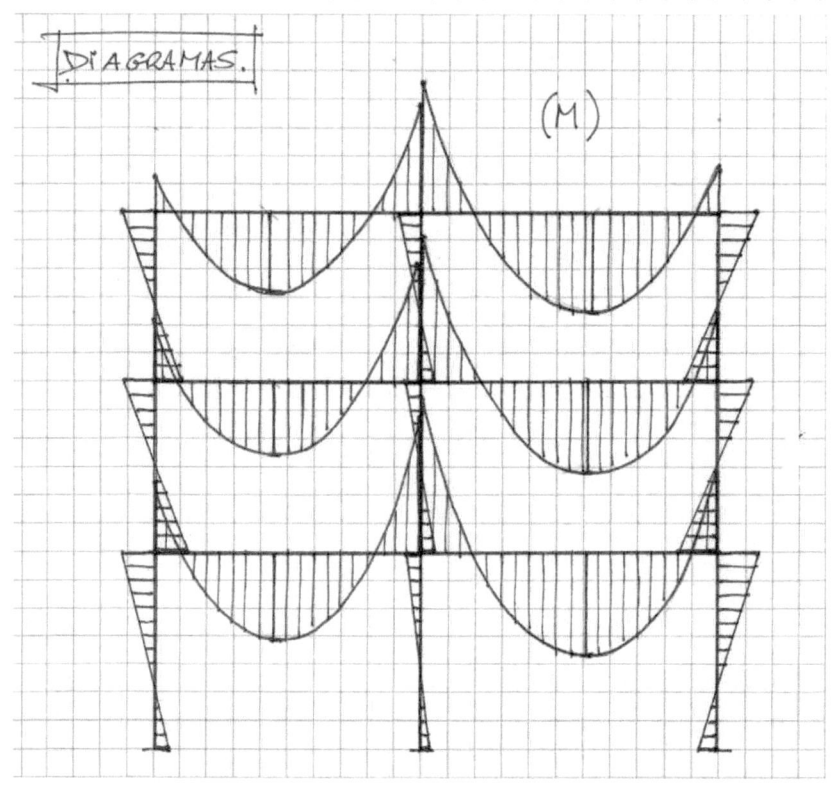

(M)

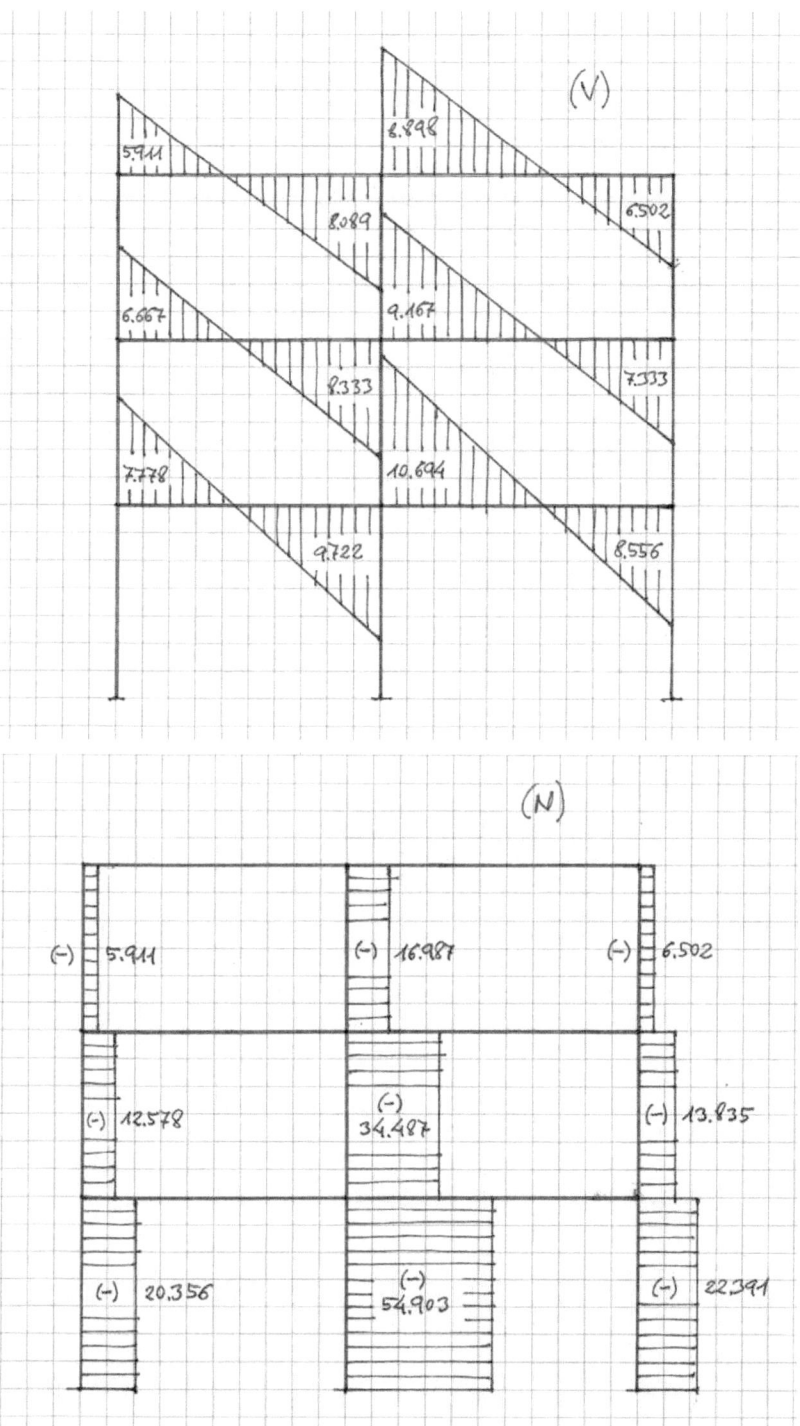

2.3.4.   Análisis de pórticos por el método de Jiménez Montoya

1) Método de cálculo

El siguiente método, debido también a Jiménez Montoya y basado, en parte, en el método de Cross, puede emplearse para el cálculo de pórticos múltiples, cualquiera que sean las luces y sobrecargas, con forjados hormigonados simultáneamente a las vigas.

El método de cálculo es el siguiente:

1) se determinan las rigideces de las piezas disminuyendo en un 10% las de los pilares de la última planta y las vigas extremas;

2) se calculan los coeficientes de reparto en cada nudo, como en el método de Cross;

3) se determinan los momentos de empotramiento perfecto M0 y se disminuyen en un 10%;

4) se calculan los momentos de continuidad en los extremos repartiendo proporcionalmente a los coeficientes de reparto, pero no se efectúan transmisiones de momentos.

2) Recomendaciones

Para este método se hacen las siguientes recomendaciones:

1) Cuando hay voladizo es necesario transmitir el momento que absorbe la viga al nudo inmediato al extremo.

2) Cuando las sobrecargas sean importantes o las luces muy desiguales, se estudiarán por separado los efectos de las cargas permanentes y los de las sobrecargas, para obtener las leyes de momentos envolventes más desfavorables.

3) Para cargas permanentes más importantes que las sobrecargas, se reducirán en un 15% los correspondientes momentos de apoyo, con lo que los momentos de vano quedarán aumentados.

3) Resultados

A continuación se reflejan los momentos de nudo en los tramos extremos, inmediatos a los extremos e intermedios, calculados de acuerdo con el método expuesto.

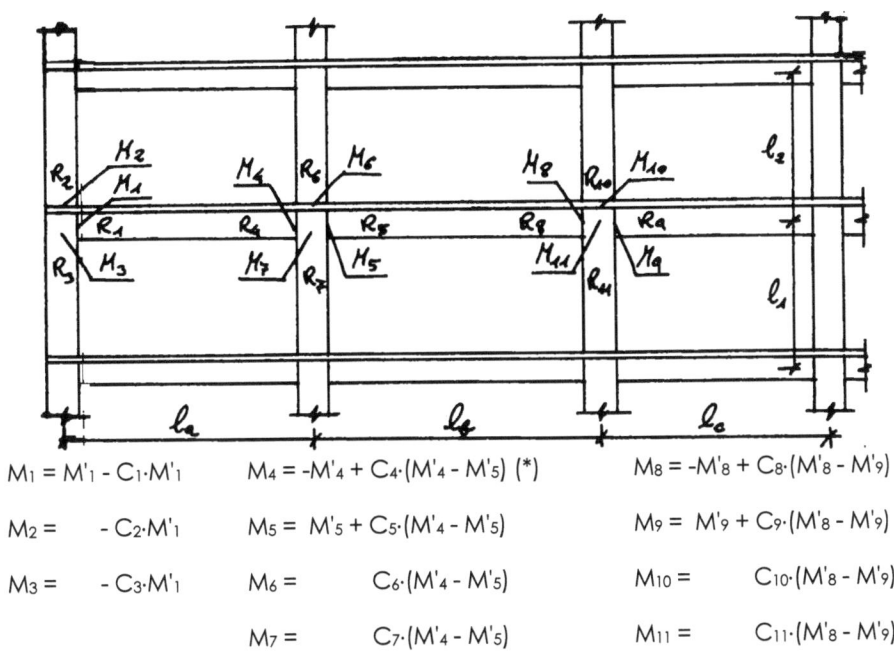

$M_1 = M'_1 - C_1 \cdot M'_1$ $\qquad$ $M_4 = -M'_4 + C_4 \cdot (M'_4 - M'_5)$ (*) $\qquad$ $M_8 = -M'_8 + C_8 \cdot (M'_8 - M'_9)$

$M_2 = \qquad - C_2 \cdot M'_1$ $\qquad$ $M_5 = M'_5 + C_5 \cdot (M'_4 - M'_5)$ $\qquad$ $M_9 = M'_9 + C_9 \cdot (M'_8 - M'_9)$

$M_3 = \qquad - C_3 \cdot M'_1$ $\qquad$ $M_6 = \qquad C_6 \cdot (M'_4 - M'_5)$ $\qquad$ $M_{10} = \qquad C_{10} \cdot (M'_8 - M'_9)$

$\qquad\qquad\qquad$ $M_7 = \qquad C_7 \cdot (M'_4 - M'_5)$ $\qquad$ $M_{11} = \qquad C_{11} \cdot (M'_8 - M'_9)$

donde M'_i son los momentos de empotramiento perfecto en valor absoluto (disminuidos en un 10%) y C_i los coeficientes de reparto por nudo.

(*) Cuando las vigas extremas sean más rígidas que los pilares extremos correspondientes, se incrementará $-M'_4$ con el momento transmitido $-0,5 \cdot C_1 \cdot M'_1$.

2.4. LOS FORJADOS UNIDIRECCIONALES

2.4.1. Generalidades

El forjado es el elemento resistente superficial que enlaza las diferentes partes de una estructura, entre las que distribuye las cargas que recibe.

Cumple además la función de separar las distintas plantas del edificio y desempeña funciones de aislamiento entre plantas y de soporte de acabados y tabiquería.

El forjado cumple las siguientes funciones estructurales:

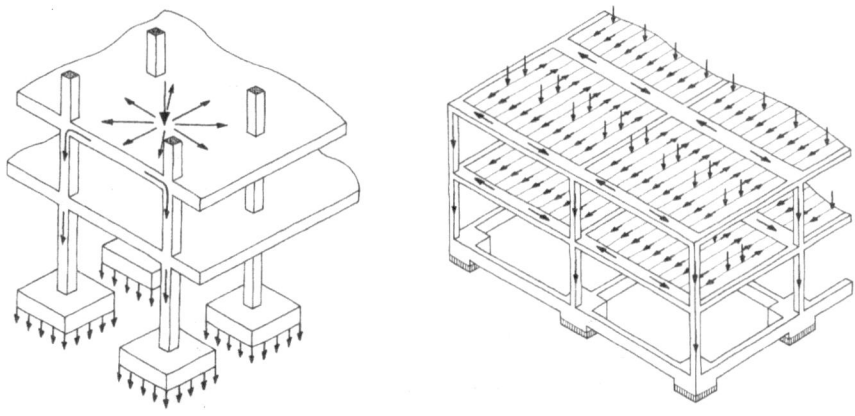

- Soportar las acciones gravitatorias debidas al peso propio, a la carga permanente y a las sobrecargas, de manera que las transmitan a los elementos sustentantes sobre los que se apoya (vigas, muros y soportes).

La distribución de las cargas sobre el forjado puede diferir mucho del modelo de distribución uniforme que se suele suponer. Una sobrecarga uniforme puede ser correcta como valor medio, pero en realidad existirán zonas del forjado muy sobrecargadas y otras muy descargadas. Estas irregularidades se compensan al transmitir las cargas a las vigas, de manera que en éstas y en los soportes las condiciones serán próximas a las teóricas. Pero en el forjado habrá zonas en condiciones de carga más desfavorables, lo que hace que sea el elemento más vulnerable de la estructura y al que hay que prestar gran atención.

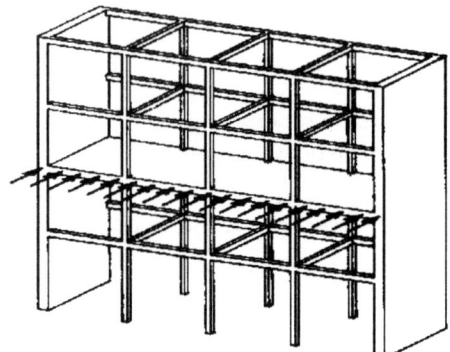

- Recoger y distribuir entre los soportes, las fuerzas que actúan sobre el edificio en dirección paralela al plano del forjado.

  Existen acciones como el viento, el sismo, el empuje de tierras transmitido por los muros de un sótano, ante las que el forjado debe actuar como una viga de gran canto que transmite sus efectos a los soportes.

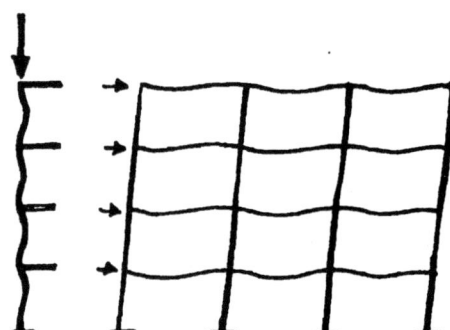

- Arriostrar los distintos pórticos. Una estructura formada por pórticos paralelos sin ningún enlace entre ellos sería inestable, funcionando como un "castillo de naipes", ya que nada se opondría a su abatimiento. Además la esbeltez de los soportes en el plano de pandeo normal al del pórtico sería enorme. Si los forjados se empotran en las vigas, cualquier inclinación de los pórticos introducirá flexiones en los forjados, que se opondrán así a que el abatimiento progrese.

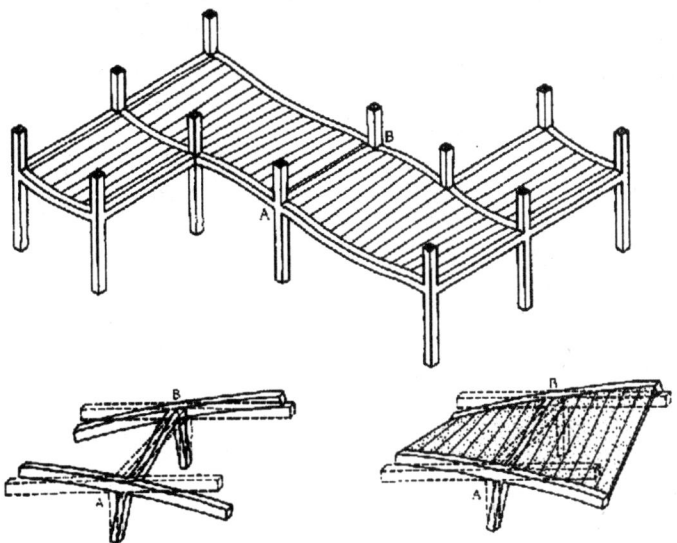

Colaboración del forjado en el mecanismo resistente de torsión de las vigas.

- Ayudar a las vigas a soportar sus torsiones. El giro de las secciones de las vigas torsionadas produce flexiones en los forjados empotrados en ellas, los cuales incorporan su rigidez a flexión a la rigidez de torsión de las vigas.

2.4.2. Tipología de los forjados

En principio podemos considerar tres grandes grupos:

1) Forjados prefabricados

Son los constituidos por piezas prefabricadas autorresistentes, es decir, capaces por sí solas de resistir la totalidad de esfuerzos a que estará sometido el forjado. Pueden llevar, o no, piezas de entrevigado.

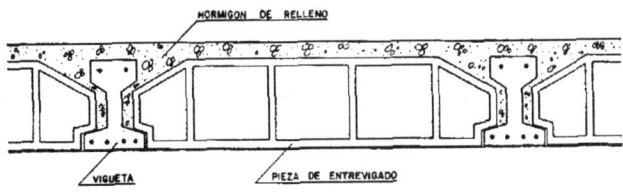

Dentro de los forjados prefabricados están los de viguetas con piezas de entrevigado (bovedillas) y los de piezas de mayor ancho (losas huecas, casetones o nervios en T adosados). Las viguetas suelen ser de hormigón armado o pretensado, y según la EF-96, estos forjados, además del hormigón de relleno, deben llevar una losa superior o capa de compresión.

La principal ventaja de este tipo de forjados es su sencillez constructiva, reduciendo al mínimo las operaciones en obra. Se suelen emplear donde no puede conseguirse un buen hormigón in situ. Su inconveniente está en el reducido monolitismo y su pequeña rigidez transversal.

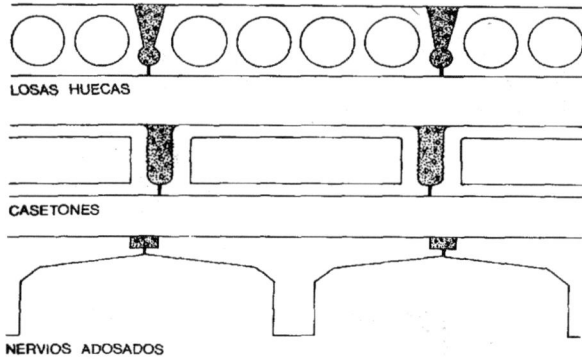

2) <u>Forjados semiprefabricados</u>

En éstos las piezas prefabricadas aportan una resistencia parcial, que debe completarse con hormigón in situ para que el forjado pueda soportar todas las cargas.

El principal tipo de este grupo es el forjado de semiviguetas, que pueden ser de hormigón pretensado o armado.

Estas piezas cumplen distintas funciones según la fase de construcción:

- durante la ejecución del forjado deben resistir, con ayuda o no de sopandas intermedias, su propio peso por flexión, el de las piezas de entrevigado y el del hormigón fresco vertido sobre ellas;

- cuando este hormigón ha adquirido suficiente resistencia, los elementos prefabricados pasan a ser el cordón traccionado del forjado compuesto.

Estos forjados tienen un monolitismo suficiente para colaborar en el arriostramiento de los pórticos y en la transmisión de las acciones horizontales, gracias a la importante losa de hormigón que se extiende sobre las semiviguetas y bovedillas.

Conservan además la facilidad constructiva de los forjados prefabricados, aunque a veces sea necesaria la colocación de sopandas que dividan la luz del forjado durante su ejecución. Son, por ello, los preferidos actualmente en edificación.

Dentro de este grupo se pueden incluir los forjados formados por una losa de hormigón vertido in situ sobre unas chapas grecadas de acero o unas placas de hormigón armado o pretensado, que sirven de encofrado y luego funcionan como armadura inferior o zona traccionada del forjado.

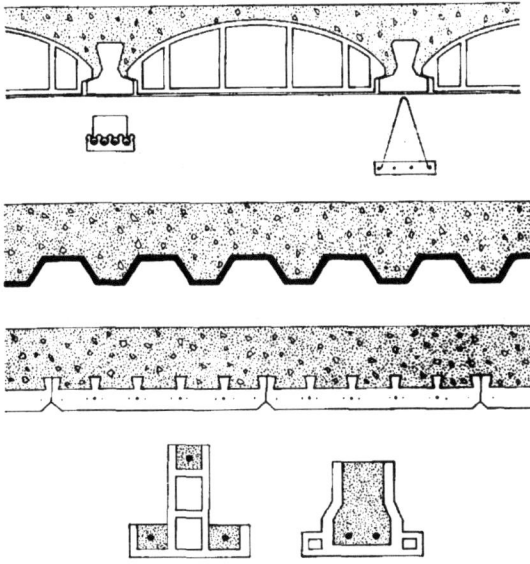

3) Forjados in situ

Son losas de hormigón totalmente formadas in situ. Pueden ser macizas o nervadas. Las nervadas suelen ser preferidas, ya que, a igualdad de canto, necesitan menos hormigón.

Las losas macizas pueden trabajar a flexión en cualquier dirección en función de las armaduras y de las condiciones de apoyo. Las losas nervadas trabajan a flexión en las direcciones de sus nervios. Pueden ser unidireccionales o bidireccionales si sus nervios forman una retícula en dos direcciones ortogonales (forjados reticulares).

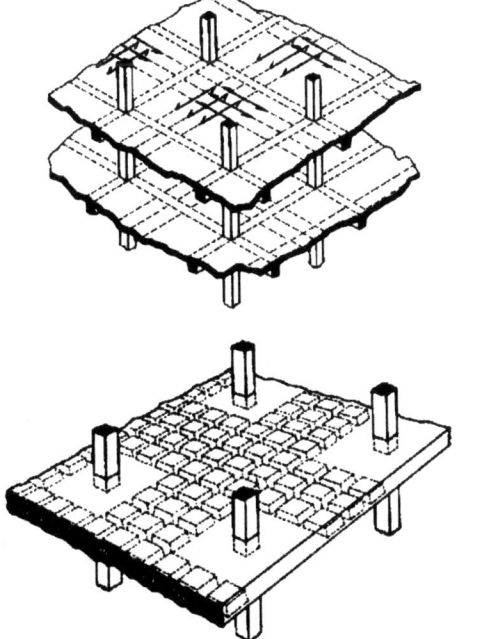

Para la formación de los nervios se usan piezas aligerantes que quedan incorporadas a la losa, o bien moldes recuperables, con lo que la losa queda más ligera, aunque se pierde la planeidad del intradós.

Este grupo de forjados presenta el mayor monolitismo de los tres, aunque también supone una mayor dificultad constructiva. Es el forjado de elección para grandes luces y cargas importantes.

Otro tipo de losa que se puede citar en este grupo es la losa translúcida, formada por piezas de vidrio que trabajan a compresión entre una retícula de nervios de hormigón que contienen la armadura.

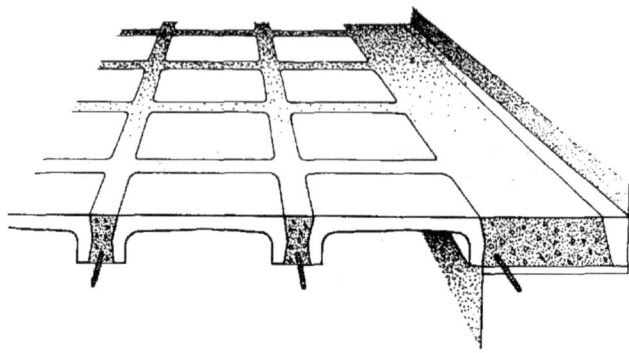

2.4.3.   Diseño del forjado

1) Elección del forjado

Aparte de las condiciones de tipo económico como pueden ser la posibilidad de conseguir elementos prefabricados en la zona, conseguir un hormigón adecuado con los medios, materiales y mano de obra disponible y el coste del forjado, es necesario tener en cuenta las exigencias de tipo estructural (cargas, luces, deformaciones, viento, sismo), las necesidades de proyecto (vigas planas o de canto, importancia de los voladizos, huecos, planeidad del intradós) y las condiciones de aislamiento (acústico, térmico, estanqueidad y resistencia al fuego). De esta manera:

1) Los forjados prefabricados se utilizarán solamente cuando las condiciones de arriostramiento y absorción de fuerzas en su plano no sean decisivas. En el caso de vigas planas, estos tipos de forjado son los menos aconsejables. Además son los que presentan el menor grado de aislamiento de todo tipo y no aseguran la ausencia de fisuras longitudinales en el guarnecido inferior.

2) Los forjados semiprefabricados dan una buena respuesta a la necesidad de arriostramiento y absorción de fuerzas en su plano (acciones horizontales). Permiten, mejor que los prefabricados, la consecución de techos sin vigas descolgadas. El inconveniente que tienen es la heterogeneidad de la sección compuesta, con el riesgo de deslizamientos en la unión entre los diferentes materiales (hormigón prefabricado y hormigón in situ).

3) Los forjados in situ son los que mejor responden al conjunto de exigencias, dando además la máxima libertad de diseño. Al no contar con las ventajas de la prefabricación, su empleo se suele reservar para los casos en que los demás grupos no pueden cumplir con determinadas condiciones, como cargas excepcionales, concentradas o variables, y cuando deben cubrirse luces que exceden de las longitudes comerciales.

Como norma general, cuanto menor sea la capacitación de la mano de obra, mayor deberá ser el grado de prefabricación a adoptar, especialmente en pequeñas obras en el medio rural. Los forjados de viguetas prefabricadas necesitan un mínimo de medios, pero ofrecen también un mínimo de prestaciones. Los forjados in situ ofrecen las mejores prestaciones a cambio de un mayor cuidado en su ejecución. El término medio, representado por los forjados de semiviguetas, suele ser con frecuencia la mejor solución en la mayoría de los casos.

2) Disposición en planta

o Forjados unidireccionales

Es necesario establecer la dirección de trabajo, que corresponde a la de los nervios, ya sean viguetas, semiviguetas o cualquier otro elemento estructural. Para ello se señala esta dirección en cada zona mediante una doble flecha, aunque el forjado quedará mejor definido si se representan todos los nervios mediante líneas rectas, cuando se conoce la distancia de entrevigado. De esta forma se pueden definir mejor las soluciones en vuelos, huecos, zonas irregulares, bordes, etc.

Las zonas en voladizo pueden resolverse de varias maneras:

- Volando las vigas, con lo que se admiten mayores cargas y luces al contar con un mayor canto y ofrecen un techo continuo entre la zona interior y la volada.

- Volando el forjado, con lo que el borde puede ser más fino y su posición resulta independiente de los soportes. Resultan menos resistentes y son más deformables.

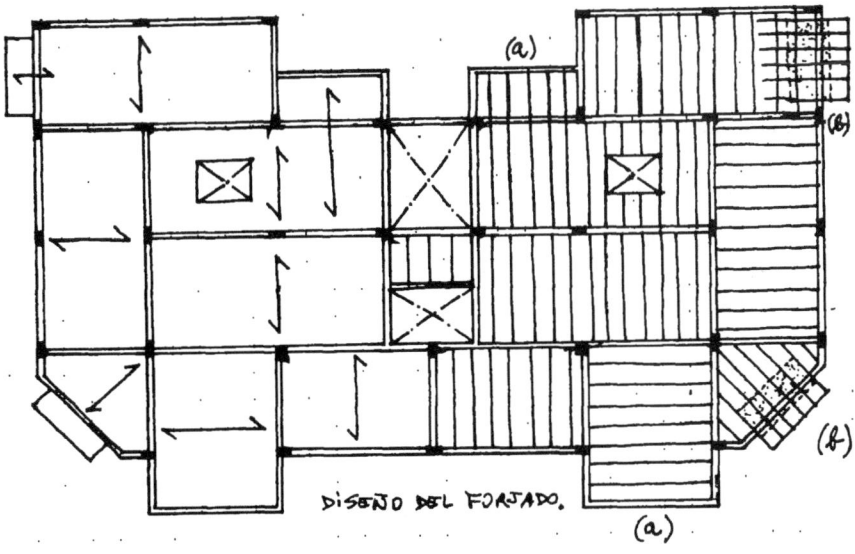

DISEÑO DEL FORJADO.

En voladizos cerrados pueden acusarse fisuras en la unión del cerramiento con el forjado superior, especialmente cuando éste tiene menos carga que el inferior.

○ **Forjados bidireccionales**

En el caso de losas macizas se pueden representar mediante una cruz de dobles flechas que señalan las direcciones principales de flexión.

Si se trata de losas nervadas, se dibuja la retícula de los nervios ortogonales y la disposición de ábacos (zonas macizadas) y huecos de forma esquemática o con el grafismo de los casetones correspondientes.

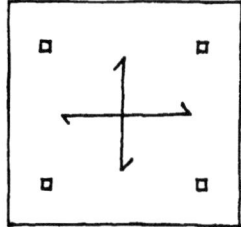 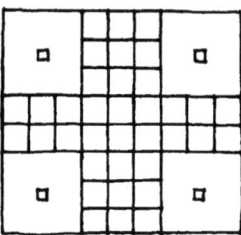 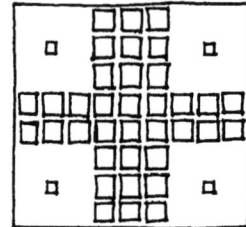

2.4.4.   Cálculo de esfuerzos

1) Acciones a considerar

Las acciones a tener en cuenta en el cálculo de un forjado son las que se obtienen por aplicación de la NBE-AE/88 "Acciones en la Edificación", que son fundamentalmente las siguientes:

1) **Peso propio.** El peso propio del forjado depende de factores tales como la separación de nervios (intereje), las dimensiones de éstos, la naturaleza de las bovedillas y el espesor de la capa de compresión.

2) **Carga permanente.** Es la carga producida por los elementos constructivos y las instalaciones fijas, cuya posición y magnitud es invariable. Se exceptúa la tabiquería cuando su peso total no sea superior a 120 Kp/m².

3) **Carga variable.** Para determinar las cargas gravitatorias que debe soportar el forjado, se acude a la norma NBE-AE/88 en sus capítulos III "Sobrecargas de uso" y IV "Sobrecargas de nieve". En la tabla 3.1 de dicha Norma se determina el valor de la carga superficial de uso, según el uso a que se destine cada zona. Si multiplicamos este valor por la distancia **d** entre nervios, obtenemos la sobrecarga lineal de uso qsc por cada nervio.

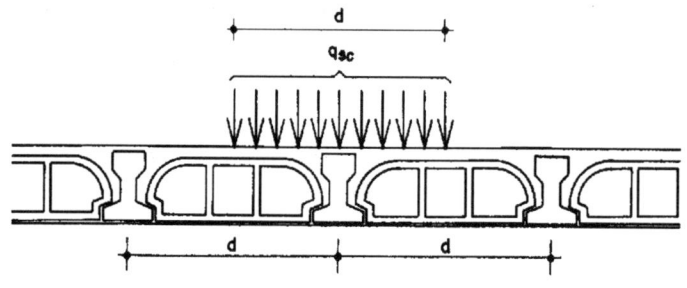

Dentro de la carga permanente habrá que considerar:

- El peso de los cerramientos que cargan en el borde exterior de forjados volados.

- El peso de los solados y de los revestimientos del plano inferior.

- El peso del peldañeado en los forjados de escaleras.

- El peso de todos los elementos empleados, en su caso, en la formación de azoteas o de cubiertas.

- Los elementos de partición cuyo grueso total sea superior a 7 cm, produciendo una carga uniforme aplicada sobre dos nervios cuando su dirección coincide con la del forjado, o una carga concentrada cuando la dirección es transversal a la del forjado. Estas cargas, de poca importancia para las vigas, son importantes para el forjado.

Dentro de la carga variable:

- En el extremo de los forjados volados de balcones se deberá considerar una carga lineal de 200 Kp/m que produce sobre cada nervio una carga puntual de 200×d Kp (siendo **d** el intereje), además de la carga qsc uniforme que le corresponda.

- La tabiquería se considera como sobrecarga superficial cuando el peso de los tabiques no supere los 120 Kp/m². La sobrecarga de tabiquería valdrá 100 Kp/m² para sobrecargas de uso de hasta 300 Kp/m²; será de 50 Kp/m² para sobrecargas de uso de 300 a 400 Kp/m², y no se considerará para sobrecargas mayores.

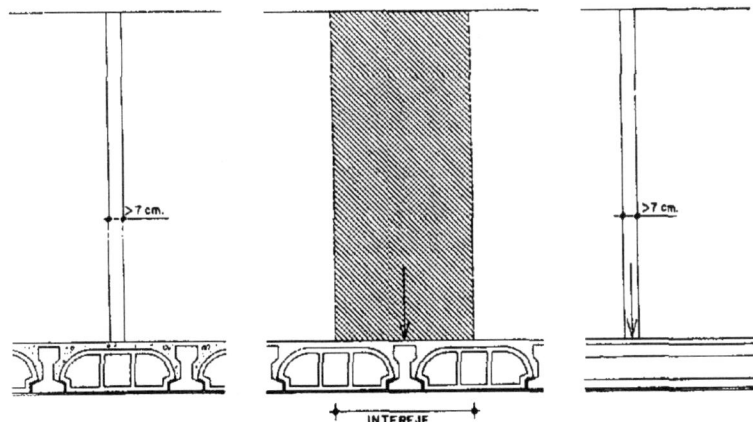

2) Combinación de acciones

En general, el cálculo del forjado requiere considerar tres hipótesis cuando las desigualdades de luces y la relación entre sobrecarga de uso **q** y carga permanente **g** es importante.

No suele ser necesario considerar alternancias en la sobrecarga de uso cuando ésta no exceda de 200 Kp/m² ni de la tercera parte de la carga total (considerando la sobrecarga de tabiquería dentro de las cargas permanentes).

A efectos de alternancia de cargas se considerarán las siguientes tres combinaciones:

1) La primera hipótesis considera la carga permanente **g** y la sobrecarga **q**, ambas mayoradas, en todos los tramos.

   En estas condiciones se obtienen los máximos momentos negativos sobre los apoyos.

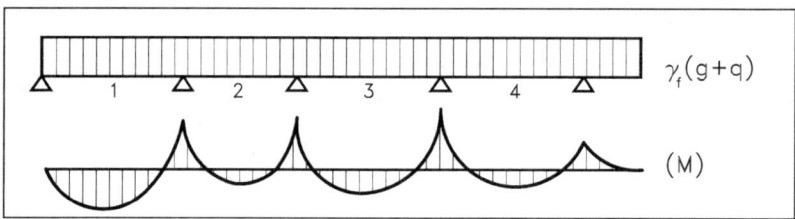

2) La segunda hipótesis considera descargados de la sobrecarga de uso los tramos pares (la carga permanente sigue actuando mayorada en todos los tramos y la sobrecarga de uso en los impares).

   De esta forma se obtienen los máximos momentos de vano en los vanos impares.

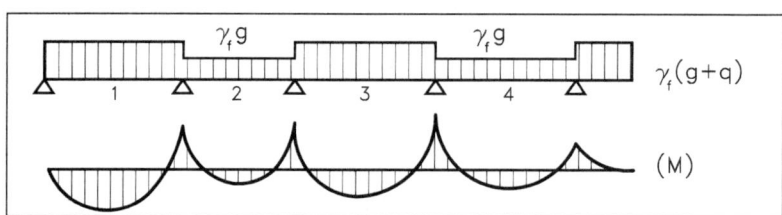

3) La tercera hipótesis considera descargados de la sobrecarga de uso las tramos impares.

   En este caso obtenemos los máximos momentos de vano en los tramos pares.

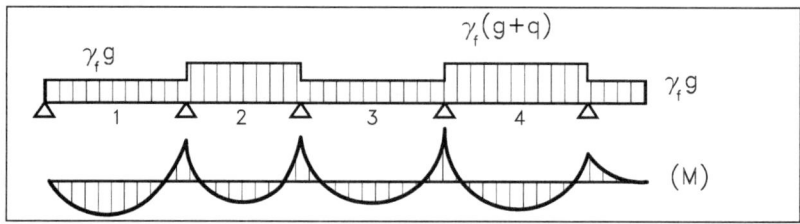

3) Luz de cálculo

Como luz de cálculo de los diferentes tramos de un forjado se tomará la menor de las dos longitudes siguientes:

a) La distancia entre ejes de los apoyos.

La luz libre más el canto del forjado. Naturalmente, se aplicará la distancia entre ejes cuando el ancho de los apoyos sea menor o igual que el canto del forjado, mientras que se aplicará el caso b) cuando los muros de apoyo tengan un grueso mayor que el canto del forjado.

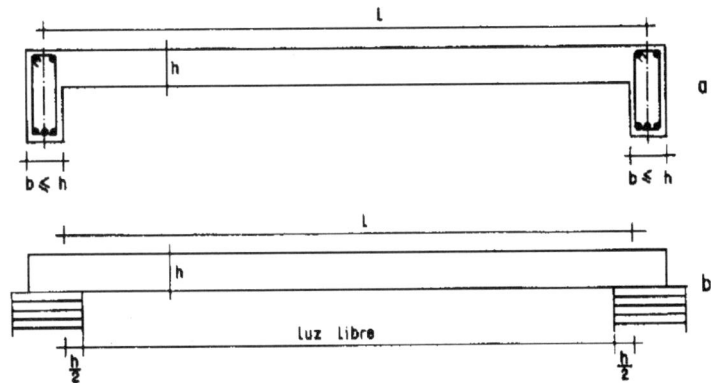

Cuando el forjado se sustente en vigas planas, de ancho muy superior a los soportes, se considerará como elemento de apoyo el soporte.

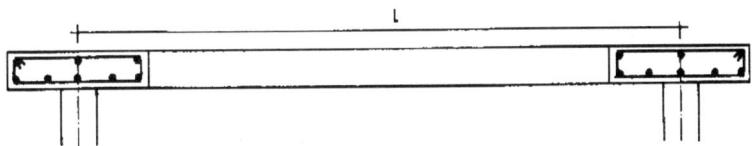

2.4.5.   Los procedimientos de análisis

Las condiciones teóricas de apoyo simple y empotramiento perfecto se dan rara vez en la realidad. Los extremos de los forjados se deben enlazar de alguna forma con sus elementos sustentantes. Estos enlaces coartan en parte la libertad de giro de los extremos, ya que en la realidad no existe el apoyo perfecto. Además las secciones más solicitadas pueden presentar plastificaciones, por lo que la distribución de momentos difiere de la hipótesis del comportamiento elástico.

En las piezas de hormigón, las zonas menos armadas se deforman más, produciéndose una redistribución de momentos que se adapta a las condiciones resistentes de la pieza. En teoría cualquier armado puede ser válido siempre que entre la armadura superior y la inferior se cubra todo el momento isostático. En la práctica esta redistribución de momentos está limitada por la capacidad de deformación de las secciones.

Se pueden utilizar tres procedimientos distintos para el análisis de las solicitaciones en los estados límite último:

1) Análisis lineal en régimen elástico

Considerar la distribución de momentos como en una viga de inercia constante, continua sobre sus apoyos, en régimen elástico.

- Sobre los tramos finales se supone nulo el momento en el apoyo extremo para determinar el momento positivo en el vano, pero se preverá la posibilidad de que en dicho extremo aparezca un momento negativo igual a $0,25 \times M^+$, siendo M^+ el momento máximo positivo en el vano.

- Si el forjado tiene tramos volados, el momento negativo sobre el último apoyo será el que corresponda a la luz y carga del voladizo, en función de la hipótesis de carga correspondiente, pero su valor máximo será al menos igual a $0,25 \times M^+$, siendo M^+ el máximo momento positivo en el vano adyacente.

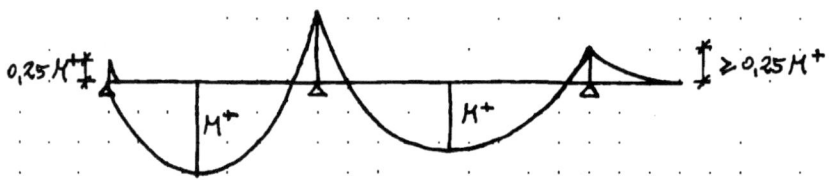

El análisis de la distribución de momentos puede efectuarse con el método de Cross o cualquier otro basado en el régimen lineal elástico.

2) Análisis lineal con redistribución limitada

El segundo procedimiento previsto por la Instrucción es el de la redistribución de momentos definida en el apartado 19.2.3 de la EHE-08, que se encontraba explicado en los Comentarios al apartado 21.4 de la anterior normativa EHE, consistente en reducir en un 15% los momentos negativos obtenidos por el procedimiento anterior, con el aumento consiguiente de los momentos positivos.

Gráficamente supone subir la recta que separa los momentos positivos de los negativos una distancia equivalente al 15% del momento negativo de cada extremo o, lo que es lo mismo, bajar la curva de momentos igual distancia.

Esta redistribución sólo es válida para unas profundidades de la fibra neutra inferiores a $0,45 \times d$ (siendo **d** el canto útil del forjado) en las secciones de los apoyos.

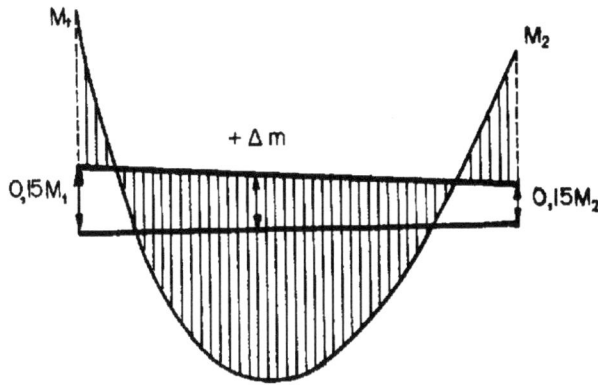

3) Método simplificado de la Instrucción

Como alternativa a estos dos procedimientos, las distintas instrucciones de forjados, desde la EF-88, la EF-96 y la EFHE, han ofrecido un tercero, específico para los forjados, que la Instrucción EHE-08 recoge en su Anejo 12 y que se resume de la siguiente manera:

En la gráfica básica de la figura siguiente, que refleja los momentos flectores de cada tramo, se calculan los momentos <u>para la carga total</u> de acuerdo con los siguientes criterios:

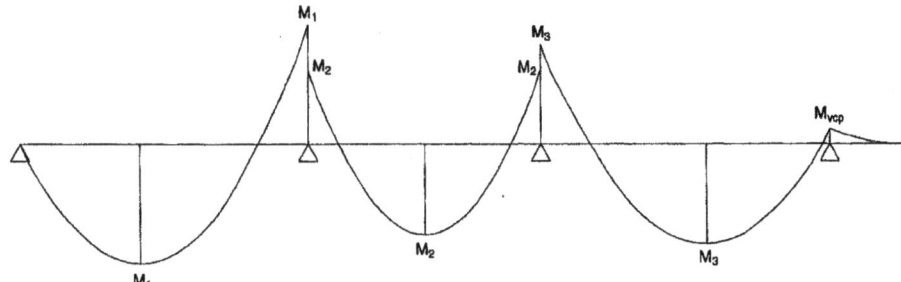

Se trata de un análisis tramo a tramo, por lo que se hace innecesario cualquier cálculo de redistribución de momentos por los métodos vistos hasta ahora.

- En los tramos extremos se considerarán iguales los momentos positivos en el vano y negativos en el apoyo interior (M_1 o M_3, según sea el caso).

- Para cada tramo intermedio se toman momentos positivos en el vano iguales a los momentos negativos en los apoyos (M_2), equivalentes a la mitad del momento isostático M_0.

- En los apoyos extremos se toma el momento igual a cero si no hay voladizo y el negativo que le corresponda <u>debido a las cargas permanentes</u> (M_{vcp}) si existe voladizo.

Los valores de M1, M2 y M3 para cargas repartidas obtenidos analíticamente son:

$$M_1 = \left(1,5 - \sqrt{2}\right)p_1 l_1^2$$

$$M_2 = \frac{p_2 L_2^2}{16}$$

$$M_3 = \left(1,5 + \frac{M_v}{p_3 l_3^2} - \sqrt{2 + \frac{4\,M_v}{p_3 l_3^2}}\right)p_3 l_3^2$$

Obtención del momento flector negativo en cada apoyo a partir de la gráfica básica:

En los apoyos exteriores sin voladizo se tomará un momento negativo igual a ¼ del momento positivo (¼ M₁) del tramo adyacente calculado.

En los apoyos en voladizo se tomará un momento negativo igual al de empotramiento <u>debido a la carga total</u> (M_v), a no ser que su valor sea inferior a ¼ M₃.

En los apoyos interiores se tomará el mayor de los momentos positivos de los tramos adyacentes que llegan al apoyo.

La gráfica envolvente de momentos flectores se obtiene superponiendo a la gráfica básica la gráfica de los momentos flectores de las cargas permanentes de cada tramo, trazada a partir de los momentos negativos considerados en los correspondientes apoyos.

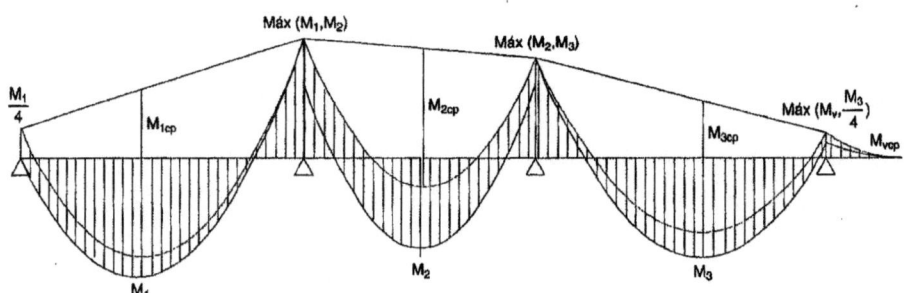

Como esfuerzos cortantes se toman los que correspondan a los momentos flectores de la figura anterior.

Los forjados sin sopandas y particularmente las losas alveolares pretensadas, bajo el peso propio del forjado, incluida la losa superior de hormigón vertido en obra en su caso, se considerarán como elementos biapoyados. Sólo para el resto de las cargas permanentes y la sobrecarga se considerará la continuidad de tramos.

Obtención del momento flector negativo (M₁) en el apoyo de un vano extremo:

Como ejemplo exponemos el modo de obtener el valor del momento M_1 en el apoyo interior (igual al momento positivo M^+ en el vano) de un tramo extremo sin voladizo, para el caso de una carga **q** uniforme.

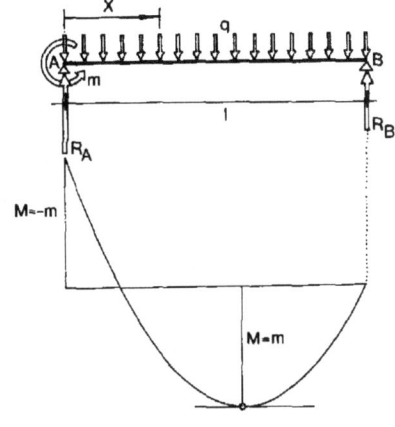

1. Valor de la reacción **R_A** para un momento nulo en **B**:

$$R_A l - m - \frac{ql^2}{2} = 0$$

$$R_A = \frac{ql}{2} + \frac{m}{l}$$

2. Por la ley de flectores:

$$M = R_A x - m - \frac{qx^2}{2}$$

El momento máximo positivo se da para el valor de **x** donde el cortante dM/dx es nulo, es decir:

$$\frac{dM}{dx} = R_A - qx = 0; \text{ luego: } \quad x = \frac{R_A}{q}, \text{ con lo que tendremos:}$$

$$M^+ = \frac{R_A^2}{q} - m - \frac{q}{2}\frac{R_A^2}{q^2} = \frac{R_A^2}{2q} - m = \frac{1}{2q}(\frac{q^2 l^2}{4} + \frac{m^2}{l^2} + qm) - m$$

Como este momento flector tiene que ser igual a **m**:

$$\frac{1}{2q}(\frac{q^2 l^2}{4} + \frac{m^2}{l^2} + qm) - m = m; \quad \frac{q^2 l^2}{4} + \frac{m^2}{l^2} = 3qm$$

y obtenemos la ecuación de segundo grado:

$$m^2 - 3ql^2 m + \frac{q^2 l^4}{4} = 0; \quad m = 3ql^2 \pm \frac{\sqrt{9q^2 l^4 - q^2 l^4}}{2} = (\frac{3}{2} \pm \sqrt{2})ql^2$$

y tomando el valor menor, resulta que el valor absoluto del momento M⁻ en el apoyo interior y el momento M⁺ en el vano tendrán el valor:

$$|M^-| = |M^+| = (1,5 - \sqrt{2})ql^2$$

2.4.6. El método de Cross para forjados

La metodología y las definiciones básicas son las mismas que las que ya se han visto en el caso de los pórticos planos con la simplificación de que en este caso, al tratarse de un elemento unidireccional (se trata de un caso de viga continua sobre varios apoyos), los nudos reciben solamente 2 barras, que corresponden a los vanos que acometen al elemento de sustentación.

En este caso vamos a hacer uso de un ejemplo para ver directamente la aplicación del método a un forjado unidireccional.

Consideremos un forjado de 4 vanos con luces L_1, L_2, L_3 y L_4 sobre apoyos A, B, C y D y rigideces R1, R2, R3 y R4, sometido a unas cargas uniformes q_1, q_2, q_3 y q_4 respectivamente.

Como los extremos son apoyos simples, su momento final será nulo y no se debe disponer casilla para anotar los momentos.

Las rigideces valen 3EI/L en los vanos extremos y 4EI/L en los interiores, o números proporcionales. Lo más práctico es tomar valores proporcionales al inverso de las luces. Los valores R_i se escriben en el centro de cada vano encerrados en un círculo.

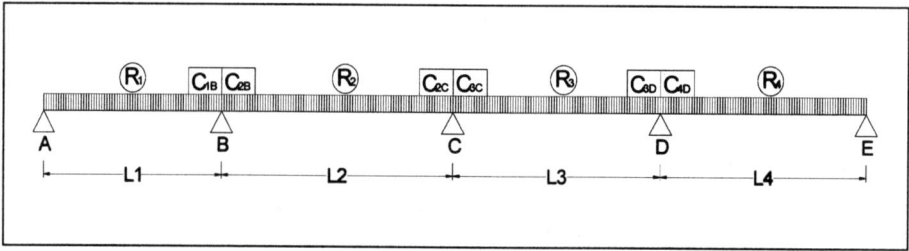

En los extremos de cada pieza concurrentes en un nudo interior se escribe el coeficiente de reparto, cociente entre la rigidez de la pieza y la suma de rigideces de las dos piezas que concurren en el nudo, es decir:

$$C_{1B} = \frac{R_1}{R_1 + R_2} \ ; \ C_{2B} = \frac{R_2}{R_1 + R_2} \ ; \ C_{2C} = \frac{R_2}{R_2 + R_3} \ ; \ C_{3C} = \frac{R_3}{R_2 + R_3} \ ; \ C_{3D} = \frac{R_3}{R_3 + R_4} \ ; \ C_{4D} = \frac{R_4}{R_3 + R_4}$$

Se calculan los momentos de empotramiento perfecto M_0 y se escriben en las casillas debajo de los coeficientes de reparto. En los vanos extremos los valores de M_0 valen $q \times l^2/8$ y en los internos valen $q \times l^2/12$. El signo de estos momentos será negativo en los extremos izquierdos y positivos en los extremos derechos de cada pieza.

En cada nudo se suman los valores M_0 de las dos barras, y el resultado cambiado de signo se multiplica por cada coeficiente C_i, dando lugar a los valores M_1 de momentos repartidos.

Después se transmite desde cada extremo la mitad de M_1 al extremo opuesto del mismo vano. A estos valores los llamamos M_2. En los vanos extremos este valor será nulo, ya que los nudos extremos no tienen momento que transmitir.

A continuación se calcula en cada nudo la suma de momentos y se repiten los dos pasos anteriores hasta obtener la precisión requerida.

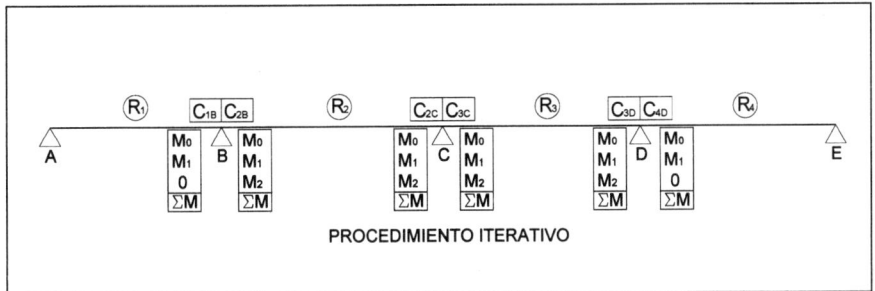

PROCEDIMIENTO ITERATIVO

El cálculo se termina siempre después de la fase de reparto por coeficientes.

EJEMPLO: ANÁLISIS DE UN FORJADO POR EL MÉTODO DE CROSS

- Calcular, por el método de Cross, los momentos en los apoyos en continuidad del forjado de vigueta y bovedilla de la figura, con 0,70 m de distancia entre nervios.

- Analizar tramo a tramo los vanos del forjado, calculando los cortantes en los extremos y los momentos máximos positivos en el vano.

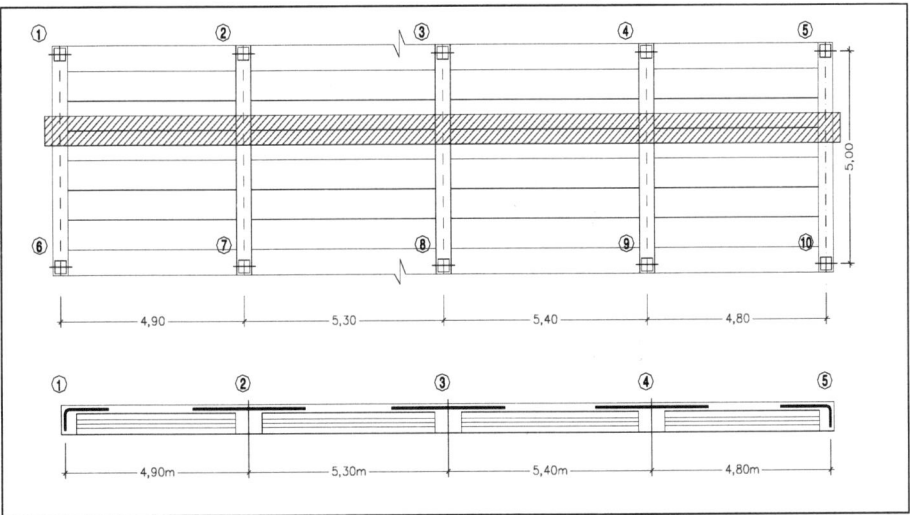

- ○ Datos
  - Peso propio del forjado: 360 kp/m²
  - Cargas permanentes: 180 kp/m²
  - Sobrecarga de uso: 200 kp/m²
  - Sobrecarga de tabiquería: 100 kp/m²

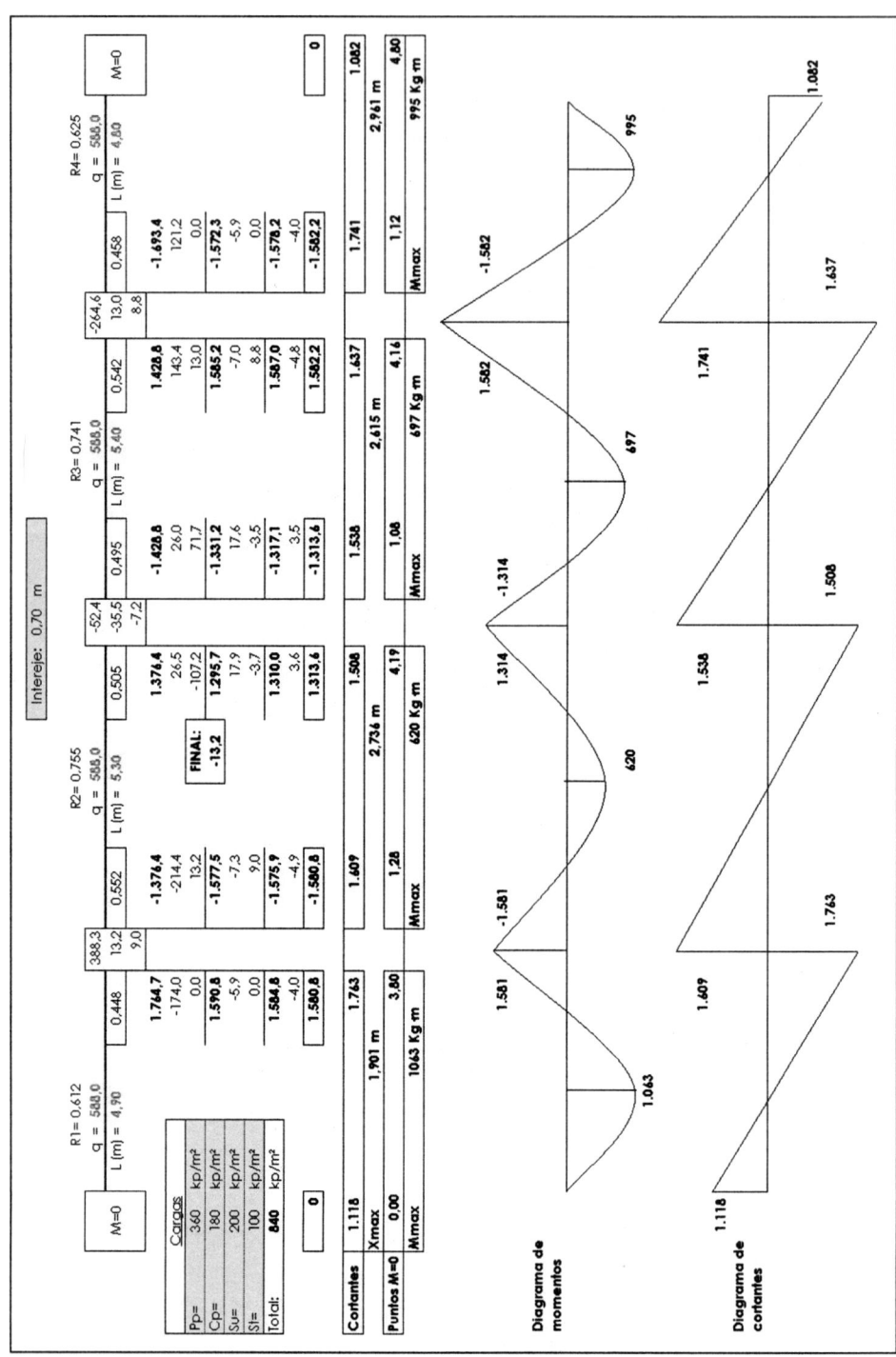

2.4.7. Armado de forjados

En el caso de las viguetas, la Instrucción exige que la armadura longitudinal de tracción sea de al menos dos barras por nervio con una sección total As por nervio que verifique la expresión siguiente.

$$A_s \geq 0,08 \, \frac{b_w \, h \, f_{cd}}{f_{yd}} \geq \begin{cases} 0,003 \, b_w \, d \text{ para B-500S y SD} \\ 0,004 \, b_w \, d \text{ para B-400S y SD} \end{cases}$$

siendo:

b_w el ancho mínimo del nervio,

h el canto total del forjado,

f_{cd} la resistencia de cálculo del hormigón,

f_{yd} la resistencia de cálculo de la armadura.

Para el cálculo de las armaduras necesarias de refuerzo frente a momentos negativos en los apoyos del forjado, se puede establecer un método simplificado, que consiste en calcular la capacidad mecánica **U** de dichas armaduras en función del momento de cálculo **Md** y del brazo mecánico **z** (equivalente a aproximadamente entre el 85% y el 90% del canto útil **d**).

$$U = \frac{M_d}{z} \cong \frac{M_d}{0,9 \, d}$$

El criterio de armado que se proponía en la Instrucción de forjados EFHE-02, recogida también en la anterior EF-96, siempre que la sobrecarga de uso no supere los 3 kN/m² ni la tercera parte de la carga total, se refleja en el esquema adjunto.

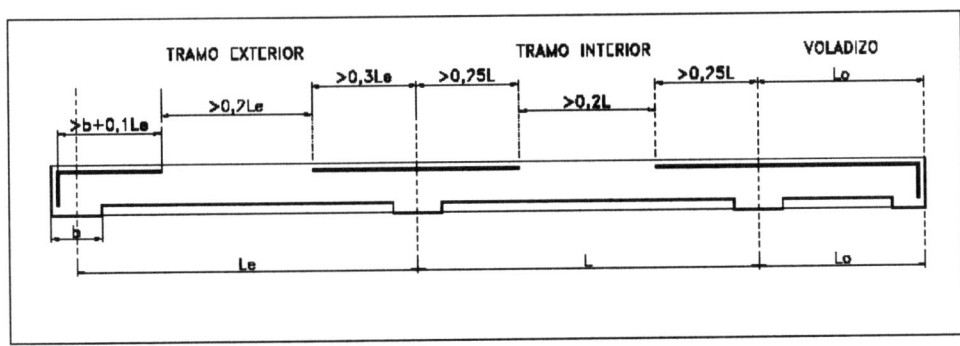

Además del criterio general anterior, la Instrucción señalaba las siguientes condiciones:

-   Si la distancia entre extremos de barras en prolongación es inferior a 0,2·L, los redondos se dispondrán continuos sobre el vano.

-   Los redondos serán de igual longitud a ambos lados de los apoyos.

-   Si los redondos son de distinto diámetro, el de mayor longitud será el de mayor diámetro, pudiendo reducirse la longitud del de menor diámetro en un 40%.

- Un tramo adyacente a un voladizo sólo se considerará interior si el momento negativo en el empotramiento del voladizo supera al del tramo.

- Si el tramo adyacente al voladizo no se puede considerar interior, la armadura se dispondrá como en un tramo exterior.

El apartado 59.2.2 "Armadura de reparto" de la EHE-08 establece las siguientes condiciones que debe cumplir la armadura de reparto:

"En la losa superior de hormigón vertido en obra, se dispondrá una armadura de reparto, con separaciones entre elementos longitudinales y transversales no mayores que 350 mm, de al menos 4 mm de diámetro en dos direcciones, perpendicular y paralela a los nervios, y cuya cuantía será como mínimo la establecida en la tabla 42.3.5.

El diámetro mínimo de la armadura de reparto será 5 mm si ésta se tiene en cuenta a efectos de comprobación de los Estados Límite Últimos.

En el caso de losas alveolares pretensadas sin losa superior hormigonada en obra, para asegurar el trabajo conjunto de las losas y la transmisión transversal de cargas (sobre todo cuando existan cargas puntuales o lineales), se dispondrá un atado en la zona de unión de las losas a las vigas principales o muros".

EJEMPLO: ARMADO DE UN FORJADO

1. Analizar el siguiente forjado calculando el valor de los momentos en apoyos y vanos, según el método de la Instrucción.

2. Calcular las armaduras de refuerzo de negativos mediante la expresión del brazo mecánico. (El acero considerado es B 500S).

3. Prever las longitudes de las armaduras de refuerzo en negativos según los llamados "métodos usuales de armado".

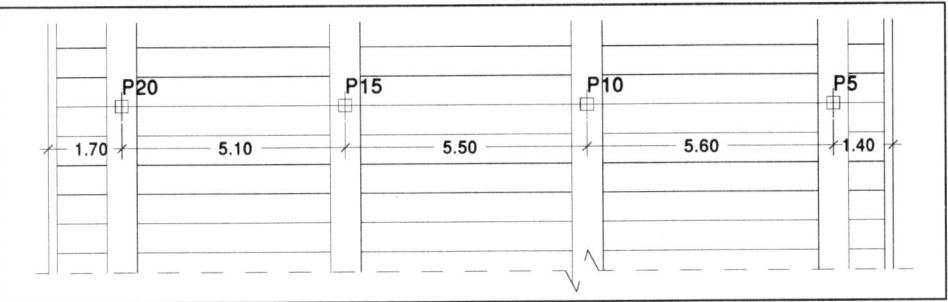

○ *Datos*

Canto del forjado: 32 cm (27 + 5 cm), bovedilla de hormigón.

Recubrimiento superior: 30 mm. Intereje viguetas: 70 cm.

Peso propio del forjado: _____	380 kp/m²
Cargas permanentes: _____	180 kp/m²
Sobrecarga de uso: _____	200 kp/m²
Sobrecarga de tabiquería: _____	100 kp/m²
Carga lineal en punta de voladizos: _____	200 kp/m

○ *Solución*

En la página siguiente vemos el esquema del proceso seguido.

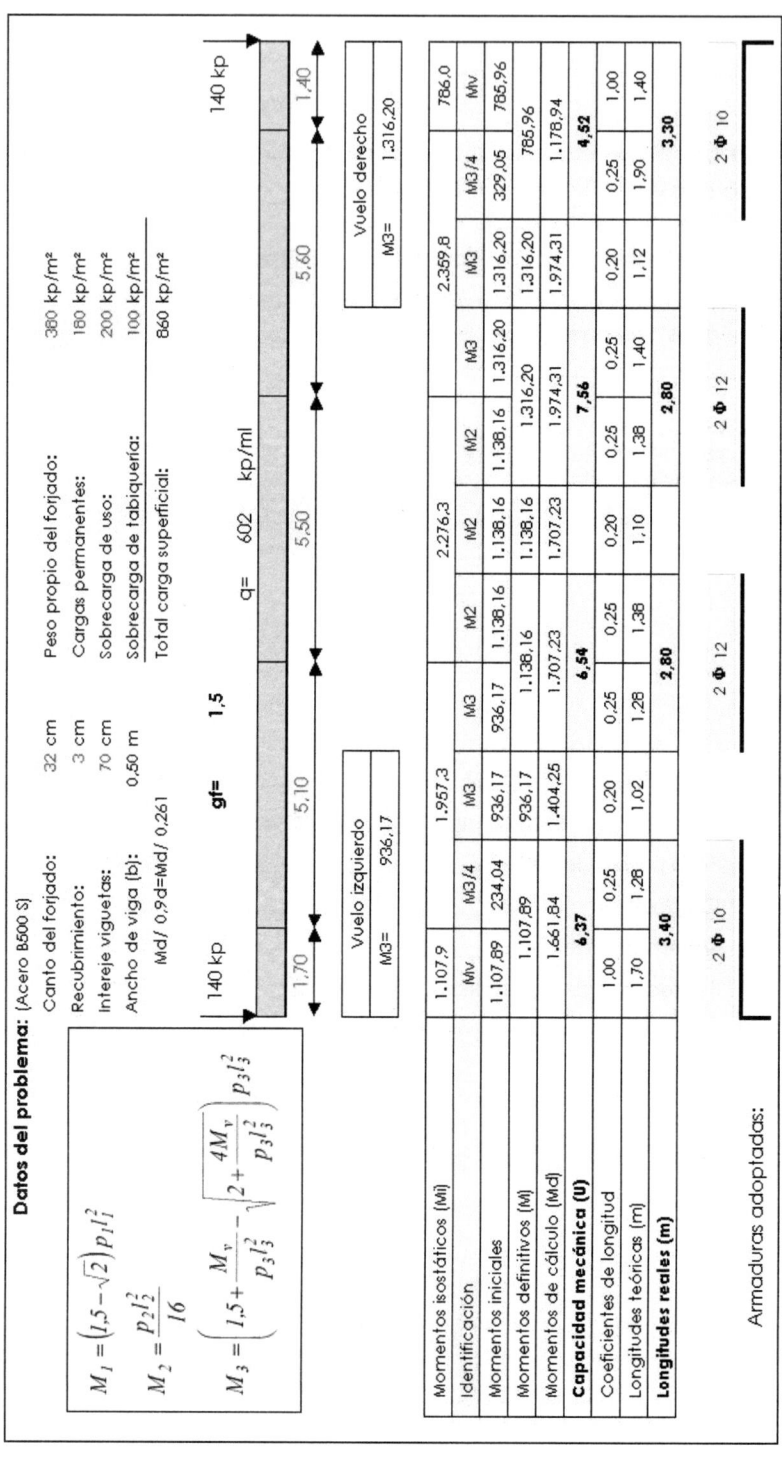

Datos del problema: (Acero B500 S)

Canto del forjado:	32 cm
Recubrimiento:	3 cm
Intereje viguetas:	70 cm
Ancho de viga (b):	0,50 m

Md/ 0,9d=Md/ 0,261

Peso propio del forjado:	380 kp/m²
Cargas permanentes:	180 kp/m²
Sobrecarga de uso:	200 kp/m²
Sobrecarga de tabiquería:	100 kp/m²
Total carga superficial:	860 kp/m²

gf= 1,5   q= 602 kp/ml

$$M_1 = (1,5-\sqrt{2})\,p_1 l_1^2$$

$$M_2 = \frac{p_2 l_2^2}{16}$$

$$M_3 = \left(1,5 + \frac{M_v}{p_3 l_3^2} - \sqrt{2 + \frac{4M_v}{p_3 l_3^2}}\right) p_3 l_3^2$$

140 kp   140 kp

1,70   5,10   5,50   5,60   1,40

Vuelo izquierdo	
M3=	936,17

Vuelo derecho	
M3=	1.316,20

Momentos isostáticos (Mi)	1.107,9		1.957,3		2.276,3		2.359,8		786,0		
Identificación	Mv	M3/4	M3	M3	M2	M2	M2	M3	M3	M3/4	Mv
Momentos iniciales	1.107,89	234,04	936,17	936,17	1.138,16	1.138,16	1.138,16	1.316,20	1.316,20	329,05	785,96
Momentos definitivos (M)	1.107,89		936,17	936,17	1.138,16	1.138,16	1.316,20		1.316,20		785,96
Momentos de cálculo (Md)	1.661,84		1.404,25		1.707,23	1.707,23	1.974,31		1.974,31		1.178,94
Capacidad mecánica (U)	6,37			6,54		7,56					4,52
Coeficientes de longitud	1,00		0,20		0,25	0,20	0,25	0,25	0,25	0,20	1,00
Longitudes teóricas (m)	1,70		1,28	1,02	1,28	1,10	1,38	1,40	1,90	1,12	1,40
Longitudes reales (m)	3,40		2,80		2,80		2,80				3,30

Armaduras adoptadas:

2 Φ 10   2 Φ 12   2 Φ 12   2 Φ 10

2.4.8. Dimensionamiento de forjados

El Anejo 12 de la Instrucción EHE-08, en su punto 2, Definición de los elementos constitutivos de un forjado, establece las siguientes partes:

– Vigueta: elemento longitudinal resistente, prefabricado en instalación fija exterior a la obra, diseñado para soportar cargas producidas en forjados de pisos o de cubiertas. Pueden ser armadas o pretensadas.

– Losa alveolar pretensada: elemento superficial plano de hormigón pretensado, prefabricado en instalación fija exterior a la obra, aligerado mediante alveolos longitudinales y diseñado para soportar cargas producidas en forjados. Sus juntas laterales están especialmente diseñadas para que, una vez rellenadas de hormigón, puedan transmitir esfuerzos cortantes a las losas adyacentes.

– Pieza de entrevigado: elemento prefabricado de cerámica, hormigón, poliestireno expandido u otros materiales idóneos, con función aligerante o colaborante, destinado a formar parte, junto con las viguetas, la losa superior hormigonada en obra y las armaduras de obra, del conjunto resistente de un forjado.

– Losa superior de hormigón: elemento formado por hormigón vertido en obra y armaduras, destinado a repartir las distintas cargas aplicadas sobre el forjado y otras funciones adicionales que le son requeridas (acción diafragma, arriostramiento y atado, resistencia mediante la formación de sección compuesta entre otras).

Asimismo, cuando en el punto 3 define los tipos de forjado establece los siguientes:

3.1   Forjado de viguetas

Sistema constructivo constituido por:

a) viguetas prefabricadas de hormigón u hormigón y cerámica, armadas o pretensadas,

b) piezas de entrevigado cuya función puede ser de aligeramiento o también colaborante en la resistencia,

c) armaduras de obra, longitudinales, transversales y de reparto, colocadas previamente al hormigonado, y

d) hormigón vertido en obra para relleno de nervios y formación de la losa superior del forjado.

3.2   Forjado de losas alveolares pretensadas

Sistema constructivo constituido por:

a) losas alveolares prefabricadas de hormigón pretensado,

b) armadura colocada en obra, en su caso, y

c) hormigón vertido en obra para relleno de juntas laterales entre losas y formación de la losa superior, en su caso, de acuerdo el apartado 59.2.1 del articulado.

1) La capa de compresión

Para dotar al forjado de rigidez suficiente, es necesario disponer de una losa superior o "capa de compresión" que asegure la continuidad en la transmisión de esfuerzos a través del conjunto formado por viguetas y piezas de entrevigado.

El Artículo 59° de la EHE-08, en su apartado 59.2.1, *Condiciones geométricas* (de los forjados unidireccionales), establece los requisitos que debe cumplir la sección transversal de un forjado, ilustrados por la figura que adjuntamos a continuación, y que se pueden resumir en los siguientes:

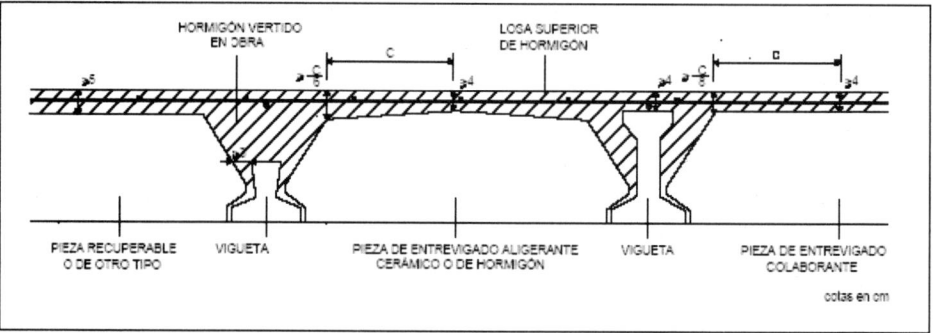

a) Disponer de una losa superior hormigonada en obra, cuyo espesor mínimo h_o, será:

- de 40 mm sobre viguetas, piezas de entrevigado cerámicas o de hormigón (resistentes) y losas alveolares pretensadas y

- 50 mm sobre piezas de entrevigado de otro tipo (aligerantes) o sobre cualquier tipo de pieza de entrevigado en el caso de zonas con aceleración sísmica de cálculo mayor que 0,16 g.

  En forjados de losas alveolares pretensadas, excepto cuando existan acciones laterales importantes o cargas concentradas importantes, puede prescindirse de la losa superior hormigonada en obra siempre que se justifique adecuadamente el cumplimiento de los Estados Límite Últimos y de Servicio. En este caso, para asegurar el trabajo conjunto de las losas y la transmisión transversal de cargas (sobre todo cuando existan cargas puntuales o lineales), se dispondrá un atado en la zona de unión de las losas a las vigas principales o muros.

b) El perfil de la pieza de entrevigado será tal que a cualquier distancia c de su eje vertical de simetría, el espesor de hormigón de la losa superior hormigonada en obra no será menor que

- c/8 en el caso de piezas de entrevigado colaborante y

- c/6 en el caso de piezas de entrevigado aligerantes.

c) En el caso de forjados de viguetas sin armaduras transversales de conexión con el hormigón vertido en obra, el perfil de la pieza de entrevigado dejará a ambos lados de la cara superior de la vigueta un paso de 30 mm, como mínimo.

2) Piezas de entrevigado

La definición y las características mecánicas de las piezas de entrevigado (bovedillas) se establece en la Instrucción española, en el **Artículo 36°**, Piezas de entrevigado en forjados, dentro del Capítulo 6. Materiales, de la siguiente manera:

Una pieza de entrevigado es un elemento prefabricado con función aligerante o colaborante destinada a formar parte, junto con las viguetas o nervios, la losa superior hormigonada en obra y las armaduras de obra, del conjunto resistente de un forjado.

Las piezas de entrevigado colaborantes pueden ser de cerámica o de hormigón u otro material resistente. Su resistencia a compresión no será menor que la resistencia de proyecto del hormigón vertido en obra con que se ejecute el forjado. Puede considerarse que los tabiquillos de estas piezas adheridas al hormigón forman parte de la sección resistente del forjado.

Las piezas de entrevigado aligerantes pueden ser de cerámica, hormigón, poliestireno expandido u otros materiales suficientemente rígidos. Las piezas cumplirán con las condiciones establecidas a continuación:

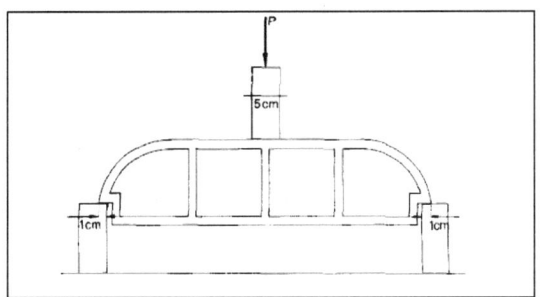

— "La carga de rotura a flexión para cualquier pieza de entrevigado debe ser mayor que 1,0 kN, determinada según normas UNE 53981 para piezas de poliestireno expandido y según UNE 67037 para piezas de otros materiales.

— En piezas de entrevigado cerámicas, el valor medio de la expansión por humedad, determinado según UNE 67036, no será mayor que 0,55 mm/m, y no debe superarse en ninguna de las mediciones individuales el valor de 0,65 mm/m. Las piezas de entrevigado que superen el valor límite de expansión total podrán utilizase, no obstante, siempre que el valor medio de la expansión potencial, según la UNE 67036, determinado previamente a su puesta en obra, no sea mayor que 0,55 mm/m.

— El comportamiento de reacción al fuego de las piezas que estén o pudieran quedar expuestas al exterior durante la vida útil de la estructura, cumplirán con la clase de reacción al fuego que sea exigible. En el caso de edificios, deberá ser conforme con el apartado 4 de la sección SI.1 del Documento Básico DB SI, Seguridad en caso de incendio, del Código Técnico de la Edificación, en función de la zona en la que esté situado el forjado. Dicha clase deberá estar determinada conforme a la norma UNE EN 13501-1 según las condiciones finales de utilización, es decir, con los revestimientos con los que vayan a contar las piezas. Las bovedillas fabricadas con materiales inflamables deberán resguardarse de la exposición al fuego mediante capas protectoras eficaces. La idoneidad de las capas de protección deberá ser justificada empíricamente para el rango de temperaturas y deformaciones previsibles bajo la actuación del fuego de cálculo".

3) Canto mínimo

Según la anterior Instrucción se deberá cumplir, para no tener que comprobar la flecha, con una expresión en función de la luz del forjado, la continuidad o no de los tramos, el tipo de forjado y la carga total soportada.

Las condiciones que se deben dar parten de las siguientes hipótesis:

• En forjados de viguetas con luces menores de 7 metros.

• Para sobrecargas no mayores que 4 kN/m² (400 Kp/m²).

• No es preciso comprobar la flecha si el canto total es mayor que el dado por la siguiente fórmula en función de la carga q, de la luz L y de las condiciones de apoyo de los forjados: con la carga q en kN/m² y la luz L en metros:

$$h = \frac{\delta_1 \delta_2 L}{C} \quad \text{siendo} \quad \delta_1 = \sqrt{\frac{q}{7}} \quad \text{y} \quad \delta_2 = \sqrt[4]{\frac{L}{6}}$$

El valor del coeficiente C se toma de la tabla adjunta.

Tipo de forjado		Tipo de tramo		
		Aislado	Extremo	Interior
Viguetas armadas	Con tabiques o muros	17	21	24
	Cubiertas	20	24	27
Viguetas pretensadas	Con tabiques o muros	19	23	26
	Cubiertas	22	26	29
Losas alveolares pretensadas	Con tabiques o muros	36	---	---
	Cubiertas	45	---	---

4) Dimensionamiento de forjados: método gráfico

Este método gráfico a base de ábacos como el que reflejamos en la página siguiente, se debe a tres profesores de Arquitectura Técnica de Galicia y tiene la ventaja de ser válido para todos los tipos de forjado que deben cumplir con la Instrucción.

Con él podemos estimar tres incógnitas distintas de los forjados cuando estamos predimensionando:

1) La luz máxima que puede admitir un forjado de cualquier tipo con un determinado canto y sometido a una carga total.

2) El canto mínimo que debemos prever según la carga total a la que estará sometido y la luz de los vanos.

3) La carga máxima que puede admitir conociendo el canto del forjado y las luces de los vanos.

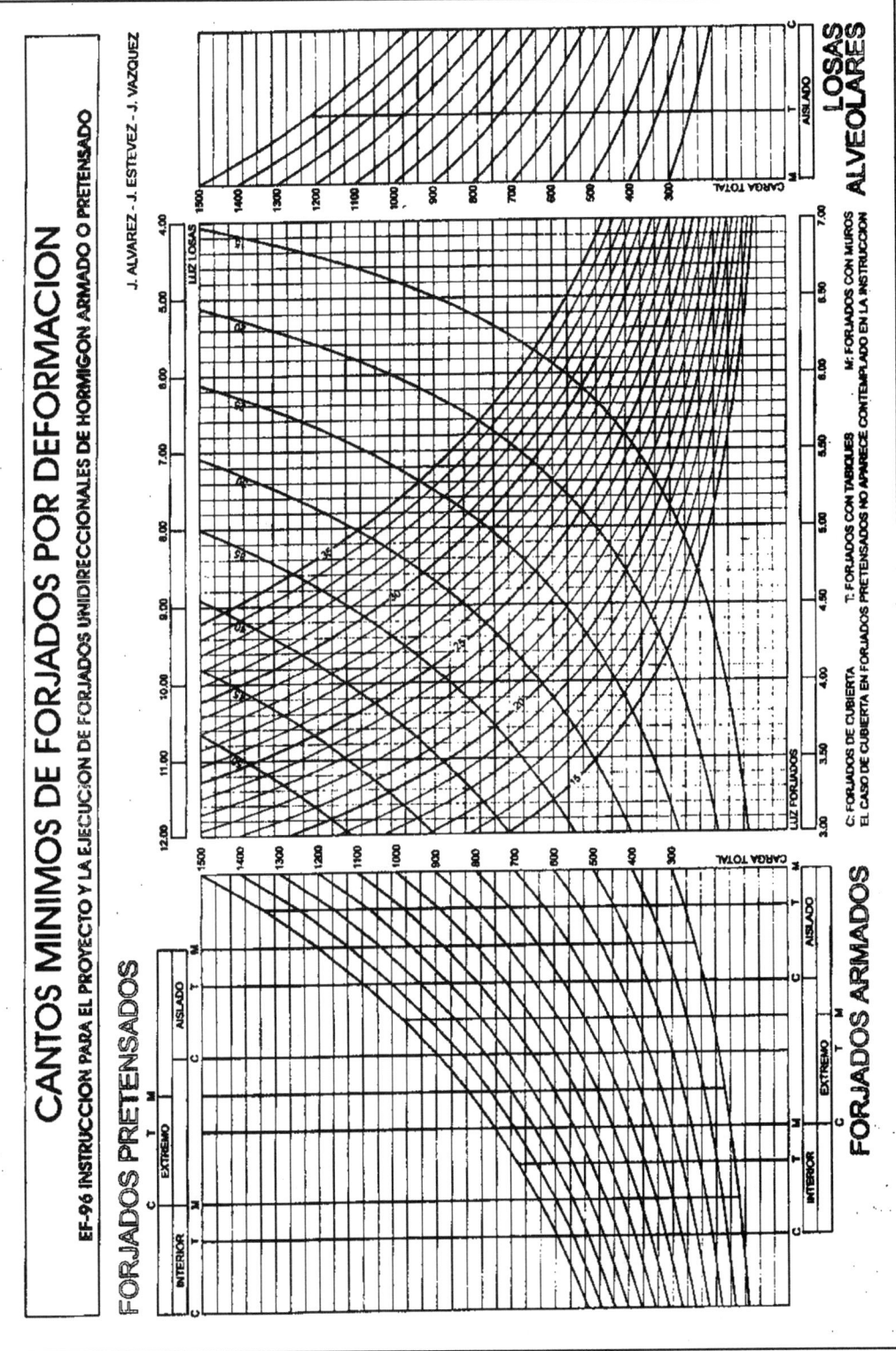

Los datos de **entrada** en este primer ejemplo son: la **carga** total en kg/m² y el **canto** del forjado en cm. **Obtenemos la máxima luz admisible.**

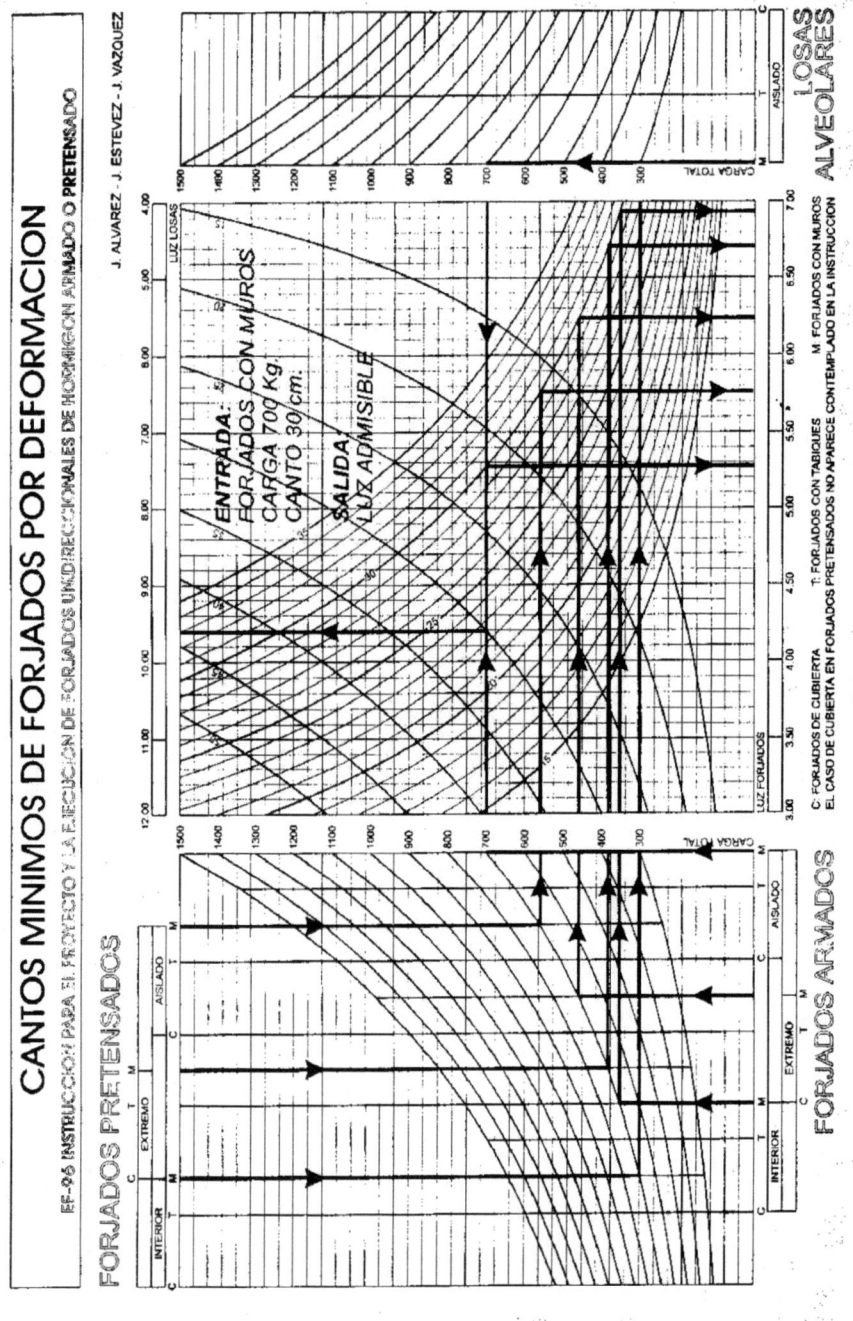

Los datos de entrada aquí son: la **carga** total en kg/m² y la **luz** del vano en m. **Obtenemos el canto mínimo recomendado.**

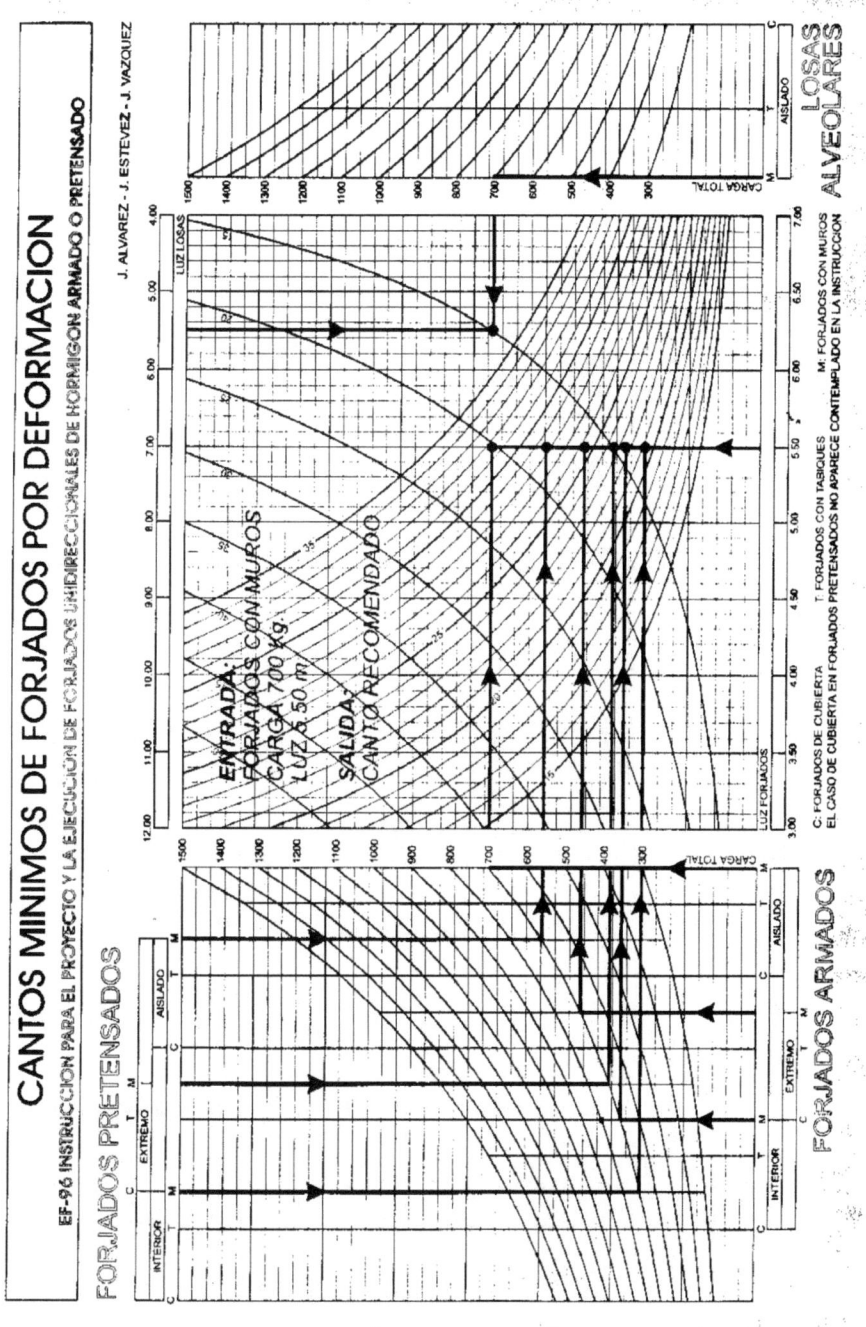

En este tercer ejemplo los datos de entrada son: el **canto** del forjado en cm y la **luz** de los vanos en m. **Obtenemos la máxima carga admisible en kg/m².**

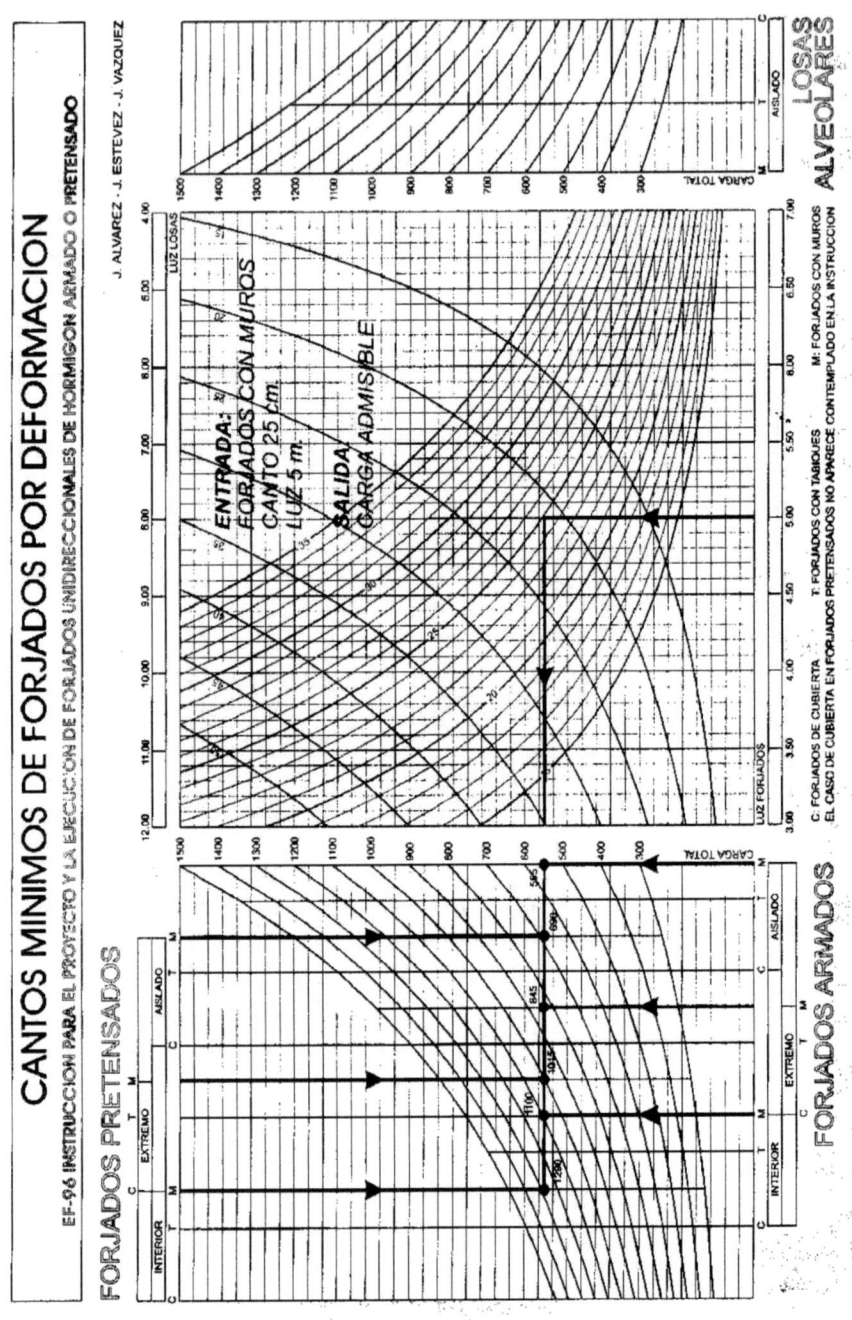

2.4.9.   Ejecución de los forjados

En general, la puesta en obra de los elementos que conforman un forjado consta de las siguientes operaciones:

a)   Acopio de los elementos.

b)   Realización de encofrados y apuntalamientos.

c)   Colocación de viguetas y bovedillas.

d)   Colocación de armaduras.

e)   Puesta en obra del hormigón.

f)   Desapuntalado y desencofrado.

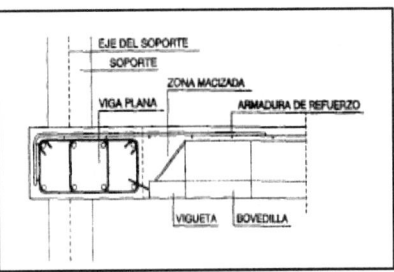

Una vez dispuesto el encofrado y sus apeos, se procede a la colocación de las viguetas, que se situarán en su posición empleando una bovedilla en cada extremo, a modo de patrón.

Cuando se trate de forjados continuos, las viguetas se dispondrán enfrentadas, admitiéndose una desviación no superior a la distancia entre testas. La desviación entre forjado y voladizo en continuidad no debe ser superior a los 5 cm.

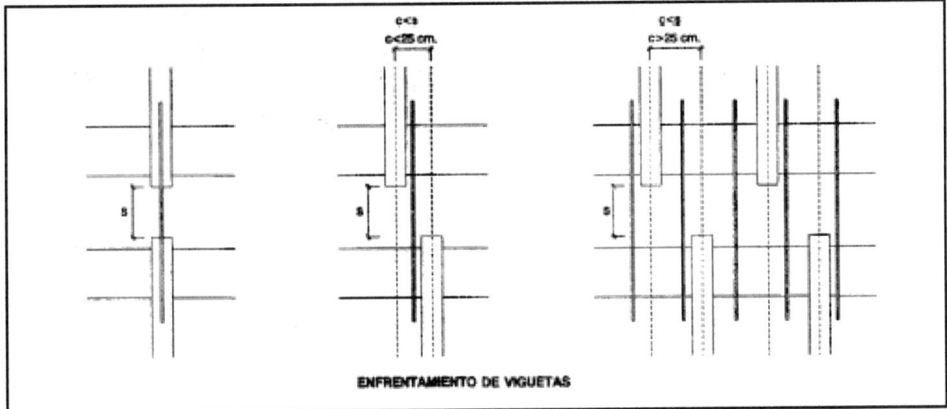

ENFRENTAMIENTO DE VIGUETAS

1) Enlace por entrega

Para mejorar el enlace en los extremos, conviene disponer el primer bloque aligerante a una distancia no inferior a los 10 cm de la cara del elemento sustentante, o emplearse una bovedilla más baja.

La entrega de los nervios al elemento sustentante puede hacerse directa o indirectamente.

La entrega se realiza directamente cuando las dimensiones del elemento sustentante lo permiten (zunchos o cadenas sobre muros de carga, o vigas descolgadas). La entrega suele ser de 4 a 6 cm. La armadura inferior debe anclarse en la sustentación en una longitud de al menos 10 cm si el elemento sustentante es exterior, o 6 cm si es interior con continuidad.

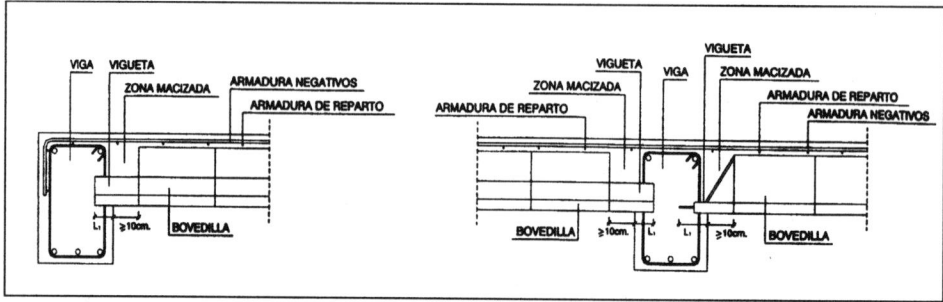

2) Enlace indirecto

Cuando la configuración del elemento sustentante no permite la entrega directa de la vigueta (caso de vigas planas), la entrega será indirecta y se tratará constructivamente de un modo particular. El anclaje de las armaduras de la vigueta es similar al caso anterior, pero debe medirse desde el plano de estribos de la viga de sustentación y no desde la cara de apoyo.

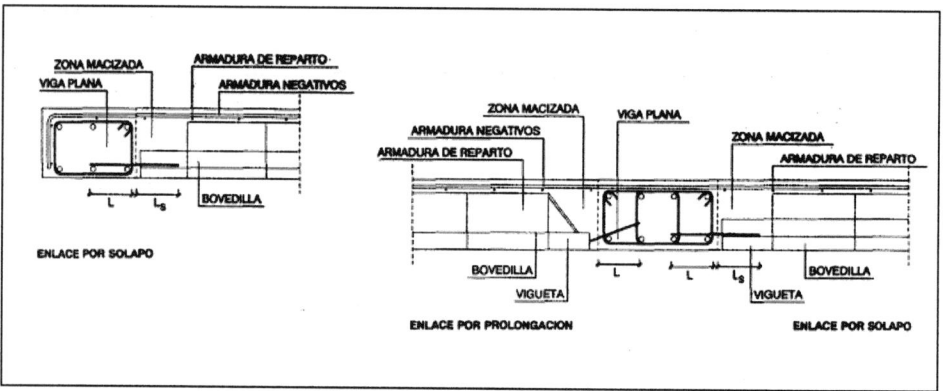

3) Voladizos

Es fundamental para un forjado en voladizo su continuidad, ya que la única sustentación que admite un vuelo es el empotramiento.

a) En el caso de voladizos en la misma dirección que el forjado adyacente, es contraproducente atravesar la jácena o cadena con las semiviguetas, por el obstáculo que constituirían para el hormigonado posterior. El error sería mayor en el caso de semiviguetas pretensadas, ya que la zona inferior pasaría a trabajar a compresión, aumentando la que procede del pretensado.

En cuanto a la longitud de armaduras de negativos, es conveniente que la que penetra en el forjado sea al menos igual que la que arma el voladizo. El remate de la armadura del voladizo se hace mediante una patilla de longitud tal que cumple las condiciones de anclaje por adherencia, medida desde el eje del zuncho de remate del vuelo.

b) En el caso de voladizos en dirección transversal al forjado adyacente, nunca deberían ser tan importantes en longitud como los anteriores. La armadura superior debe anclarse por prolongación recta y debe abarcar por lo menos dos nervios consecutivos del forjado adyacente; la compresión inferior deberá ser soportada disponiendo una zona macizada.

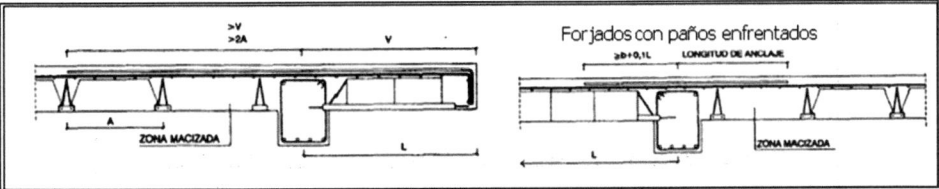

En ambos casos de voladizos, se preverá en el extremo del vuelo un zuncho de remate, cuya misión principal es la de solidarizar las deformaciones diferenciales que pudiese tener cada uno de los nervios. La altura del zuncho será, en principio, la del voladizo, y su ancho no debe ser grande, pues constituiría un peso muerto en una zona poco propicia; se limitará tanto como sea posible para anclar los nervios y permitir el hormigonado.

Las armaduras del zuncho de atado pueden estar constituidas por dos, tres o cuatro redondos cosidos respectivamente por un imperdible, un estribo triangular o un cerco rectangular cerrado.

4) Refuerzo de forjados

En los forjados unidireccionales cuya luz sea igual o superior a 6 metros, conviene practicar un cosido transversal a modo de nervio, con objeto de regularizar las flechas de los distintos nervios, pero en ningún caso deben perforarse las viguetas para llevar las armaduras por la zona inferior: la continuidad se debe garantizar en la capa de compresión.

Nervio de cosido en forjados.

Cuando es necesario aumentar la capacidad portante de ciertas zonas de un forjado, en lugar de variar la tipología de los nervios o el canto del forjado, se recurre a juntar dos o tres viguetas. La mejora, sin embargo, es relativa, ya que hay que contar con un aumento importante del peso propio.

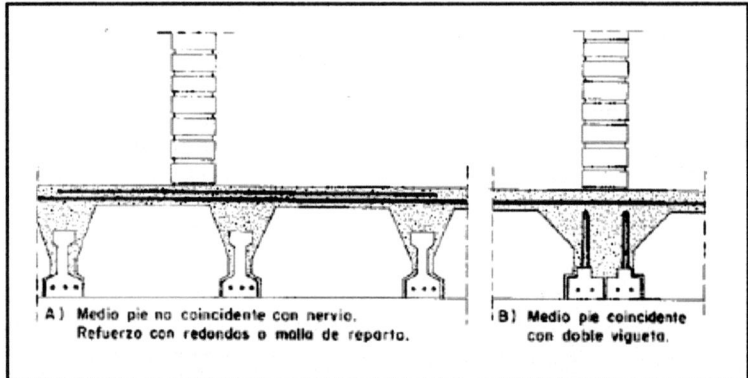

A) Medio pie no coincidente con nervio. Refuerzo con redondos o malla de reparto.

B) Medio pie coincidente con doble vigueta.

En el caso de fábricas más pesadas que las correspondientes a una sobrecarga de tabiquería (tabicones, medios pies, etc.), con independencia de que deban ser consideradas como cargas puntuales o lineales a efectos de cálculo, pueden requerir la adopción de algunas medidas constructivas específicas: refuerzos con redondos o malla de reparto cuando las fábricas no coinciden con los nervios. En el caso de fábricas más pesadas incluso se puede llegar a sustituir las viguetas por un nervio de hormigón in situ, armado y estribado.

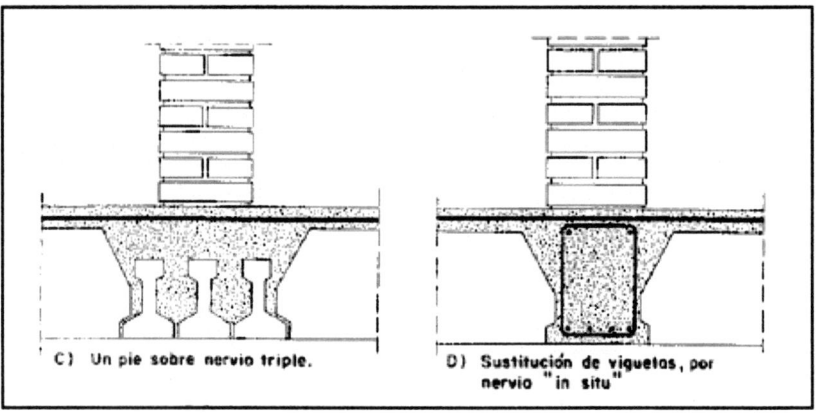

C) Un pie sobre nervio triple.

D) Sustitución de viguetas, por nervio "in situ"

5) Huecos en forjados

Frecuentemente hay que practicar huecos a través de los forjados, cuyas dimensiones exceden de la distancia libre entre nervios. En la figura siguiente se expone un caso general.

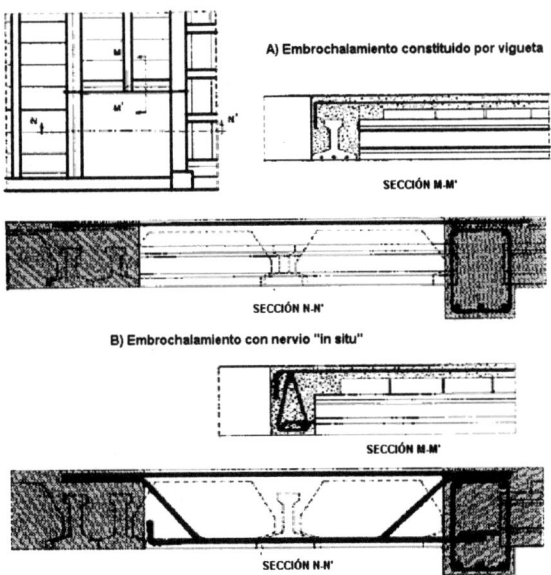

A) Embrochalamiento constituido por vigueta

SECCIÓN M-M'

SECCIÓN N-N'

B) Embrochalamiento con nervio "in situ"

SECCIÓN M-M'

SECCIÓN N-N'

Embrochalamiento en un hueco del forjado.

El embrochalamiento se puede disponer mediante una vigueta en dirección perpendicular a las viguetas del paño interrumpido (caso A) o bien mediante un zuncho ejecutado in situ con sus correspondientes armaduras longitudinales y barras levantadas a 45° que hagan la función resistente frente al cortante en los dos extremos del zuncho (caso B).

2.4.10. Los forjados en la EHE-08

La Memoria con la que la Comisión Permanente del Hormigón presenta la publicación de la Instrucción de Hormigón estructural (EHE-08) comienza diciendo textualmente:

"La Reglamentación técnica relativa al proyecto y ejecución de las estructuras de hormigón ha estado constituida durante los últimos años por la Instrucción de hormigón estructural (EHE) y por la Instrucción para el proyecto y la ejecución de forjados unidireccionales de hormigón estructural, realizados con elementos prefabricados (EFHE-02). Este conjunto ha permitido un tratamiento coherente de todas las estructuras de hormigón, además de constituir, probablemente, el marco regulador más avanzado en el momento de su entrada en vigor, dentro del ámbito de las reglamentaciones técnicas relativas a las estructuras de hormigón".

Por su parte, el Real Decreto 1247/2008, de 18 de julio, por el que se aprueba la Instrucción de Hormigón Estructural (EHE-08), después de una serie de consideraciones sobre las novedades de carácter técnico y reglamentario que se han producido en el campo de las estructuras de hormigón, que aconsejaban la actualización de la anterior Instrucción de hormigón estructural (EHE) de 11 diciembre de 1998, expone el siguiente párrafo:

"Por otra parte, los forjados prefabricados, cuyo proyecto y ejecución quedaba regulado en la Instrucción para el proyecto y la ejecución de forjados unidireccionales de hormigón estructural realizados con elementos prefabricados (EFHE), aprobada por Real Decreto 642/2002, de 5 de julio, se incorporan a la nueva Instrucción al tratarse de elementos que están incluidos en el ámbito del hormigón estructural".

Conscientes de que cualquier intento de uniformizar la normativa y la reglamentación técnica en cualquier campo puede constituir una mejora para todos los usuarios de la misma, especialmente por la simplificación que puede resultar a la hora de la consulta y cumplimiento de dicha normativa por parte de los técnicos y el resto de los agentes que intervienen en el campo de las estructuras, debemos constatar que la normativa que regula los forjados en la edificación (léase forjados unidireccionales y losas alveolares) resulta en este caso sumamente dispersa y bastante deslavazada. A título de ejemplo citamos algunos de los artículos que nos vemos obligados a consultar de la nueva EHE-08 referentes a los forjados unidireccionales:

Artículo 21° Estructuras reticulares planas, forjados y placas unidireccionales.

Dentro del Capítulo 5, Análisis estructural, encontramos el siguiente texto, que es el contenido completo del artículo citado:

"Para el cálculo de solicitaciones en estructuras reticulares planas podrá utilizarse cualquiera de los métodos indicados en el Artículo 19°.

Cuando utilice el análisis lineal con redistribución limitada, la magnitud de la redistribución dependerá del grado de ductilidad de las secciones críticas".

Artículo 36° Piezas de entrevigados en forjados.

Es el último Artículo del Capítulo 6, Materiales y su redacción comienza definiendo lo que es una pieza de entrevigado, distinguiendo entre piezas colaborantes y piezas aligerantes y estableciendo los posibles materiales de las mismas, su resistencia a compresión y otras características mecánicas y de resistencia al fuego que deben poseer, remitiéndose a normas UNE y al CTE.

Artículo 42° Estado Límite de Agotamiento frente a solicitaciones normales.

En este Artículo, que forma parte del Capítulo 10, Cálculos relativos a los Estados Límite Últimos, en la tabla 42.3.5, establece la cuantía geométrica mínima, en tanto por 1.000, referidas a la sección total de hormigón que deben tener tanto los nervios como las armaduras de reparto en dirección perpendicular y en dirección paralela a los nervios, tal y como se refleja en el cuadro del apartado 1.5.2 de este libro.

Artículo 44° Estado Límite de Agotamiento frente a cortante.

Dentro del mismo Capítulo 10, en el apartado 44.2, Resistencia a esfuerzo cortante de elementos lineales, placas, losas y forjados unidireccionales o asimilables, dentro de los Comentarios a la Definición de la sección de cálculo, se establece un ancho b_0 en unas referidas Figuras 44.2.1.b y 44.2.1.c, a los efectos de la comprobación del cortante con viguetas armadas o pretensadas respectivamente.

También al final de este Artículo se hace referencia al cortante vertical en las juntas entre losas alveolares pretensadas y al punzonamiento en forjados unidireccionales.

Artículo 59° Estructuras construidas con elementos prefabricados.

El apartado 59.2, Forjados unidireccionales con viguetas o losas alveolares es el texto más completo y específico de los vistos hasta ahora. En él se tratan temas tan dispares como la comprobación de los distintos Estados Límite, las sopandas, la disposición de las armaduras con referencia expresa al Artículo 69° para las armaduras pasivas, al Artículo 70° para las activas y al Anejo núm. 12 en lo referente a los aspectos constructivos y de cálculo específico de los forjados unidireccionales.

También se tratan en el mismo apartado las condiciones geométricas de los forjados, las armaduras de reparto, los enlaces y apoyos tanto en forjados de viguetas como en losas alveolares pretensadas y la disposición de las armaduras en los forjados.

Anejo 12 Aspectos constructivos y de cálculo específicos de forjados unidireccionales con viguetas y losas alveolares prefabricadas.

Este Anejo, según la propia definición que hace en su apartado 1. Alcance, pretende suministrar reglas complementarias acerca de aspectos constructivos y de cálculo de forjados unidireccionales constituidos por elementos prefabricados y hormigón vertido *in situ*.

El contenido del Anejo 12 se puede resumir según los siguientes apartados:

1. Alcance

2. Definición de los elementos constitutivos de un forjado

3. Tipos de forjado

    3.1. Forjado de viguetas

    3.2. Forjado de losas alveolares pretensadas

4. Método simplificado para la redistribución de esfuerzos en forjados

5. Reparto transversal de cargas en forjados unidireccionales y en losas alveolares

5.1. Reparto transversal de cargas lineales y puntuales en forjados de viguetas

5.2. Reparto transversal de cargas lineales y puntuales en forjados de losas alveolares pretensadas

6. Casos especiales de carga y sustentación

6.1. Flexión transversal debido a cargas concentradas en losas alveolares pretensadas

6.2. Capacidad de carga de losas alveolares pretensadas apoyadas en tres bordes

7. Apoyos

7.1. Apoyos de forjados de viguetas

7.2. Apoyos de placas alveolares pretensadas

8. Conexiones

8.1. Enfrentamiento de nervios

9. Coacciones no deseadas en losas alveolares pretensadas. Armadura mínima en apoyos simples

9.1. Generalidades

9.2. Proyecto mediante cálculo

Como conclusión de este apartado, cabe comentar que con la publicación de la Instrucción EHE-08 se han refundido en un solo texto normativo todos los aspectos referentes al hormigón estructural, incluyendo en él todo lo que ya estaba concretado en la anterior EHE y en la EFHE, ampliando los aspectos de control de todo tipo e intentando no dejar nada al azar o a cualquier otra normativa que no fuese el reciente Código Técnico de la Edificación (CTE). A título personal y simplemente como comentario, todo parece muy loable, pero da la sensación de que se ha pretendido encontrar el bálsamo de Fierabrás y solamente se ha conseguido una sopa Juliana donde todo cabe y todo está mezclado.

2.5.   EL MÉTODO DE BIELAS Y TIRANTES

2.5.1.   Introducción

Existen en las estructuras determinadas zonas en las que no son de aplicación las hipótesis de Bernouilli-Navier o de Kirchhoff (compatibilidad de deformaciones), es decir, donde no es válida la teoría general de flexión. Son las denominadas regiones D o regiones de discontinuidad.

Las regiones D existen en una estructura cuando se producen cambios bruscos en la geometría o en las cargas y reacciones. Una región D puede estar constituida también por una estructura en su conjunto. Por lo tanto se puede hablar de tres tipos de discontinuidad:

-   Discontinuidad geométrica, donde se producen cambios bruscos de las secciones.

-   Discontinuidad estática, es decir, zonas donde se aplican y reacciones.

-   Discontinuidad generalizada, debido a la forma y proporciones de la estructura.

Un ejemplo muy simple de los tres tipos de discontinuidad se puede ver en la figura siguiente.

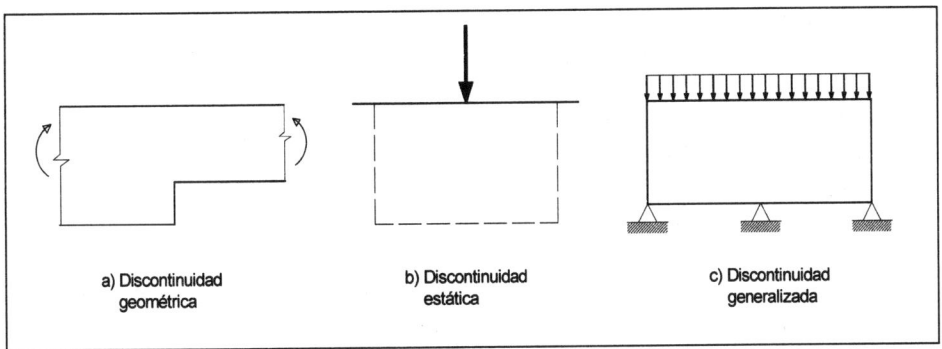

a) Discontinuidad geométrica

b) Discontinuidad estática

c) Discontinuidad generalizada

Las estructuras o partes de estructuras donde se cumplen las hipótesis citadas y, por tanto, es de aplicación la teoría general de flexión, son las llamadas regiones B.

Para analizar las zonas de discontinuidad o regiones D, se admiten tres métodos de análisis: el análisis lineal mediante teoría de elasticidad; el análisis no lineal; y el método de bielas y tirantes. Estos tres tipos de análisis se expresan en el **Artículo 24° de la EHE-08**, estableciéndose lo siguiente:

1) <u>Análisis lineal mediante teoría de la elasticidad</u>

"El análisis proporciona el campo de tensiones principales y de deformaciones. Las concentraciones de tensiones, como las que se dan en las esquinas o huecos, pueden redistribuirse teniendo en cuenta los efectos de la fisuración, reduciendo la rigidez en las zonas correspondientes.

El análisis lineal también es válido para Estados Límite Últimos".

2) Análisis no lineal

"Para un análisis más refinado, pueden tenerse en cuenta las relaciones tenso-deformacionales no lineales de los materiales bajo estados multiaxiales de carga, utilizando un método numérico adecuado. En este caso, el análisis resulta satisfactorio para los Estados Límite de Servicio y Últimos".

3) Método de las bielas y tirantes

"Este método consiste en sustituir la estructura, o la parte de la estructura que constituya la región D, por una estructura de barras articuladas, generalmente plana o espacial en algunos casos, que representa su comportamiento. Las barras comprimidas se denominan bielas y representan la compresión del hormigón. Las barras traccionadas se denominan tirantes y representan las fuerzas de tracción de las armaduras.

El modelo debe equilibrar los esfuerzos exteriores existentes en la frontera de la región D, cuando se trata de una zona de la estructura, las cargas exteriores actuantes y las reacciones de apoyo, en el caso de una estructura con discontinuidad generalizada. Este tipo de modelos, que suponen un comportamiento plástico perfecto, satisfacen los requerimientos del teorema del límite inferior de la teoría de la plasticidad y, una vez decidido el modelo, el de unicidad de la solución.

Este método permite la comprobación de las condiciones de la estructura en Estado Límite Último, para las distintas combinaciones de acciones establecidas en el Artículo 13°, si se verifican las condiciones de las bielas, los tirantes y los nudos, de acuerdo con los criterios establecidos en el Artículo 40°.

Las comprobaciones relativas al Estado Límite de Servicio, especialmente la fisuración, no se realizan explícitamente, pero pueden considerarse satisfechas si el modelo se orienta con los resultados de un análisis lineal y se cumplen las condiciones para los tirantes establecidas en el Artículo 40°".

En la estructura representada en la figura siguiente se identifican las distintas zonas que constituyen regiones D por discontinuidades geométricas o estáticas y las regiones B donde es válida la teoría general de flexión y las hipótesis de Bernouilli-Navier.

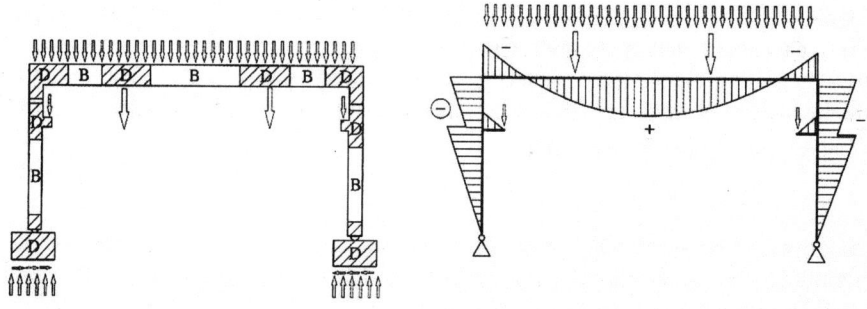

Definición de regiones B y D

Una regla práctica para definir una región D es considerar que está delimitada a una distancia igual al canto de la pieza a cada lado de la zona donde se concentra la singularidad. A partir de esas distancias las perturbaciones en los campos de tensiones se pueden considerar no significativas (principio de Saint Venant).

En la figura siguiente se pueden ver, con sus delimitaciones dimensionales, distintos tipos de regiones D: a) discontinuidades geométricas; b) discontinuidades estáticas, y c) discontinuidades geométricas y estáticas simultáneamente.

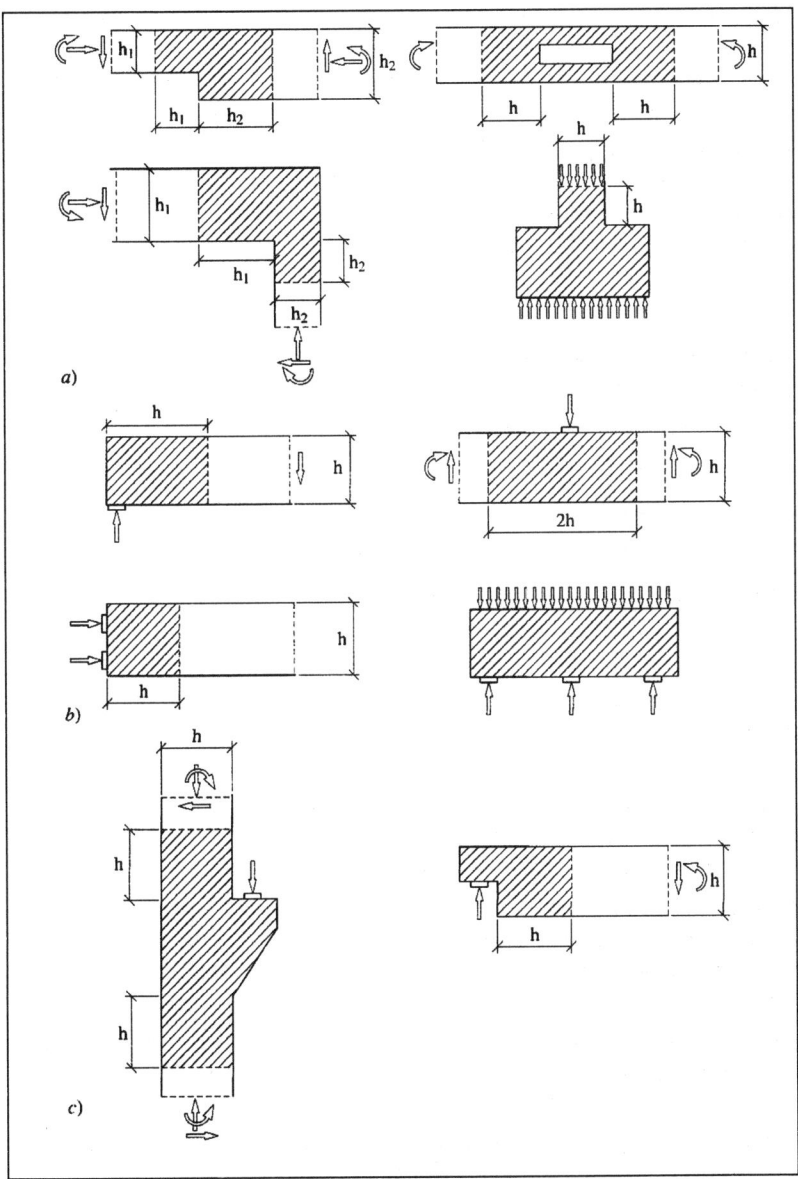

2.5.2. Principios generales del método

En el comportamiento de un elemento de hormigón estructural influyen una serie de fenómenos, como la fisuración y el comportamiento no lineal de los materiales, que hacen muy difícil su análisis preciso.

El estudio de las regiones de discontinuidad en Estado Límite de Servicio puede llevarse a cabo por métodos elásticos ya que aún no se manifiestan fisuras ni comportamiento no lineal de los materiales, en cambio, el método de bielas y tirantes permite el análisis de la estructura o de una parte de ésta para condiciones de carga en Estados Límite Últimos, reduciendo los estados de tensiones tridimensionales a estados unidireccionales de compresión o tracción. Las resultantes de los campos de compresiones constituyen las **bielas** y las fuerzas de tracción de las armaduras son los **tirantes**.

El método está basado en el teorema del límite inferior de la teoría de la plasticidad, según el cual una estructura está segura si existe al menos un sistema resistente que cumpla con las condiciones de equilibrio. Es por tanto condición fundamental el cumplimiento del equilibrio con las acciones exteriores.

2.5.3. Aplicación práctica del método

Una vez definida la región de discontinuidad, la aplicación práctica del método de bielas y tirantes se planteará conforme a los siguientes pasos:

Fase I: Definición de acciones, bien sean cargas exteriores, esfuerzos y reacciones.

Fase II: Establecimiento de un modelo de bielas y tirantes que equilibre las acciones.

Fase III: Cálculo de esfuerzos en las barras del modelo.

Fase IV: Comprobación de bielas, tirantes y nudos.

Fase V: Ajuste de la geometría, si fuera necesario, y nuevo cálculo.

1) Fase I: Definición de cargas exteriores, esfuerzos y reacciones en frontera

En esta fase se debe calcular de manera general la estructura para obtener los esfuerzos que en la frontera de la región de discontinuidad han de equilibrar la celosía de bielas y tirantes.

Si las acciones exteriores no son puntuales (reacciones o cargas concentradas), se deben discretizar, conservando las condiciones de equilibrio en todo momento. Los puntos de aplicación de las cargas constituirán **nudos**.

En los Comentarios al Apartado 40.1, Generalidades, del Artículo 40° de la EHE-08, la Comisión Permanente del Hormigón hace una definición de los tirantes, las bielas y los nudos de la siguiente manera, complementada con las dos figuras que se adjuntan a continuación:

"Constituyen tirantes, por ejemplo, la armadura transversal del alma de una viga sometida a cortante (figura 40.1.c) o la armadura traccionada del paramento superior de una ménsula corta (figura 40.1.d).

Constituyen bielas los campos de compresiones que se presentan en la celosía plana para explicar el comportamiento a cortante del alma de una viga (figura 40.1.c) o el campo de compresiones que representa la transferencia de la carga de una ménsula corta al pilar (figura 40.1.d).

Constituye un nudo el volumen de hormigón definido, por ejemplo, por la intersección de distintas bielas comprimidas y la reacción de un apoyo (figura 40.1.c) o por la desviación de una biela comprimida de la zona de introducción de una carga puntual (figura 40.1.d)".

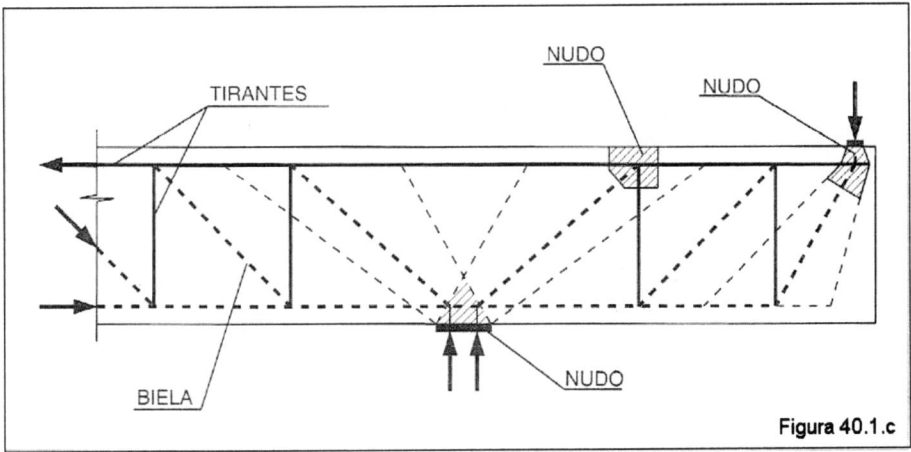

Figura 40.1.c

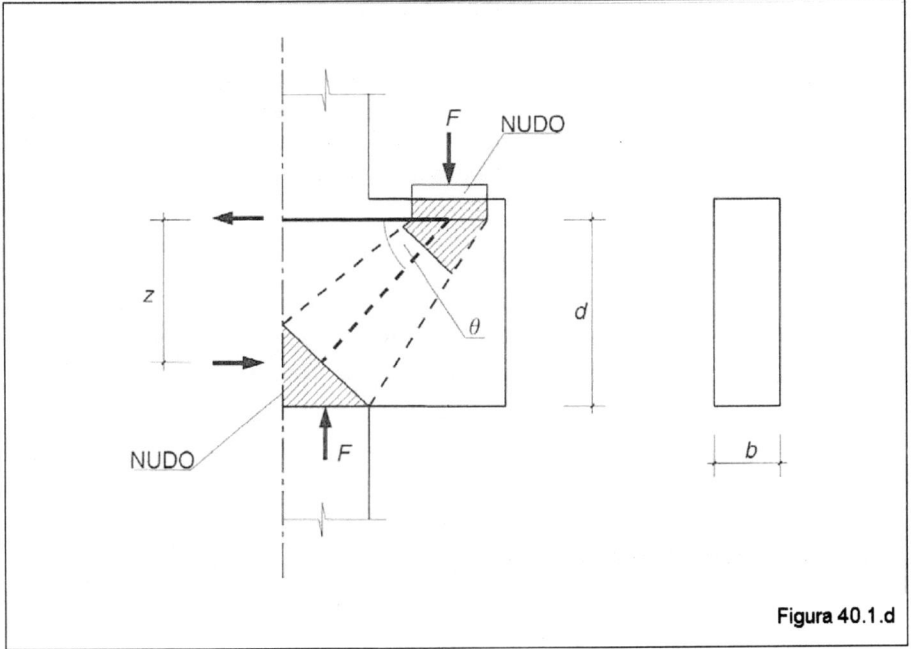

Figura 40.1.d

A modo de ejemplo se expone en la figura siguiente la definición de acciones, esfuerzos y reacciones en una zapata sometida a una carga centrada **N** y un momento flector **M**.

Las acciones del terreno sobre una zapata son repartidas en la parte inferior. Se debe entonces plantear una celosía de bielas y tirantes que recoja, en equilibrio, dichas acciones concentradas.

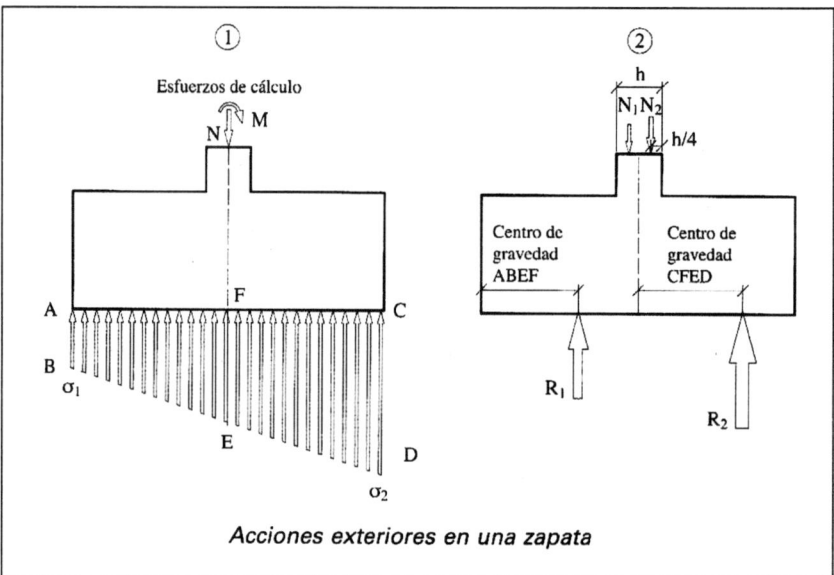

Acciones exteriores en una zapata

El sistema de fuerzas (N1, N2) es equivalente al sistema de los esfuerzos de cálculo (N, M). El sistema de reacciones (R1, R2) es equivalente a las fuerzas distribuidas del terreno. Puesto que el sistema de fuerzas exteriores (1) está en equilibrio, el sistema (2) lo debe estar también. Los esfuerzos de cálculo de la situación (1) son los obtenidos en el análisis general que se haya hecho de la estructura.

2) Fase II: Definición del modelo de bielas y tirantes

Definir un modelo de bielas y tirantes, es decir, una estructura de barras articuladas que represente las compresiones del hormigón (bielas) y las tracciones de las armaduras (tirantes), supone seguir determinados criterios, como por ejemplo:

a. Equilibrio con las acciones exteriores

La condición esencial es que la estructura de barras ha de ser capaz de equilibrar las acciones exteriores y las reacciones o los esfuerzos existentes en las fronteras de la región D.

b. Modelo de bielas y tirantes

Para la definición del modelo se recomienda orientar las barras a partir de la distribución elástica de tensiones para garantizar un adecuado comportamiento en servicio. Como ejemplos de modelos de bielas y tirantes a partir de la distribución elástica de tensiones se adjuntan las figuras de las páginas siguientes.

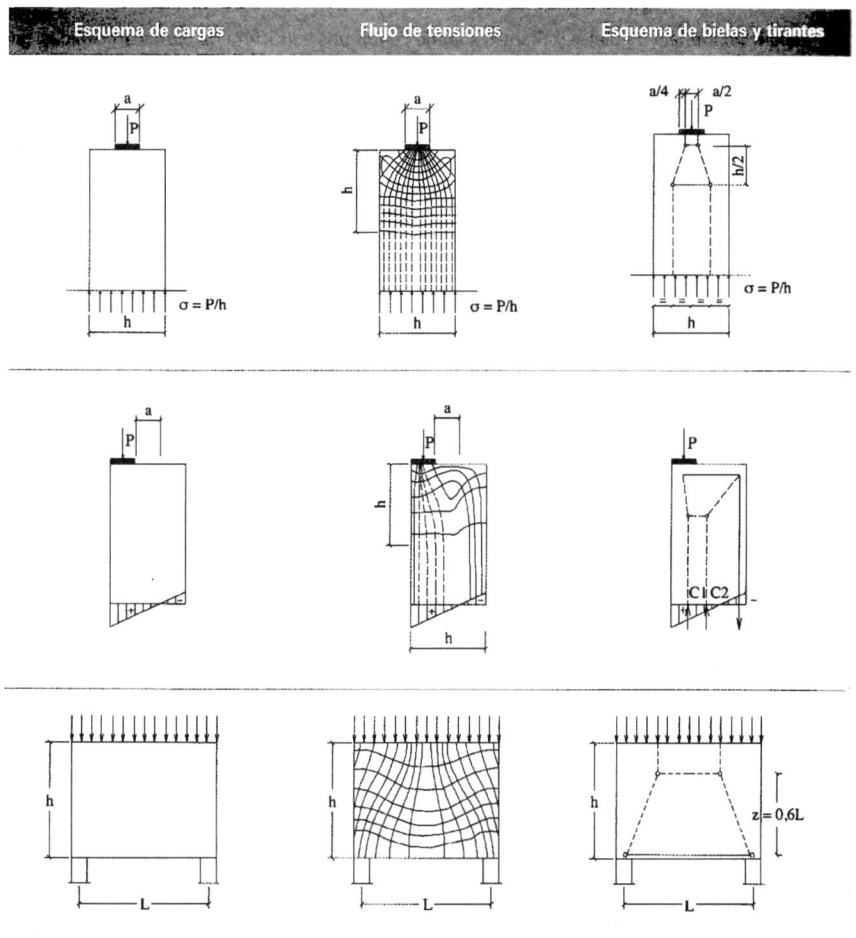

| Esquema de cargas | Flujo de tensiones | Esquema de bielas y tirantes |

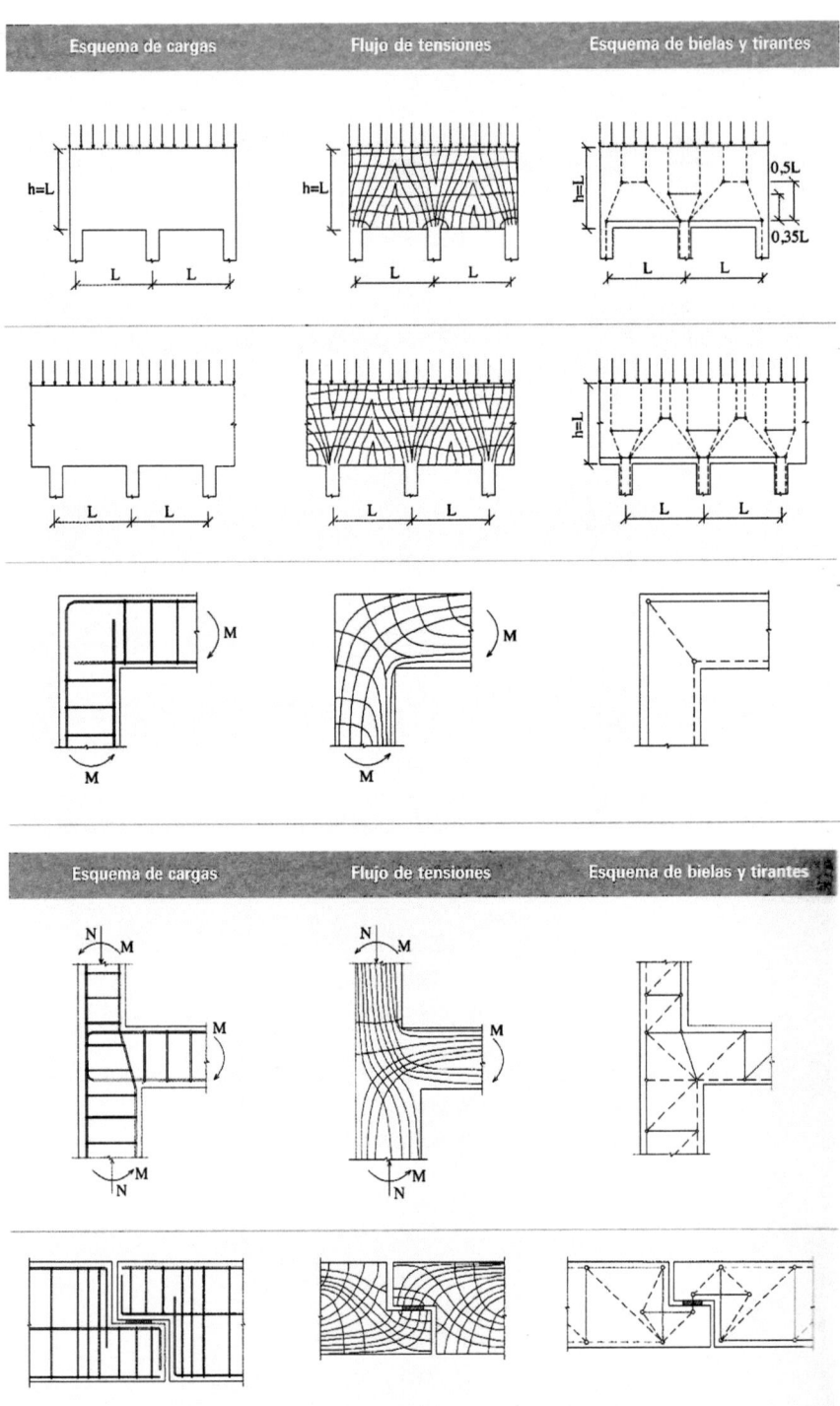

| Esquema de cargas | Flujo de tensiones | Esquema de bielas y tirantes |

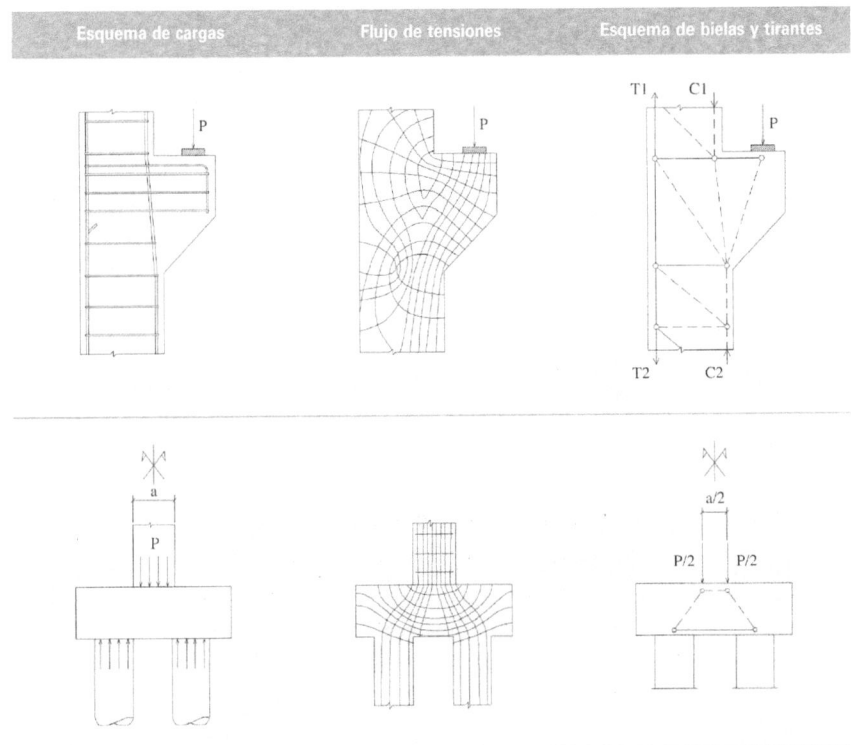

| Esquema de cargas | Flujo de tensiones | Esquema de bielas y tirantes |

Además de las condiciones anteriores, los modelos de bielas y tirantes deben cumplir con los siguientes criterios generales:

Los modelos de bielas y tirantes deben ser isostáticos

Hay que evitar las celosías hiperestáticas. Cuando no sea posible resolver un problema con una estructura isostática habrá que estimar las incógnitas hiperestáticas y reducir el problema a uno o varios isostáticos.

Longitud de tirantes mínima

De entre los modelos posibles es aconsejable utilizar el que dé un trabajo a tracción mínimo, de tal forma que se minimicen las deformaciones necesarias para movilizar el mecanismo resistente previsto, es decir, que es conveniente que el modelo tenga una longitud mínima de tirantes.

Como ejemplo de este criterio, vemos en la figura siguiente dos modelos para el caso de una viga de gran canto isostática. Desde el punto de vista del equilibrio ambos modelos son correctos, pero desde el punto de vista de la capacidad de deformación requerida, el modelo de la izquierda es más adecuado que el segundo, ya que la longitud de las barras traccionadas es menor.

Criterio de elección de celosías. Sistemas con longitud mínima de tirantes

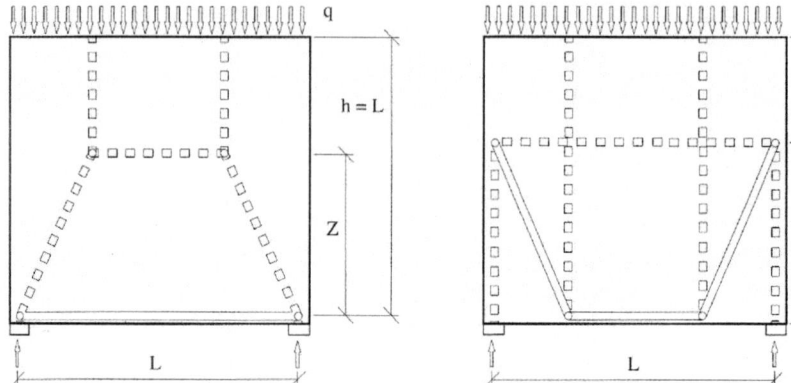

c. Orientación de los tirantes en tracción

Al igual que las bielas, los tirantes deben situarse siguiendo la dirección de las isostáticas de tracción y las posibles disposiciones de la armadura. Muchas veces las isostáticas de tracción siguen un trazado incompatible con las posibilidades reales de disposición de la armadura y, en ese caso, los tirantes deben orientarse de acuerdo con las posibles disposiciones de armado.

3) Fase III: Cálculo de la celosía

Una vez definido el modelo, debe resolverse la estructura planteada.

Las cargas a aplicar son las acciones exteriores existentes o los esfuerzos en la frontera de la región D. Como se trata de estructuras isostáticas, el cálculo de esfuerzos resulta inmediato.

Debe comprobarse en todo caso que las condiciones de equilibrio se satisfacen adecuadamente.

4) Fase IV: Comprobación de bielas, tirantes y nudos

a. Comprobación de bielas

Las bielas constituyen las resultantes de los campos de compresiones que se producen dentro de la masa del hormigón. Estos campos son generalmente bidimensionales o tridimensionales, mientras que en el método de bielas y tirantes se trabaja con las resultantes unidireccionales de los mismos, es decir, con las bielas de compresión.

La resistencia de la biela dependerá entonces del ancho de la misma en sus extremos y de la tensión de compresión máxima que resista el hormigón. Normalmente el menor ancho de biela se da en las entradas a los nudos y la resistencia del hormigón a compresión dependerá de su estado de fisuración y confinamiento.

Como ejemplo de ancho de biela se ilustra en la figura siguiente el ancho de biela en una ménsula corta.

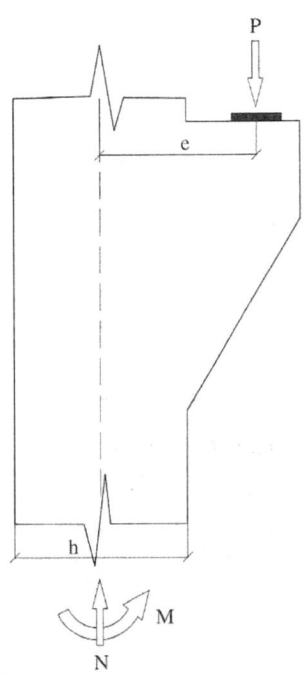
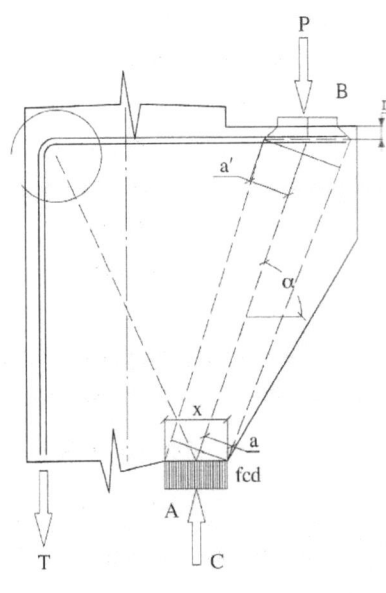

Para la ménsula de esta figura, **N** y **M** son esfuerzos en el límite de la región D. El sistema equivalente (**C**, **T**, **x**), el tamaño del apoyo al que se aplica **P** y el recubrimiento **r**, determinan la posición de los nudos **A** y **B**, y por tanto la dirección de la biela (α). El semiancho (**a**) de la biela queda determinado según la figura.

La capacidad resistente de una biela comprimida, es decir, la tensión máxima f_{1cd} para el hormigón comprimido, depende de la situación en la que se encuentre la biela y puede alcanzar el valor de la resistencia de cálculo f_{cd} del hormigón cuando se trata de una biela en zonas con estados de compresión uniaxial, mientras que las bielas con fisuración oblicua o paralela a la biela pueden tener una capacidad resistente de **0,70f_{cd}**, **0,60f_{cd}** o **0,40f_{cd}**, según se establece en el apartado 40.3, Capacidad resistente de las bielas, dentro del Artículo 40° de la Instrucción EHE-08.

b. Comprobación de tirantes

Los tirantes se materializan con armadura pasiva o activa, limitándose la tensión máxima en Estado Límite Último al valor de la tensión de cálculo (f_{cd} para armaduras pasivas y f_{pd} para armaduras activas).

c. Comprobación de nudos

Son nudos aquellas zonas en las que confluyen bielas, tirantes o combinaciones de éstos, con presencia o no de reacciones o cargas exteriores. En los nudos se concentran los cambios de dirección de bielas y tirantes, es decir, se concentran las curvaturas de los campos de tensiones.

Para comprobar los nudos debemos proceder de la siguiente manera:

- Clasificación del nudo.

- Comprobación resistente del hormigón.

- Comprobación del anclaje de la armadura si la hubiera.

    i)   Clasificación del nudo

Según su disposición, los nudos pueden ser:

- Multicomprimidos en dos direcciones (en el plano).

- Multicomprimidos en tres direcciones no coplanarias (en el espacio).

- Con tirantes anclados.

    ii) Comprobación resistente del hormigón

Según el tipo de nudo, la resistencia del hormigón se tomará de la siguiente tabla:

Tipo de nudo	Resistencia (f_{2cd} o f_{3cd})
Multicomprimido en el plano	$1{,}0\ f_{cd}$
Multicomprimido en tres dimensiones	$3{,}3\ f_{cd}$
Con armadura anclada	$0{,}7\ f_{cd}$

    iii) Comprobación del anclaje de la armadura en nudos con tirantes

Los tirantes deben estar convenientemente anclados en los nudos para resistir la fuerza que los solicita. El procedimiento de anclaje puede ser cualquiera que garantice la condición anterior. Algunos ejemplos son:

- Por adherencia de la armadura en prolongación recta.

- Disponiendo más redondos de menor diámetro en varias capas.

- Otras soluciones como disponer armadura transversal soldada, ganchos, patillas.

En este sentido, la EHE-08 se remite al cumplimiento de los Artículos 69° y 70° de esa misma normativa (según sean armaduras pasivas o activas).

5) Fase V: Ajuste de la geometría y nuevo cálculo

Algunas veces, después de obtener los esfuerzos de las distintas barras y realizar la comprobación de bielas, tirantes y nudos, es necesario reajustar algunas dimensiones, lo cual puede obligar a una redefinición del modelo y un nuevo cálculo.

La Instrucción EHE-08 (al igual que lo hiciera su antecesora la EHE), recoge en su Capítulo 12, Elementos estructurales, la aplicación del método de bielas y tirantes a casos concretos, aunque en realidad no se puede hablar de ejemplos prácticos en el sentido estricto del término, referidos a:

- Elementos de cimentación (Art. 58°)

- Cargas concentradas sobre macizos (Art. 61°)

- Vigas de gran canto (Art. 63°)

- Ménsulas cortas (Art. 64°)

2.6. LOS ESTADOS LÍMITE ÚLTIMOS

2.6.1. Introducción

El cálculo de una estructura se compone normalmente de las siguientes etapas:

a) Establecimiento del esquema estructural, simplificando la estructura real en cuanto a dimensiones, geometría, condiciones de apoyos, etc.

b) Consideración de acciones: todas aquellas acciones físicas o químicas que puedan afectar a la estructura.

c) Determinación de las hipótesis de carga y combinaciones de las acciones que soporta la estructura

d) Cálculo de esfuerzos, que puede efectuarse por dos procedimientos: suponiendo un comportamiento elástico de la estructura con proporcionalidad entre acciones y deformaciones, o considerando el comportamiento no lineal de los materiales a partir de ciertos valores de la tensión.

e) Cálculo de secciones (comprobación o dimensionamiento), etapa que ha experimentado últimamente modificaciones importantes en el caso del hormigón armado.

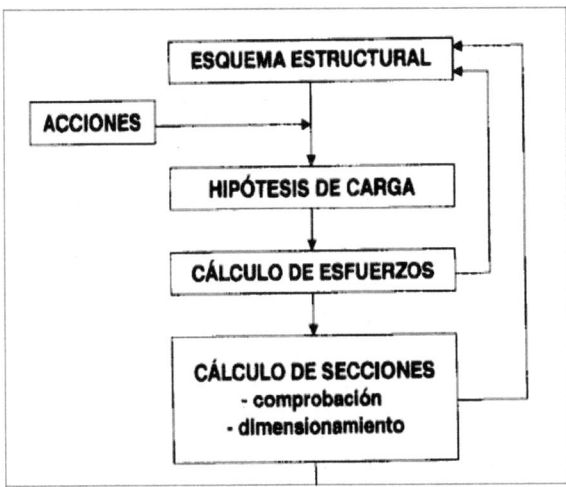

Los métodos de cálculo de estructuras de hormigón armado pueden clasificarse según dos grupos:

i) Métodos **clásicos de cálculo**, en los que el procedimiento es el siguiente:

   o se determinan las solicitaciones correspondientes a las cargas máximas de servicio,

   o se calculan las tensiones de trabajo correspondientes a dichas solicitaciones, o se comparan sus valores con una fracción de la resistencia de los materiales (tensión admisible).

Estos métodos se denominan **deterministas**, ya que se consideran fijos los valores numéricos que sirven de partida para el cálculo.

ii) Métodos de cálculo en rotura, donde el procedimiento es:

o determinar las solicitaciones correspondientes a las cargas mayoradas,

o comparar sus valores con las solicitaciones últimas, es decir, aquellas que agotarían la pieza si los materiales tuviesen las resistencias minoradas.

Estos métodos se denominan probabilistas al considerarse aleatorias las magnitudes que sirven de partida para el cálculo, por lo que se admite que los valores con que se opera tienen una determinada probabilidad de ser o no alcanzados en la realidad.

Los criterios elásticos que se establecen en los métodos clásicos para el hormigón armado presentan una serie de **limitaciones**, la más destacada de las cuales es la siguiente:

- las hipótesis elásticas sólo son válidas hasta cierta fase del proceso de carga, ya que el **diagrama de tensión-deformación** en realidad no es rectilíneo más que hasta un 35 ó 40% de la tensión de rotura del hormigón.

Como conclusión podemos decir que los métodos clásicos de cálculo:

- suelen conducir a un **desaprovechamiento de los materiales** al no tener en cuenta su posible adaptación plástica para resistir mayores solicitaciones,

- no proporcionan información de la capacidad que tiene la estructura para recibir **más carga**, ya que se queda estrictamente en el estudio bajo cargas de servicio.

2.6.2. El método de los Estados Límite

Un Estado Límite es una situación tal que, al ser rebasada, coloca a la estructura fuera de servicio, por condiciones de seguridad, funcionalidad o durabilidad.

Clasificación de los Estados Límite:

1) Estados Límite Últimos (ELU), son los que corresponden a la máxima capacidad resistente de la estructura. Están relacionados con la seguridad de la misma.

Los más importantes son:

- Agotamiento resistente de una sección (rotura o deformación plástica excesiva), que es el que estudiaremos a continuación.

- Equilibrio o pérdida de estabilidad (vuelco, deslizamiento).

- Pandeo de un elemento o de toda la estructura.

2) Estados Límite de Utilización o de Servicio, que corresponden a la máxima capacidad de servicio de la estructura. Se relacionan con la funcionalidad, estética y durabilidad.

En estructuras de hormigón armado los más importantes son:

- Deformación excesiva (flechas, giros) en un elemento estructural.
- Fisuración excesiva en una sección.
- Vibraciones excesivas en una estructura o elemento estructural.

1) Método de estado límite último de agotamiento

En este método se determinan las solicitaciones correspondientes a las cargas mayoradas y se comparan sus valores con las solicitaciones últimas, es decir, aquellas que agotarían la pieza si los materiales tuviesen las resistencias minoradas.

La finalidad del cálculo es comprobar que la probabilidad de que la estructura quede fuera de servicio dentro del plazo previsto para su vida útil se mantiene por debajo de un valor determinado que se fija a priori.

La forma de introducir la seguridad en el método de los estados límite viene representada por dos tipos de coeficientes: los de minoración de las resistencias de los materiales (γ_s para el acero y γ_c para el hormigón) y los de mayoración de las acciones. Puede admitirse por tanto que el coeficiente de seguridad global se mide por el producto de dos de ellos:

- Para fallos debidos al acero (vigas): $\qquad$ $\gamma = \gamma_s \cdot \gamma_f$
- Para fallos debidos al hormigón (soportes): $\qquad$ $\gamma = \gamma_c \cdot \gamma_f$

CONCEPTO DE VALORES DE CÁLCULO

— El **valor de cálculo de las acciones** es el producto de su valor característico por el coeficiente parcial de seguridad, que tendrá distintos valores en función del tipo de acción, de su duración en el tiempo, de los efectos que provoque: si la carga produce un efecto desfavorable y es de tipo permanente (p.ej. el peso propio), el coeficiente será de **1,35** y si es de tipo variable el valor será de **1,5**. Ya no depende del nivel de control de ejecución de la obra, con la Instrucción EHE-08. Como simplificación en algunos ejemplos hemos asumido un valor de **1,5**, ya que así estaremos del lado de la seguridad.

— La **resistencia de cálculo del hormigón** es el cociente entre su resistencia característica y el coeficiente parcial de seguridad: $f_{cd} = f_{ck}/\gamma_c$. (Art. 15.3 de la Instrucción EHE). Habitualmente vale **1,5**.

— La **resistencia de cálculo del acero** es el cociente entre su límite elástico y el coeficiente parcial de seguridad correspondiente: $f_{yd} = f_{yk}/\gamma_s$. (Art. 15.3 de la Instrucción EHE). Su valor normal es de **1,15**.

2) Análisis del proceso de rotura

Supongamos una viga de hormigón armado simplemente apoyada, sometida a cargas crecientes hasta su rotura. Estudiando la zona central se ha comprobado experimentalmente que a lo largo del proceso de carga la pieza pasa por tres estadios diferentes, en todos los cuales la sección 1-1 se mantiene plana (recta P-Q de la figura):

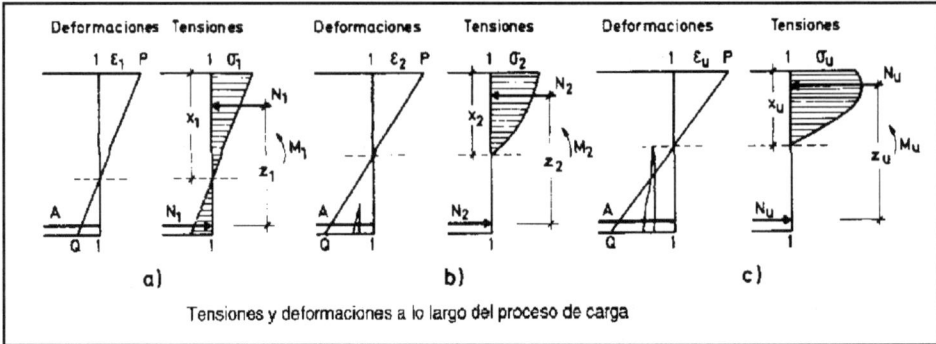

Tensiones y deformaciones a lo largo del proceso de carga

> **Estadio elástico**. Las tensiones en las fibras comprimidas son proporcionales a las deformaciones. El diagrama de compresiones es triangular. Este estadio se desarrolla hasta una tensión del 35 al 40% de la tensión de rotura del hormigón (corresponde a la situación estudiada por el método clásico). No hay fisuras visibles.

> **Estadio de fisuración**. Las tensiones de tracción fisuran al hormigón y las fisuras ascienden hacia la zona comprimida, que se va concentrando hacia la zona superior y la sección va ganando brazo mecánico **z**. El diagrama de compresiones se curva.

> **Estadio de pre-rotura**. La situación anterior llega a su límite. La deformación de la fibra más comprimida alcanza su valor límite del 0,35%. Las fisuras avanzan y las compresiones se concentran en la posición más alta. Las zonas más cargadas trabajan a su tensión máxima. El brazo mecánico es máximo. La pieza se rompe cuando esta situación se lleva a su extremo.

3) El cálculo en agotamiento

El estudio de las secciones en este tipo de cálculo tiene por objeto comprobar que, bajo las solicitaciones mayoradas o de cálculo, la pieza no supera cada uno de los estados límites, en el supuesto de que ambos materiales (hormigón y acero) tuviesen como resistencias reales las minoradas o de cálculo. A continuación se establecen las bases de cálculo para las secciones en el estado límite último de agotamiento resistente, que es el más importante y el que siempre se debe comprobar.

El estado límite de agotamiento se puede alcanzar, en una sección sometida a solicitaciones normales, mediante tres formas diferentes:

> Por exceso de deformación plástica del acero. En piezas sometidas a tracción o a flexión con pequeñas cuantías de acero, el estado de agotamiento se origina por una deformación plástica excesiva de las armaduras, que se fija en un 10 por mil.

> Por aplastamiento del hormigón en flexión. En piezas sometidas a flexión con cuantías medias o grandes de acero, el estado de agotamiento se origina por un aplastamiento del hormigón, con deformaciones del orden del 3,5 por mil.

➤ <u>Por aplastamiento del hormigón en compresión</u>. En piezas sometidas a compresión simple o compuesta, el colapso se origina por aplastamiento del hormigón, con deformaciones del orden del 2 por mil, es decir, menores que en el caso de flexión.

4) Definiciones

- **Fibra neutra**: Recta de deformación nula ($\varepsilon_c=0$).

- **Profundidad de la fibra neutra (x)**: Distancia desde la fibra más comprimida (o menos traccionada) a la fibra neutra.

- **Profundidad límite (x_{lim})**: Profundidad de la fibra neutra cuando el acero a tracción alcanza el límite elástico (ε_y).

- **Canto útil (d)**: Distancia de la fibra más comprimida (o menos traccionada) hasta el centro de gravedad de la armadura más traccionada (o menos comprimida) de la sección.

- **Dominios de deformación**: Las distintas formas de agotamiento de una sección. Quedan definidas por la fibra que alcanza su deformación límite.

5) Las hipótesis de cálculo

El cálculo de la capacidad resistente última de las secciones se efectúa a partir de las siguientes hipótesis generales de cálculo:

1) Conocimiento del estado límite último.

2) Compatibilidad de deformaciones.

3) Diagramas tensión/deformación para el hormigón.

4) Diagramas tensión-deformación de los aceros.

5) Condiciones de equilibrio.

1)   Conocimiento del estado límite último

➤ En cada una de las posibles situaciones de agotamiento, desde la tracción simple hasta la compresión centrada, se conocen las deformaciones en dos fibras de la sección. (EHE 42.1.3. Dominios de Deformación).

2)   Ley plana de las deformaciones

➤ Las deformaciones siguen una ley plana. Esta hipótesis es válida para piezas donde la distancia entre puntos de momento nulo es mayor que el doble del canto total. (En caso contrario estaríamos en algo parecido a una viga de gran canto, por ejemplo, y el método adecuado sería el de bielas y tirantes).

Las deformaciones límite de los materiales son las que se expresan en la tabla siguiente.

Material	Deformación límite (‰)
Acero (tracción)	10.0
Hormigón (flexión)	3.5

Material	Deformación límite (‰)
Hormigón (compresión simple)	2.0
Hormigón (tracción)	0.0

3)   Compatibilidad de deformaciones

➢ Las armaduras tienen la misma deformación que el hormigón que las envuelve.

4)   Diagramas de cálculo tensión/deformación

➢ El diagrama de cálculo tensión/deformación del hormigón es alguno de los que se definen en 39.5 de la EHE-08, de manera que, conocida la deformación en una fibra, queda determinada su tensión.

➢ La tensión de cualquier armadura se obtiene a partir de la deformación correspondiente, mediante el diagrama tensión-deformación del acero, que se define en 38.4 de la EHE-08.

➢ En los diagramas de los aceros empleados en hormigón armado se admite como módulo de deformación longitudinal el valor $E_s = 2 \cdot 10^5$ N/mm². Para las tensiones <u>de cálculo</u> en los aceros habituales para edificación, se admite un diagrama simplificado de cálculo como el de la figura 38.4 de la EHE-08.

5)   Condiciones de equilibrio

➢ Se aplican a las tensiones en la sección las ecuaciones de equilibrio de fuerzas y momentos, calculando así la capacidad resistente última en el hormigón y en las armaduras.

2.6.3.   Metodología general de cálculo

1) Conocimiento del estado límite último

Las deformaciones límite de las secciones, según la naturaleza de la solicitación, desde una tracción pura hasta una compresión simple, conducen a admitir los siguientes dominios de deformación (ver figura):

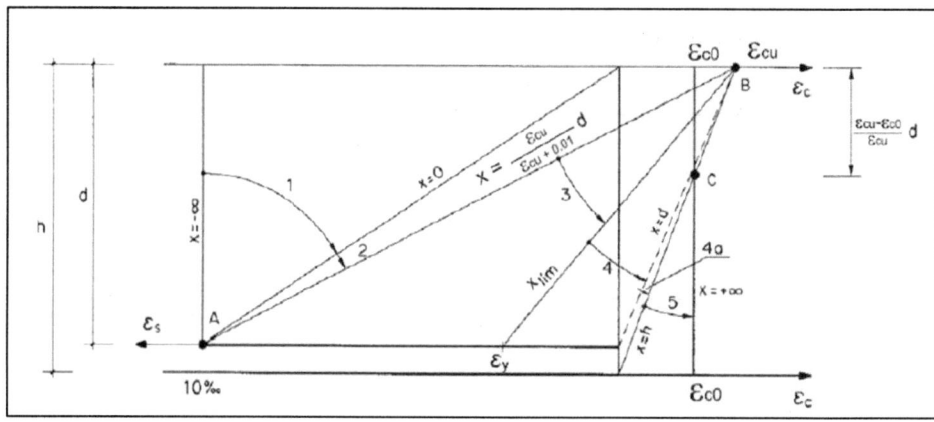

Dominio 1: Tracción simple o compuesta, donde toda la sección está en tracción. Las rectas de deformación giran alrededor del punto A correspondiente al alargamiento límite de la armadura más traccionada del 10 por 1.000.

Dominio 2: Flexión simple o compuesta, donde el hormigón no alcanza la deformación de rotura por flexión ε_{cu} del 3,5 por 1.000. Las rectas de deformación giran alrededor del punto A.

Dominio 3: Flexión simple o compuesta donde las rectas de deformación giran alrededor del punto B correspondiente a la rotura del hormigón por flexión del 3,5 por 1.000 y el alargamiento de la armadura más traccionada está comprendido entre el 10 por 1.000 y el alargamiento ε_y del 2 por 1.000, que corresponde al del límite elástico del acero.

Dominio 4: Flexión simple o compuesta donde las rectas de deformación giran alrededor del punto B. El alargamiento de la armadura más traccionada está comprendido entre ε_y y 0.

Dominio 4a: Flexión compuesta donde todas las armaduras están comprimidas y existe una pequeña zona de hormigón en tracción. Las rectas de deformación giran alrededor del punto B.

Dominio 5: Compresión simple o compuesta donde ambos materiales trabajan a compresión. Las rectas de deformación giran alrededor del punto C definido por la recta correspondiente a la deformación de rotura del hormigón ε_{c0} por compresión.

2) Diagramas de cálculo tensión / deformación para el hormigón

Se fija un diagrama de tensión y deformación apropiado para el hormigón, de manera que, conocida la deformación en una fibra, queda determinada su tensión.

Se admiten por la Instrucción EHE-08, en el apartado 39.5, los siguientes diagramas para el hormigón, prescindiendo siempre de la colaboración del hormigón en tracción:

a) Diagrama parábola-rectángulo de cálculo, formado por una parábola de segundo grado y un segmento rectilíneo. El vértice de la parábola se encuentra en la abscisa del 2 por mil de deformación (rotura en compresión simple) y el vértice del rectángulo en la abscisa del 3,5 por mil (rotura del hormigón por flexión). La ordenada máxima de este diagrama corresponde a una tensión de compresión de f_{cd}, es decir, a la resistencia minorada (resistencia de cálculo) del hormigón a compresión.

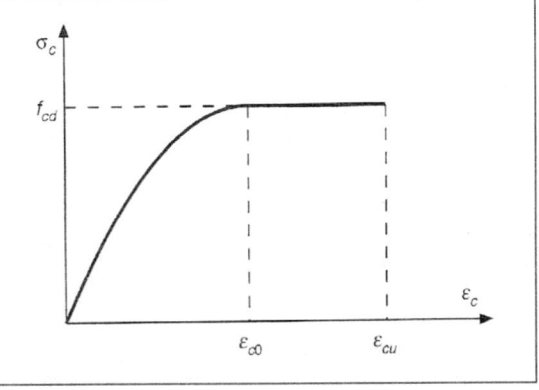

b) <u>Diagrama rectangular de cálculo</u>, formado por un rectángulo de anchura $\eta(x) \cdot f_{cd}$ y cuya altura es una función de la profundidad de la fibra neutra. El valor de $\eta(x)$ en hormigones de hasta 50 N/mm² de resistencia característica vale 1.

- En el caso de hormigones de resistencia característica hasta 50 N/mm², para profundidades del eje neutro menores que el canto de la sección, el diagrama rectangular equivale a una tensión f_{cd} y una profundidad y=0,8·x.

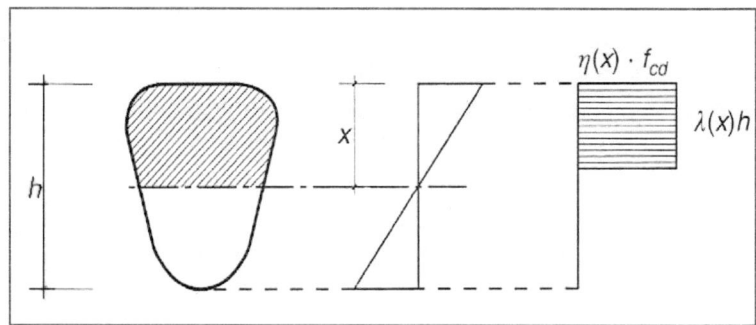

- En compresión centrada (toda la sección comprimida), el bloque rectangular que comprime la sección con una intensidad constante f_{cd} en coherencia con el diagrama parábola rectángulo.

c) <u>Otros diagramas de cálculo</u>, como parabólicos, birrectilíneos, trapezoidales, rectangulares tope, siempre que los resultados concuerden con los obtenidos mediante el diagrama parábola-rectángulo o queden del lado de la seguridad.

3) Diagramas de cálculo tensión / deformación para el acero

Se fija un diagrama de tensión y deformación apropiado para el acero, de manera que, conocida la deformación en una fibra, queda determinada su tensión.

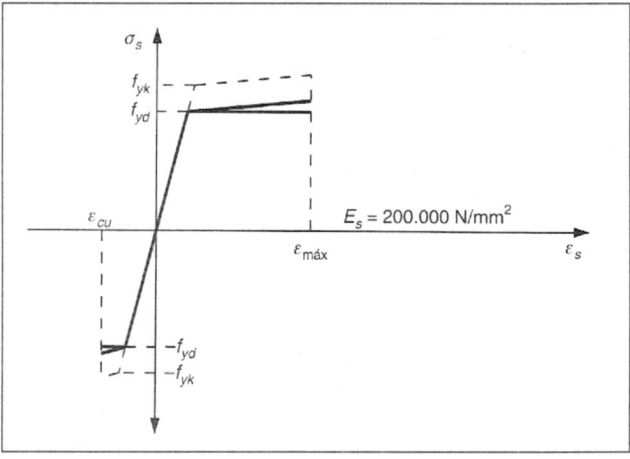

Se puede utilizar el diagrama de cálculo de la figura donde, a partir de la tensión de cálculo f_{yd}, se puede considerar una segunda rama ligeramente inclinada o bien una horizontal, que da unos resultados bastante precisos. Se adopta la deformación máxima del acero en tracción $\varepsilon_{máx} = 0,01$.

En compresión la deformación será la $\varepsilon_{cu} = 0,035$ que es la última deformación del hormigón comprimido en flexión.

4) Condiciones de equilibrio

A partir de las hipótesis básicas definidas, es posible plantear las ecuaciones de equilibrio de la sección, que constituyen un sistema de ecuaciones no lineales.

Los planos de deformaciones expuestos en la Instrucción definen todos los posibles modos de agotamiento de la pieza frente a solicitaciones normales. El cálculo en Estado Límite Último de la sección consistirá en encontrar el plano de deformación de entre los definidos por los dominios, que equilibre las acciones exteriores (momento flector o axil).

El plano de agotamiento lo determinan geométricamente la profundidad de la fibra neutra (x) y el pivote de rotura (A, B o C).

En el caso de dimensionamiento, se conocen la forma y dimensiones de la sección de hormigón, la posición de la armadura, las características de los materiales y los esfuerzos de cálculos. Las incógnitas son el plano de deformación de agotamiento y la cuantía de armadura.

En el caso de comprobación, se conocen la forma y dimensiones de la sección de hormigón, la posición y cuantía de la armadura y las características de los materiales. Las incógnitas son el plano de deformación de agotamiento y los esfuerzos resistentes de la sección.

En flexión simple (dominios 2 y 3) y compresión centrada (dominio 5) la correspondencia entre el plano de deformación y el esfuerzo de rotura es unívoca por equilibrio. En flexión compuesta o compresión compuesta (dominios 2, 3, 4, 4a y 5), la correspondencia ya no es unívoca y la rotura de la sección se producirá sola para una determinada relación entre N_d y M_d actuantes, que se representa por el conocido como diagrama de interacción N-M.

Lo usual en edificación suele ser dimensionar las piezas sometidas a flexocompresión con armaduras simétricas.

Para los casos más simples y frecuentes, el Anejo 7 propone unas fórmulas simplificadas para el cálculo de secciones de hormigón armado rectangulares y en T sometidas a flexión simple y compuesta. En este libro recogemos las que corresponden a las secciones rectangulares, dejando para otras publicaciones más avanzadas los casos de secciones en T y de flexiones esviadas.

5) Situación de una sección según el dominio

Veamos cuál es la situación de deformaciones y tensiones en que se hallará una sección sometida a las distintas solicitaciones, desde la tracción simple hasta la compresión centrada, adoptando para el hormigón el diagrama parábola-rectángulo y para los aceros el diagrama simplificado.

1) Tracción simple o compuesta

La fibra neutra está fuera de la sección, por encima de la misma.

Todas las fibras de la sección están trabajando a tracción.

Las rectas de deformación corresponden al **dominio 1**.

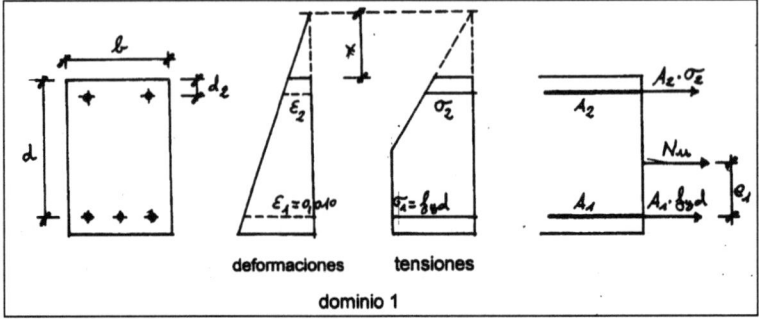

deformaciones   tensiones

dominio 1

2) Flexión simple o compuesta

La fibra neutra cae dentro de la sección, entre el valor x=0 y x=h. Las rectas de deformación corresponden a los dominios 2, 3, 4 y 4a.

En el **dominio 2**, la profundidad de la fibra neutra varía entre 0 y 0,259d.

El estado límite último se alcanza por exceso de deformación plástica del acero traccionado.

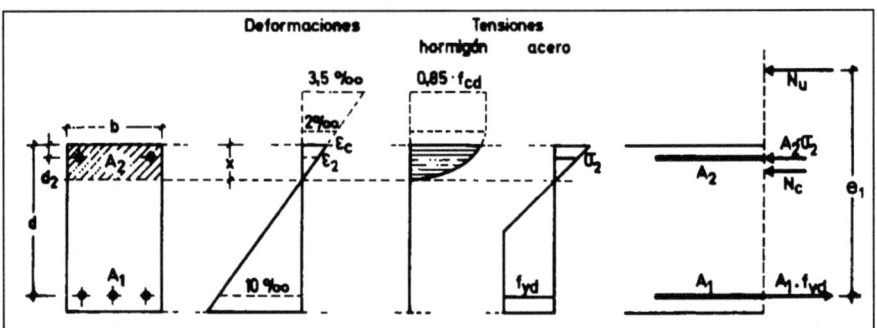

En el **dominio 3**, la profundidad de la fibra neutra va de 0,259·d hasta x_{lim}=0,625·d. En este dominio tanto el hormigón como la armadura de tracción alcanzan su resistencia máxima, por lo que se dice que existe **flexión perfecta**.

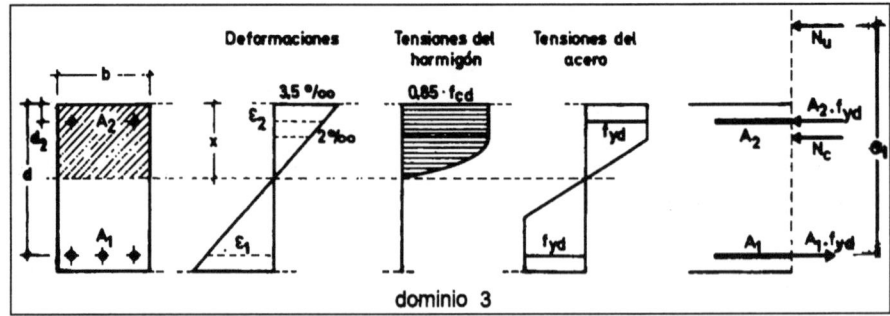

dominio 3

En el **dominio 4**, la profundidad de la fibra neutra se encuentra entre el valor x_{lim} y el canto d. En la fibra más comprimida del hormigón la deformación es del 3,5 por mil y la tensión equivale a la resistencia de cálculo f_{cd}.

El estado último en este dominio se alcanza por aplastamiento del hormigón con rotura frágil.

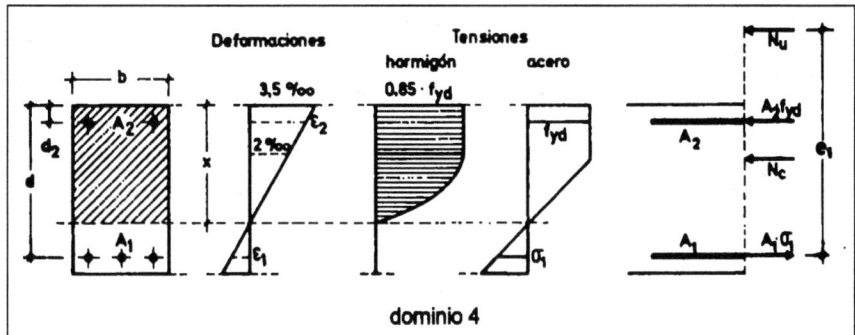

dominio 4

En el **dominio 4a**, la profundidad de la fibra neutra se encuentra en el recubrimiento inferior, entre los valores d y h.

La deformación de la fibra más comprimida del hormigón sigue siendo el 3,5 por mil y la tensión equivale a la resistencia de cálculo f_{cd}.

Ambas armaduras trabajan a compresión: la más comprimida A_2 con una tensión f_{yd} y la menos comprimida A_1 con una pequeña tensión s_1.

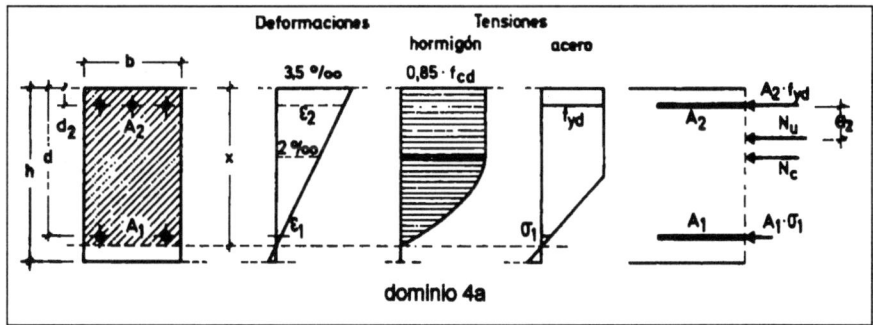

dominio 4a

3) Compresión simple o compuesta

Esta situación corresponde al **dominio 5**.

En este caso la fibra neutra está por debajo de la sección.

Todas las fibras están comprimidas y las deformaciones corresponden al dominio 5, con excentricidades débiles.

Ambas armaduras trabajan a compresión: la más comprimida (A_2) con una tensión igual a f_{yd} y la menos comprimida con una tensión s_1 menor.

La deformación y la tensión de la fibra más comprimida del hormigón siguen teniendo valores del 3,5 por mil y de f_{cd} respectivamente.

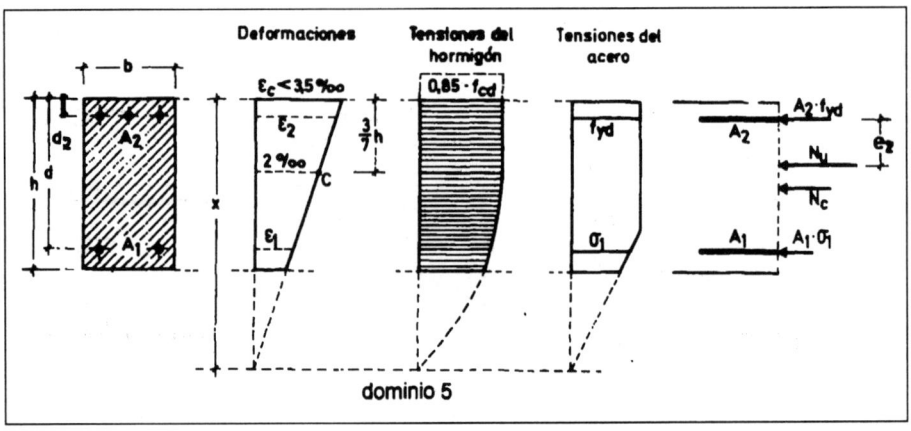

dominio 5

2.7. MÉTODOS PARA EL ARMADO DE SECCIONES

En este apartado se estudian distintos métodos para el estudio de secciones rectangulares de hormigón armado sometidas a solicitaciones normales de flexión y compresión en el estado límite último de agotamiento por rotura o por exceso de deformación plástica.

Se llaman solicitaciones normales a las que originan tensiones normales sobre las secciones rectas. Están constituidas por un momento flector y un esfuerzo normal, referidos al centro de gravedad de la sección de hormigón.

Para el caso específico de soportes y elementos de función análoga trabajando a compresión simple, la Instrucción EHE-08 –al igual que normas anteriores– establece (42.2.1) que toda sección sometida a una solicitación normal exterior de compresión N_d debe ser capaz de resistir dicha compresión con una excentricidad mínima, debida a la incertidumbre en la posición del punto de aplicación del esfuerzo normal, igual al mayor de los siguientes valores:

h/20 y 2 cm

Dicha excentricidad debe ser contada a partir del centro de gravedad de la sección bruta y en la dirección más desfavorable de las direcciones principales y solo en una de ellas.

Esto, naturalmente, conduce a que el cálculo deba hacerse siempre en flexión compuesta (o más bien en compresión compuesta). Una simplificación para evitar eso para los casos de secciones rectangulares es emplear para el cálculo de acciones un valor incrementado de los coeficientes γ_g y γ_q dado por la fórmula:

$$\gamma'_f = \gamma_f \frac{b+50}{b} \geq \frac{9}{8}\gamma_f \qquad (\gamma_f = \gamma_g \; \acute{o} \; \gamma_q)$$

Siendo b el ancho de la sección en milímetros.

2.7.1.   La expresión del brazo mecánico para flexión simple

En una sección de hormigón armado sometida a una solicitación de flexión, se produce un estado de tensiones normales de compresión en unas fibras de la sección y de tracción en otras.

En el caso de que la solicitación sea de flexión simple, es decir, producida solamente por un momento flector [M], la armadura de la zona traccionada la podemos estimar tomando momentos respecto al centro de las compresiones, suponiendo que la distancia entre éste y el centro de las tracciones (armaduras) es de 0,9·d (o lo que es lo mismo 0,8·h si consideramos que los recubrimientos de las armaduras son del orden de 1/10 del canto total).

La capacidad resistente de una sección de hormigón está dada por la expresión:

$$U_0 = f_{cd} \; b \; d$$

Si establecemos la hipótesis de que el acero trabaja al máximo de tensión, es decir, que llega a su tensión de cálculo f_{yd}, podemos igualar el momento exterior mayorado [M_d] con el que producen las tensiones internas minoradas [f_{yd}] respecto al centro de las compresiones, o sea con un brazo mecánico **z** igual a **0,9·d**, obteniéndose así el área del acero necesaria, o lo que es lo mismo, su capacidad mecánica **[U=A$_s$ f$_{yd}$]**:

$$M_d = A_s \cdot f_{yd} \cdot 0,9 \cdot d$$

con lo que la sección de acero necesaria será:

$$A_s = \frac{M_d}{0,9 \cdot d \cdot f_{yd}}$$

y por tanto, su capacidad mecánica:

$$U = \frac{M_d}{0,9 \cdot d}$$

A partir de un cierto valor límite del momento flector, se hace necesario, por economía, disponer armadura de compresión. Este momento flector límite, que lleva la fibra neutra hasta su profundidad x$_{lim}$=0,625·d, tiene el siguiente valor:

$$M_{lim} = 0,375 \cdot b \cdot d^2 \cdot f_{cd}$$

La capacidad mecánica de la armadura que debe resistir el exceso de compresión por haber sido superado el momento límite, deberá ser:

$$U = \frac{M_d - M_{lim}}{0,9 \cdot d}$$

La cuantía geométrica mínima que se debe disponer para controlar la fisuración por motivos no contemplados en el cálculo, es del 3,3 por mil de la sección del hormigón [A$_c$].

La cuantía mecánica mínima para los elementos a flexión, que se debe disponer para evitar la rotura frágil por plastificación de la armadura, es del 4% de la cuantía mecánica de la sección de hormigón [A$_c$·f$_{cd}$].

2.7.2.   El método de la Parábola-Rectángulo

Para el cálculo práctico de secciones rectangulares por este método hay dos **tablas universales** que facilitan la resolución de los problemas más corrientes y que se adjuntan en las páginas siguientes.

La primera corresponde a flexión simple o compuesta (**dominios 2, 3 y 4**).

La segunda sirve para los esfuerzos de compresión con pequeñas excentricidades (**dominios 4a y 5**). En esta segunda tabla las notaciones son ligeramente distintas. Todas las ecuaciones se convierten en adimensionales quedando las siguientes magnitudes reducidas:

$v = N_d/U_0$ axil reducido.

$\mu = M_d/(U_0 \cdot d)$ momento reducido.

ω y ω_1 =   cuantía de las armaduras más traccionadas.

ω' y ω_2 =   cuantía de las armaduras más comprimidas.

Siendo:

$U_0 = f_{cd} \cdot b \cdot d$ la capacidad mecánica de la sección de hormigón.

1) Armado de secciones sometidas a flexión simple

En estos casos se suelen conocer tanto la resistencia de cálculo de los materiales, f_{yd} y f_{cd} respectivamente, como el momento de cálculo $M_d = \gamma_f \times M$.

Conviene disponer armadura de compresión cuando se supera el siguiente límite en el momento reducido:

$$\mu = 0,375$$

que equivale, para cualquier tipo de acero, a los siguientes valores:

$$\xi = 0,625 \qquad \omega = 0,50$$

Por definición el canto mínimo corresponde a una profundidad de la fibra neutra igual al valor límite $x_{lim} = 0,625\ d$ con lo que resulta:

$$d_{min} = 2,00 \sqrt{\frac{M_d}{b\ f_{cd}}}$$

Con este valor del canto útil se necesita una cuantía mecánica de armadura traccionada equivalente a la mitad de la capacidad que tiene el hormigón.

Nos podemos encontrar con dos casos:

- Que el canto de nuestra sección sea superior al mínimo (el hormigón no se agota).
- Que tengamos un canto útil inferior al mínimo (necesitaremos una armadura de compresión que colabore con el hormigón).

Caso 1: Canto d superior al mínimo.

Este caso lo tenemos cuando el momento de cálculo reducido no llega a valer 0,375:

$$\boxed{\mu = \frac{M_d}{U_o\ d} \leq 0,375}$$

La sección no necesita armadura de compresión y la única incógnita es la armadura de tracción (además de la profundidad relativa de la fibra neutra).

Se entra entonces en la tabla 1ª con el valor del momento de cálculo reducido μ y se encuentra, en la columna derecha, el valor de la cuantía mecánica ω.

La capacidad mecánica de la armadura de tracción será:

$$\boxed{U_{S1} = A\ f_{yd} = \omega \cdot U_0}$$

Caso 2: Canto inferior al mínimo.

Este caso lo tenemos cuando el momento de cálculo reducido es mayor que 0,375. Entonces debe colocarse armadura de compresión.

El problema se resuelve dando a la fibra neutra el valor 0,625×d, con lo que el valor de las cuantías reducidas y las capacidades mecánicas de las armaduras será:

$$\boxed{\omega_{s2} = \frac{\mu - 0,375}{1 - \delta'}} \qquad \boxed{\omega_{s1} = \omega_{s2} + 0,50}$$

$$\boxed{U_{s1} = \omega_{s1} \cdot U_0} \qquad \boxed{U_{s2} = \omega_{s2} \cdot U_0}$$

2) <u>Armado de secciones sometidas a flexión compuesta</u>

En estos casos se suele conocer tanto el esfuerzo normal de cálculo N_d como su excentricidad **e** y la resistencia de los materiales. El ancho **b** puede fijarse siempre y así las incógnitas son el canto **d** y las armaduras.

El estudio puede efectuarse reduciendo el problema de la flexión compuesta a uno de flexión simple tomando como momento el que produce el axil $\mathbf{N_d}$ con una excentricidad **e** respecto a la armadura de tracción.

La capacidad mecánica de la armadura de tracción necesaria a flexión compuesta es:

$$U = A \, f_{yd} - N_d$$

siendo $A \, f_{yd}$ la correspondiente a flexión simple con momento $M_d = N_d \cdot e$.

<u>Procedimiento</u>: Se calcula la excentricidad

$$e_0 = \frac{M_d}{N_d} \qquad e = \frac{d - d'}{2} + e_0$$

Se calcula el momento reducido:

$$\mu = \frac{N_d \, e}{U_0 \, d}$$

Veamos los dos casos posibles según el valor que tenga el momento reducido μ de cálculo.

Caso 1: Para $\mu \le 0,375$ la sección no necesita armadura de compresión. Entrando en la **tabla 1ª** con el momento reducido μ se encuentra la cuantía ω.

La cuantía mecánica de la armadura de tracción valdrá:

$$\omega_{s1} - v_d \qquad \text{siendo} \qquad v = \frac{N_d}{U_0}$$

En el caso de que este valor resultase negativo (el hormigón soporta la solicitación por sí solo), deberá colocarse la cuantía mínima.

Caso 2: Para $\mu > 0,375$ es necesario colocar armadura de compresión. Las cuantías reducidas y las capacidades mecánicas de las armaduras para compresión y para tracción son, respectivamente:

$$\boxed{\omega_{s2} = \frac{\mu - 0,375}{1 - \delta'}} \qquad \boxed{\omega_{s1} = \omega_{s2} + 0,50 - v_d}$$

$$\boxed{U_{s2} = \omega_{s2} \cdot U_0} \qquad \boxed{U_{s1} = \omega_{s1} \cdot U_0}$$

valores con los que se entra en las tablas de capacidades mecánicas.

3) Armado de secciones sometidas a compresión compuesta

Se estudia a continuación el dimensionamiento óptimo de secciones en los dominios 4a y 5, es decir, cuando ambas armaduras A_1 y A_2 están comprimidas.

Procedimiento: Se calcula la excentricidad e_2 referida a la armadura más comprimida:

$$e_0 = \frac{M_d}{N_d} \qquad e_2 = \frac{d - d_2}{2} - e_0$$

$$\mu_2 = \frac{N_d\, e_2}{U_0\, h}$$

Se halla el momento reducido μ_2:

Con las notaciones anteriores y las que figuran en la tabla 2ª, pueden darse dos casos posibles.

Caso 1: Para $\mu_2 < 0,50 - \delta_2$ el hormigón no se agota y la armadura menos comprimida A_{s1} no es necesaria.

Entrando en la tabla 2ª con el valor de μ_2 de la columna correspondiente al recubrimiento dado δ_2, en la columna de la derecha se encuentra el coeficiente que corresponde.

La cuantía mecánica de la armadura más comprimida será:

En dominio 4a : $\omega_2 = v_d - \psi\, \xi$ En dominio 5: $\omega_2 = v_d - \psi$

y la capacidad mecánica será: $\boxed{U_{s2} = \omega_{s2}\, U_0}$

Caso 2: Para $\mu_2 > 0,50 - \delta_2$ la solución más económica se obtiene haciendo que la sección trabaje a compresión simple. Las cuantías mecánicas de las armaduras serán:

Para la menos comprimida : $\omega_{s1} = \dfrac{\mu_2 + \delta_2 - 0,50}{\delta - \delta_2}$ $(\delta = d/h)$

Para la más comprimida : $\omega_{s2} = v_d - \omega_{s1} - 1,00$

y las capacidades mecánicas correspondientes:

$$\boxed{U_{s1} = A_{s1}\, f_{yd} = \omega_{s1}\, U_0}$$

$$\boxed{U_{s2} = A_{s2}\, f_{yd} = \omega_{s2}\, U_0}$$

Se adjuntan a continuación las dos tablas universales citadas para flexocompresión por el método de la Parábola – Rectángulo.

TABLA UNIVERSAL PARA FLEXIÓN SIMPLE O COMPUESTA			
ξ	μ	ω	
0,0890	0,0300	0,0310	
0,1042	0,0400	0,0415	
0,1181	0,0500	0,0522	
0,1312	0,0600	0,0630	
0,1438	0,0700	0,0739	
0,1561	0,0800	0,0849	DOMINIO 2
0,1667	0,0886	0,0945	
0,1685	0,0900	0,0961	
0,1810	0,1000	0,1074	
0,1937	0,1100	0,1189	
0,2066	0,1200	0,1306	
0,2197	0,1300	0,1425	
0,2330	0,1400	0,1546	
0,2466	0,1500	0,1669	
0,2593	0,1592	0,1785	
0,2608	0,1600	0,1795	
0,2796	0,1700	0,1924	
0,2987	0,1800	0,2055	
0,3183	0,1900	0,2190	
0,3382	0,2000	0,2327	
0,3587	0,2100	0,2468	
0,3797	0,2200	0,2613	DOMINIO 3
0,4012	0,2300	0,2761	
0,4233	0,2400	0,2913	
0,4461	0,2500	0,3070	
0,4500	0,2517	0,3097	
0,4696	0,2600	0,3231	
0,4938	0,2700	0,3398	
0,5189	0,2800	0,3571	
0,5450	0,2900	0,3750	
0,5722	0,3000	0,3937	
0,6005	0,3100	0,4132	
0,6168	0,3155	0,4244	
0,6303	0,3200	0,4337	
0,6617	0,3300	0,4553	
0,6680	0,3319	0,4596	
0,6951	0,3400	0,4783	DOMINIO 4
0,7308	0,3500	0,5029	
0,7695	0,3600	0,5295	
0,7892	0,3648	0,5430	
0,8119	0,3700	0,5587	
0,8596	0,3800	0,5915	
0,9152	0,3900	0,6297	
0,9844	0,4000	0,6774	

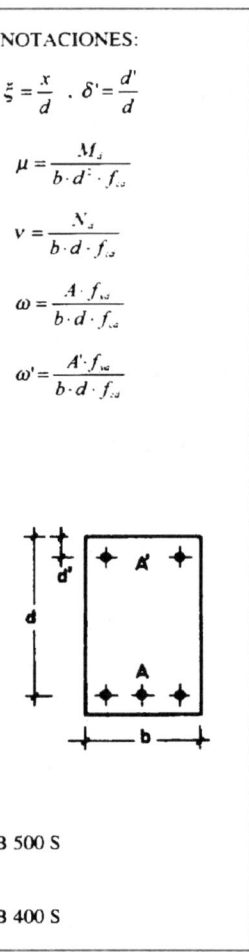

NOTACIONES:

$$\xi = \frac{x}{d} \quad . \quad \delta' = \frac{d'}{d}$$

$$\mu = \frac{M_d}{b \cdot d^2 \cdot f_{cd}}$$

$$v = \frac{N_d}{b \cdot d \cdot f_{cd}}$$

$$\omega = \frac{A \cdot f_{yd}}{b \cdot d \cdot f_{cd}}$$

$$\omega' = \frac{A' \cdot f_{yd}}{b \cdot d \cdot f_{cd}}$$

B 500 S

B 400 S

COMPRESIONES CON PEQUEÑAS EXCENTRICIDADES

ξ	μ			$\psi\,\xi$
	$\delta_2=0,05$	$\delta_2=0,10$	$\delta_2=0,15$	
0,85			0,1191	0,5849
0,86			0,1229	0,5918
0,87			0,1269	0,5986
0,88			0,1308	0,6055
0,89			0,1349	0,6124
0,90		0,1699	0,1390	0,6193
0,91		0,1744	0,1431	0,6262
0,92		0,1790	0,1473	0,6331
0,93		0,1836	0,1516	0,6399
0,94		0,1882	0,1559	0,6468
0,95	0,2257	0,1930	0,1603	0,6537
0,96	0,2308	0,1978	0,1647	0,6606
0,97	0,2360	0,2026	0,1692	0,6675
0,98	0,2412	0,2075	0,1738	0,6743
0,99	0,2465	0,2124	0,1784	0,6812

DOMINIO 4a

ξ	μ			ψ
	$\delta_2=0,05$	$\delta_2=0,10$	$\delta_2=0,15$	
1,00	0,2518	0,2174	0,1830	0,6881
1,01	0,2563	0,2216	0,1869	0,6936
1,02	0,2605	0,2256	0,1906	0,6989
1,03	0,2645	0,2293	0,1941	0,7038
1,04	0,2684	0,2329	0,1975	0,7086
1,05	0,2720	0,2363	0,2007	0,7131
1,06	0,2755	0,2396	0,2037	0,7174
1,07	0,2788	0,2427	0,2066	0,7215
1,08	0,2819	0,2457	0,2094	0,7254
1,09	0,2850	0,2485	0,2120	0,7292
1,10	0,2878	0,2512	0,2146	0,7327
1,15	0,3005	0,2631	0,2257	0,7484
1,20	0,3108	0,2727	0,2347	0,7612
1,25	0,3193	0,2807	0,2421	0,7716
1,30	0,3263	0,2873	0,2483	0,7804
1,35	0,3322	0,2929	0,2535	0,7877
1,40	0,3373	0,2976	0,2579	0,7940
1,45	0,3416	0,3016	0,2617	0,7993
1,50	0,3453	0,3051	0,2649	0,8039
1,55	0,3486	0,3082	0,2678	0,8080
1,60	0,3514	0,3108	0,2703	0,8115
1,65	0,3539	0,3132	0,2724	0,8146
1,70	0,3561	0,3152	0,2744	0,8173
1,75	0,3581	0,3171	0,2761	0,8197
1,80	0,3598	0,3187	0,2776	0,8219
1,90	0,3628	0,3215	0,2802	0,8256
2,00	0,3652	0,3238	0,2824	0,8286
2,25	0,3696	0,3279	0,2862	0,8341
2,50	0,3726	0,3307	0,2888	0,8377
2,75	0,3746	0,3326	0,2906	0,8402
3,00	0,3760	0,3339	0,2918	0,8420
3,50	0,3780	0,3358	0,2935	0,8444
4,00	0,3792	0,3369	0,2846	0,8459
5,00	0,3805	0,3381	0,2957	0,8475
∞	0,3825	0,3400	0,2975	0,8500

DOMINIO 5

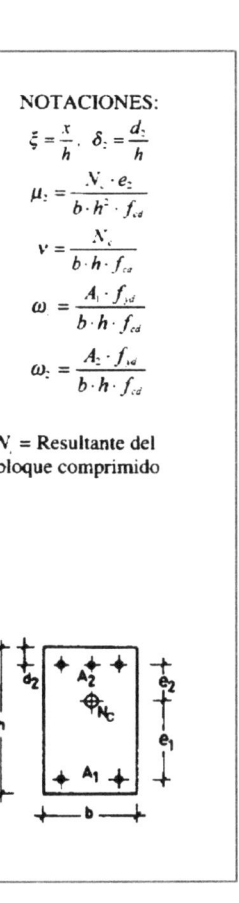

NOTACIONES:

$$\xi=\frac{x}{h}, \quad \delta_2=\frac{d_2}{h}$$

$$\mu_2=\frac{N_c\cdot e_2}{b\cdot h^2\cdot f_{cd}}$$

$$v=\frac{N_c}{b\cdot h\cdot f_{cd}}$$

$$\omega_1=\frac{A_1\cdot f_{yd}}{b\cdot h\cdot f_{cd}}$$

$$\omega_2=\frac{A_2\cdot f_{yd}}{b\cdot h\cdot f_{cd}}$$

N_c = Resultante del bloque comprimido

EJEMPLOS: ARMADO POR EL MÉTODO PARÁBOLA - RECTÁNGULO

Ejemplo 1: Sección de una viga. Flexión simple

Sección rectangular de 0,60 x 0,35 m con recubrimientos de 3 cm.
Hormigón HA-25 y acero B-500 S.
Momento de servicio M = 2,35 m·T.
SOLUCIÓN:
a) Canto mínimo:

$$d_{min} = 2,00 \sqrt{\frac{M_d}{b\, f_{cd}}} = 2,00 \sqrt{\frac{1,5 \times 2,35}{0,60 \times 2.500 / 1,5}} = 0,119m < d = 0,32m$$

El canto es suficiente.
b) Capacidad mecánica de la sección de hormigón:

$$U_0 = b\, d\, f_{cd} = 0,60 \times 0,32 \times 2.500 / 1,5 = 320\ T$$

c) Momento reducido de cálculo:

$$\mu = \frac{M_d}{U_0 d} = \frac{1,5 \times 2,35}{320 \times 0,32} = 0,034 < 0,375$$

No se necesita armadura de compresión.
La armadura de tracción se determina entrando con $\mu = 0,034$ en la tabla 1º y se obtiene $\omega = 0,035$ (aproximadamente).
La capacidad mecánica de esta armadura será:

$$U = \omega\, U_0 = 0,035 \times 320 = 11,20\ T$$

con cuyo valor se entra en la tabla de capacidades mecánicas del acero B-500S y se obtiene una armadura de **3ϕ12** (13,91 T) o bien **4ϕ10** (12,88 T).

Método parábola-rectángulo		**Flexión simple. Sección Izquierda**		
b=	0,60 m	Hormigón HA-25	250	Kg/cm²
h=	0,35 m	Acero B-500S	5.100	Kg/cm²
d'=	0,03 m	Mayoración:	$\gamma\varphi=$	1,5
d=	0,32 m	$\delta' =$ d/d'=		0,094
M=	2,350 m.t	Md=	3,525 m.t	

Comprobación del momento reducido

$\mu =$	0,034	< 0,375	U0=	320,00	T

Armadura de compresión   Solo montaje

Armadura de tracción   Cuantía mecánica: $\omega =$ **Por tabla:** 0,0350

Capacidad mecánica: U= **11,20** T

Dispondremos   3   Φ   **12**   **(13,91)**

Ejemplo 2: Sección de un pilar. Flexión compuesta

Sección del pilar: 0,30 x 0,30 m con recubrimientos de 4 cm.

Hormigón HA-25 y acero B-500 S.

Momento de servicio M = 2,35 m·T (igual que el de la viga).

Axil de servicio N = 5,38 T.

<u>SOLUCIÓN</u>:

Solicitaciones de cálculo:

$M_d = 1,5 \cdot 2,35 = 3,525$ m·T

$N_d = 1,5 \cdot 5,38 = 8,07$ T

a) Cálculo de las excentricidades e_0 y e:

$$e_0 = \frac{M_d}{N_d} = \frac{3,525}{8,07} = 0,437, \quad e = \frac{d - d'}{2} + e_0 = \frac{0,26 - 0,04}{2} + 0,437 = 0,547 \text{ m}$$

b) La capacidad mecánica de la sección de hormigón será:

$$U_0 = b\, d\, f_{cd} = 0,30 \times 0,26 \times 2.500 / 1,5 = 130 \text{ T}$$

c) Cálculo del momento reducido (μ) y del axil reducido (ν):

$$\mu = \frac{N_d\, e}{U_c\, d} = \frac{8,07 \times 0,547}{130 \times 0,26} = 0,131 < 0,375$$

$$\nu = \frac{N_d}{U_c} = \frac{8,07}{130} = 0,062$$

Como μ < 0,375 no es necesario colocar armadura de compresión; se entra en la tabla 1ª con μ = 0,131 y se encuentra el valor ω = 0,142 aproximadamente.

La cuantía de la armadura de tracción será:

$$\omega - \nu = 0,142 - 0,062 = 0,080$$

La capacidad mecánica correspondiente será:

$$U = (\omega - \nu)\, U_c = 0,080 \times 130 = 10,39 \text{ T}$$

Dispondremos entonces una armadura de **2φ14** (12,62 t) en tracción. Por tratarse de un pilar, dispondremos la misma armadura en la cara opuesta.

Método parábola-rectángulo		Flexión compuesta. Pilar 5		
b=	0,30 m	Hormigón HA-25	250	Kg/cm²
h=	0,30 m	Acero B-500S	5.100	Kg/cm²
d'=	0,04 m	Mayoración:	$\gamma f=$	1,5
d=	0,26 m	$\delta' =$ d/d'=		0,154
M=	2,350 m.t	Md=	3,525 m.t	
N=	5,380 t	Nd=	8,070 t	
Cálculo de la excentricidad				
eo=	0,437 m	U0=	130,00	T
e=	0,547 m			
		Nd·e=	4,413	m·T
Comprobación del momento reducido				
$\mu =$	0,131 < 0,375	$\nu = 0,0621$		
Armadura de compresión				
Por simetría	Dispondremos:	2 Φ 14		(12,62)
Armadura de tracción	Cuantía mecánica:	$\omega =$ Por tabla:	0,1420	
	Capacidad mecánica:	U=	10,39	T
	Dispondremos	2 Φ 14		(12,62)

Ejemplo 3: Sección de un pilar. Compresión compuesta

Sección del pilar: 0,30 x 0,30 m con recubrimientos de 4 cm.

Hormigón HA-25 y acero B-500 S.

Momento de servicio M = 1,85 m·T.

Axil de servicio N = 103,6 T.

SOLUCIÓN:

Solicitaciones de cálculo:

$M_d = 1,5 \cdot 1,85 = 2,775$ m·T

$N_d = 1,5 \cdot 103,6 = 155,4$ T

a) Cálculo de las excentricidades e_0 y e_2:

$$e_0 = \frac{M_d}{N_d} = \frac{2,775}{155,4} = 0,0178 \text{ m}, \quad e_2 = \frac{d - d_2}{2} - e_0 = \frac{0,26 - 0,04}{2} - 0,0178 = 0,0922 \text{ m}$$

b) La capacidad mecánica de la sección de hormigón será:

$$U_a = b \, h \, f_{cd} = 0,30 \times 0,26 \times 2.500 / 1,5 = 150 \text{ T}$$

c) Cálculo de los valores reducidos μ_2 y ν:

$$\mu_2 = \frac{N_d \, e_2}{U_a \, h} = \frac{155,4 \times 0,0922}{150 \times 0,30} = \underline{0,3184} < 0,50 - \delta_2 = 0,50 - \frac{0,04}{0,30} = \underline{0,3667}$$

$$\nu = \frac{N_d}{U_a} = \frac{155,4}{150} = 1,036$$

Como $\mu_2 < 0,50 - \delta_2 = 0,3667$ (siendo $\delta_2 = 4/30 = 0,1333$), la solución óptima se obtendría haciendo $A_1 = 0$ (es decir, sin la armadura menos comprimida). Si se entra en la tabla 2ª con $\mu = 0,3184$ y adoptando un valor $\delta_2 = 0,10$ se obtiene $\psi = 0,8219$ que corresponde al dominio 5 (la profundidad de la fibra neutra la encontramos en el valor 1,80 en la columna de la izquierda).

La cuantía mecánica de la armadura más comprimida será entonces:

$$\omega_2 = \nu - \psi\xi = 1,036 - 0,8219 = 0,2141$$

La capacidad mecánica será:

$$U_2 = \omega_2 \, U_a = 0,2141 \times 150 = 32,11 \text{ T}$$

que equivalen a **4φ16** (32,97 t) en compresión.

Tendremos que disponer armaduras simétricas, es decir, **4φ16** (32,97 t) en cada una de las dos caras.

Método parábola-rectángulo	**Compresión compuesta. Pilar 6**

b=	0,30 m
h=	0,30 m
d'=	0,04 m
d=	0,26 m

Hormigón HA-25	250	Kg/cm²
Acero B-500S	5.100	Kg/cm²
Mayoración:	$\gamma f=$	1,5
$\delta=$	d/d'=	0,867
$\delta 2=$	d'/h=	0,133

M=	1,850 m.t
N=	103,600 t

Md=	2,775 m.t
Nd=	155,400 t

Cálculo de la excentricidad

eo=	0,018 m
e2=	0,092 m

U0=   150,00   T

Nd·e=   14,319   m·T

Comprobación del momento reducido

$\mu=$	0,3182
0,50 - d2=	0,3667 $>\mu$

$\nu = 1,036$

Armadura menos comprimida

Por simetría   Dispondremos   4   Φ   16   (32,97)

Armadura más comprimida

$\psi=$ 0,8219   Cuantía mecánica: $\omega 2=$ **0,214**

(por tabla 2)   Capacidad mecánica: U2=   32,12   T

Dispondremos   4   Φ   16   (32,97)

2.7.3.   El método del Diagrama Rectangular (EHE-08, Anejo 7)

1) Alcance

En el Anejo 7º se presentan fórmulas simplificadas para el cálculo (dimensionamiento o comprobación) de secciones rectangulares o T sometidas a flexión simple o compuesta recta (ver figura). Asimismo se propone un método simplificado de reducción a flexión compuesta recta de secciones sometidas a flexión esviada simple o compuesta. Las expresiones de este anejo son válidas únicamente para secciones con hormigón de resistencia $f_{ck} \leq 50$ N/mm².

Para el cálculo de secciones sometidas a solicitaciones normales en el estado último de agotamiento resistente puede sustituirse el diagrama parábola-rectángulo de tensiones del hormigón por un diagrama rectangular equivalente, definido de tal modo que la compresión sea constante e igual a f_{cd}, y con una altura ficticia **y = 0,80 x** cuando es **x < h**, o bien **y = h** para los casos de compresión, donde la profundidad **x** de la fibra neutra supera el canto **h**.

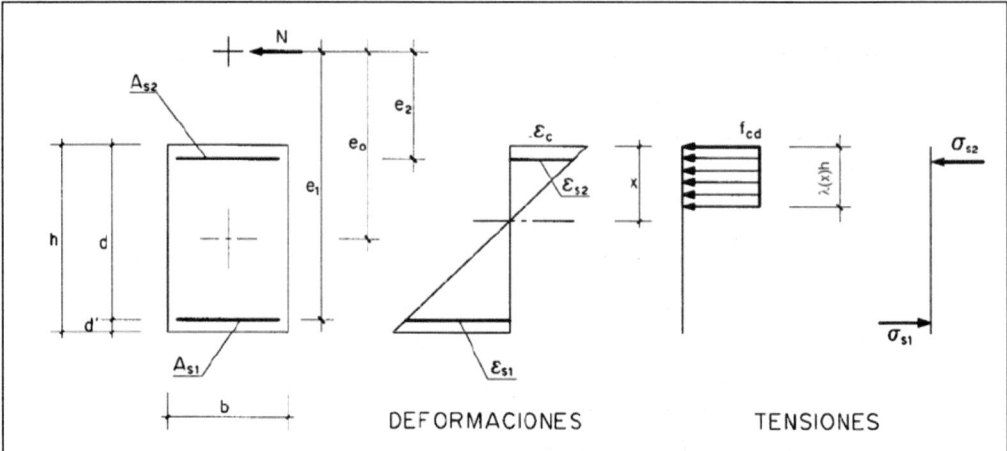

DEFORMACIONES   TENSIONES

Las diferencias obtenidas para las armaduras al calcular con el diagrama parábola-rectángulo y el rectangular son, en general, bastante pequeñas.

2) <u>Limitaciones y variables utilizadas</u>

Las fórmulas que se exponen son válidas siempre que se cumplan las 2 condiciones siguientes:

$$d' \leq 0,20 \ d \qquad\qquad d > 0,80 \ h$$

Se define también el significado de algunas variables que se utilizan en las fórmulas:

$$f_{cd} = f_{ck} / \gamma_c \qquad\qquad U_0 = f_{cd} \ b \ d$$

Se establece que para hormigones de hasta 50 N/mm² la profundidad límite de la zona comprimida es $x_\ell = 0,625 \ d$. El momento límite corresponde al valor:

$$M_\ell = 0,375 \ U_0 \ d$$

Las ecuaciones de equilibrio constituyen un sistema no lineal debido al comportamiento no lineal de los materiales y a la existencia de tres pivotes para la definición de los dominios de agotamiento.

La figura y las fórmulas de este Anejo han sido obtenidas considerando que la deformación del límite elástico del acero es $\varepsilon_y = 0,002$, que constituye una simplificación razonable y un valor intermedio entre los correspondientes a los aceros disponibles y el coeficiente de minoración del acero

Asimismo y con objeto de simplificar las expresiones obtenidas, se ha considerado como deformación del pivote 2, deformación máxima del hormigón comprimido, 0,0033 en lugar de 0,0035. Esta hipótesis tampoco afecta significativamente a los resultados obtenidos. La expresión analítica de la tensión del acero en la capa A_{s2}, en su evolución entre -f_{yd} y f_{yd}, se ha linealizado. Esta simplificación conlleva la definición de unos delimitadores -0,5 d' y 2,5 d' que son aproximados y que, asimismo, conducen a resultados de precisión suficiente.

3) Flexión simple para secciones rectangulares

- **Fibra neutra acotada a una profundidad x_f inferior al límite.**

Si queremos tener secciones con gran ductilidad, basta con fijar la profundidad x_f de la fibra neutra por debajo de la profundidad límite de 0,625 ·d.

El momento límite (momento frontera M_f en este caso) vale:

$$M_f = 0.8\,U_0\,x_f\left(1 - 0.4\,\frac{x_f}{d}\right)$$

Caso 1: Momento de cálculo inferior al momento frontera:

$$M_d \leq M_f$$

En este caso la posición de la fibra neutra no alcanza la profundidad x_f fijada. Entonces la sección no necesita armadura de compresión, por lo que la única incógnita es la armadura de tracción, cuya capacidad mecánica U_{s1} será:

$$U_{s1} = U_0\left(1 - \sqrt{1 - \frac{2\,M_d}{U_0\,d}}\right)$$

Caso 2: Momento de cálculo superior al momento frontera:

$$M_d > M_f$$

En este caso habrá que calcular previamente un coeficiente s_{2f} para poder calcular la capacidad de las armaduras de compresión, que no podrá ser mayor que 1,0:

$$s_{2f} = \frac{2}{3}\left(\frac{x_f - d'}{d'}\right) \leq 1.0$$

Las expresiones para calcular las armaduras de compresión y de tracción serán:

$$U_{s2} = \frac{1}{s_{2f}}\left(\frac{M_d - M_f}{d - d'}\right) \qquad U_{s1} = 0.8\,U_0\,\frac{x_f}{d} + \frac{M_d - M_f}{d - d'}$$

- **Fibra neutra prefijada en la profundidad límite, x_l.**

En este caso el momento límite corresponde al valor:

$$M_l = 0.375\,U_0\,d$$

Caso 1: Momento de cálculo inferior al momento límite: $M_d \leq 0.375\,U_0\,d$.

En este caso la posición de la fibra neutra no alcanza la profundidad fijada de 0,625 d. Entonces la sección no necesita armadura de compresión, por lo que la única incógnita es la armadura de tracción, cuya capacidad mecánica U_{s1} será:

$$U_{s1} = U_0\left(1 - \sqrt{1 - \frac{2\,M_d}{U_0\,d}}\right)$$

Caso 2: Momento de cálculo superior al momento límite:

$$M_d > 0{,}375 \, U_0 \, d.$$

El bloque comprimido de hormigón alcanza su máxima profundidad y necesita la colaboración de armaduras de compresión. La capacidad mecánica de las armaduras de la zona comprimida y de la traccionada será:

$$U_{s2} = \left(\frac{M_d - 0{,}375 \, U_0 \, d}{d - d'} \right) \qquad U_{s1} = 0{,}5 \, U_0 + U_{s2}$$

Las fórmulas propuestas suponen que la sección sólo dispondrá de armadura en el paramento comprimido si el momento de cálculo M_d es superior al momento límite $0{,}375 U_0 d$, que es el momento del bloque comprimido de hormigón respecto a la armadura traccionada, para una profundidad de la fibra neutra $x = 0.625d$, que supone una deformación $\varepsilon_y = 0{,}002$ en el acero.

4) Flexión compuesta para secciones rectangulares

Si queremos calcular la capacidad de las armaduras simétricas de un pilar sometido a flexión compuesta y armado a dos caras, se pueden dar 3 casos, según el valor del axil de cálculo N_d:

- Caso 1°: Para $N_d < 0$ (axil de tracción).

Las armaduras de tracción U_{s1} y de compresión U_{s2} se determinan mediante la fórmula:

$$U_{s1} = U_{s2} = \frac{M_d}{d - d'} - \frac{N_d}{2}$$

- Caso 2°: Para N_d entre 0 y $0{,}5 U_0$ (compresión).

La solución se obtiene mediante la expresión siguiente:

$$U_{s1} = U_{s2} = \frac{M_d}{d - d'} + \frac{N_d}{2} - \frac{N_d \, d}{d - d'} \left(1 - \frac{N_d}{2 \, U_0} \right)$$

- Caso 3°: Para $N_d > 0{,}5 U_0$ (fuerte compresión).

La capacidad de las armaduras será la siguiente:

$$U_{s1} = U_{s2} = \frac{M_d}{d - d'} + \frac{N_d}{2} - \alpha \frac{U_0 \, d}{d - d'}$$

En este caso (compresión compuesta con armaduras simétricas), entra en juego un coeficiente α cuya expresión es:

$$\alpha = \frac{0{,}480 \, m_1 - 0{,}375 \, m_2}{m_1 - m_2} \le 0{,}5 \left(1 - \left(\frac{d'}{d} \right)^2 \right)$$

con los siguientes valores para m_1 y m_2:

$$m_1 = \left(N_d - 0{,}5 \, U_0 \right) \left(d - d' \right)$$

$$m_2 = 0{,}5 \, N_d \left(d - d' \right) - M_d - 0{,}32 \, U_0 \left(d - 2{,}5 d' \right)$$

EJEMPLOS: ARMADO POR EL MÉTODO DEL ANEJO 7

Ejemplo 1: Sección de una viga. Flexión simple

1. Determinar las armaduras en la sección de una viga, con recubrimientos de 30 mm, de hormigón HA-25 y acero B500S, sometida a la siguiente solicitación:

      Momento de servicio: $M = 2,35 \text{ m} \cdot T$

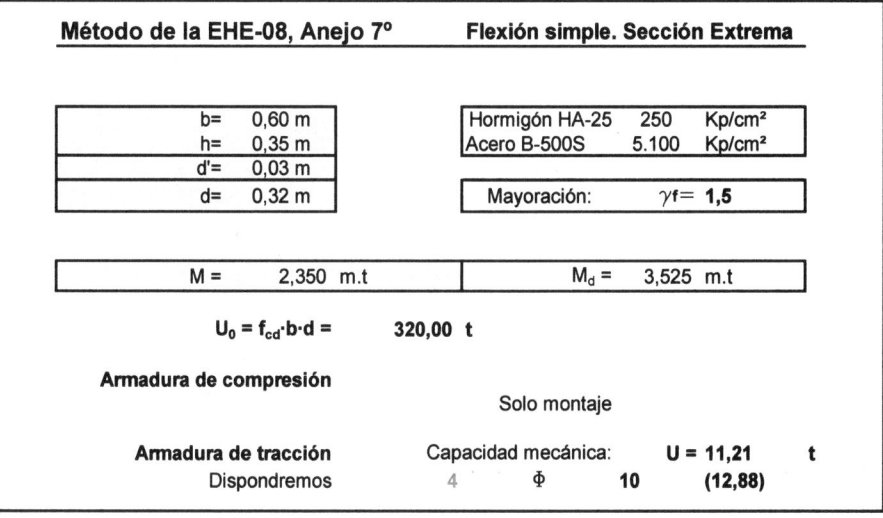

Método de la EHE-08, Anejo 7º   **Flexión simple. Sección Extrema**

b=	0,60 m
h=	0,35 m
d'=	0,03 m
d=	0,32 m

| Hormigón HA-25 | 250 | Kp/cm² |
| Acero B-500S | 5.100 | Kp/cm² |

Mayoración: $\gamma f = \mathbf{1,5}$

| M = | 2,350 | m.t | | M_d = | 3,525 | m.t |

$U_0 = f_{cd} \cdot b \cdot d =$ **320,00 t**

Armadura de compresión

Solo montaje

Armadura de tracción   Capacidad mecánica: **U = 11,21**   t
Dispondremos   4   Φ   **10**   **(12,88)**

2. Determinar las armaduras de la sección central de la misma viga, sometida a la siguiente solicitación:

      Momento de servicio: $M = 5,80 \text{ m} \cdot T$

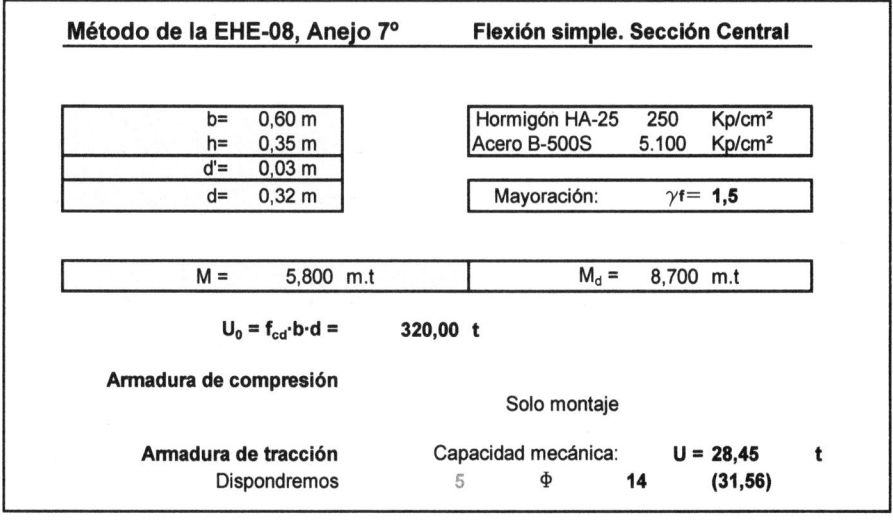

Método de la EHE-08, Anejo 7º   **Flexión simple. Sección Central**

b=	0,60 m
h=	0,35 m
d'=	0,03 m
d=	0,32 m

| Hormigón HA-25 | 250 | Kp/cm² |
| Acero B-500S | 5.100 | Kp/cm² |

Mayoración: $\gamma f = \mathbf{1,5}$

| M = | 5,800 | m.t | | M_d = | 8,700 | m.t |

$U_0 = f_{cd} \cdot b \cdot d =$ **320,00 t**

Armadura de compresión

Solo montaje

Armadura de tracción   Capacidad mecánica: **U = 28,45**   t
Dispondremos   5   Φ   **14**   **(31,56)**

Ejemplo 2: Sección de un pilar. Flexión compuesta

Calcular las armaduras de un pilar, con recubrimientos de 4 cm, sometida a las siguientes solicitaciones:

Momento de servicio: M = 2,35 m·T

Axil de servicio: N = 5,38 T

Método de la EHE-08, Anejo 7º   **Armado simétrico. Pilar 5**

b=	0,30 m
h=	0,30 m
d'=	0,04 m
d=	0,26 m

Hormigón HA-25	250	Kp/cm²
Acero B-500S	5.100	Kp/cm²

Mayoración: γf= **1,5**

M =	2,350 m.t
N =	5,380 t

M_d =	3,525 m.t
N_d =	8,070 t

$U_0 = f_{cd} \cdot b \cdot d =$ **130,00 t**   **Caso 2**

Armaduras simétricas: $U_{S1} = U_{S2} =$ **10,82**   t

Dispondremos   **2** Φ **14**   **(12,62)**

Ejemplo 3: Sección de un pilar. Compresión compuesta

Calcular las armaduras de un pilar, con recubrimientos de 4 cm, sometida a las siguientes solicitaciones:

Momento de servicio: M = 1,85 m·T

Axil de servicio: N = 103,60 T

Método de la EHE-08, Anejo 7º   **Armado simétrico. Pilar 6**

b=	0,30 m
h=	0,30 m
d'=	0,04 m
d=	0,26 m

Hormigón HA-25	250	Kp/cm²
Acero B-500S	5.100	Kp/cm²

Mayoración: γf= **1,5**

M =	1,850 m.t
N =	103,600 t

M_d =	2,775 m.t
N_d =	155,400 t

$U_0 = f_{cd} \cdot b \cdot d =$ **130,00 t**   **Caso 3**

Armaduras simétricas: $U_{S1} = U_{S2} =$ **15,31**   t

Dispondremos   **2** Φ **16**   **(16,49)**

2.7.4.   Las Fórmulas Aproximadas de Jiménez Montoya

Este método se debe a los profesores Jiménez Montoya y Morán Cabré (1972). Estas fórmulas tienen dos características fundamentales: su sencillez y que los resultados con ellas obtenidos concuerdan prácticamente con los correspondientes a la parábola-rectángulo aunque probablemente sea necesario actualizar los coeficientes α para armaduras simétricas por coherencia con los nuevos criterios de la EHE-08.

1. Dimensionamiento con armaduras asimétricas.

a) Flexión simple o compuesta con $\mu \le 0,375$:

$$\omega' = 0 \qquad \omega = \mu \cdot (1 + \mu) - v$$

b) Flexión simple o compuesta con $\mu > 0,375$:

$$\omega' = (\mu - 0,375)\,/\,(1 - \delta') \qquad \omega = \omega' + 0,50 - v$$

(En los casos de flexión simple, el valor del axil reducido v es igual a cero).

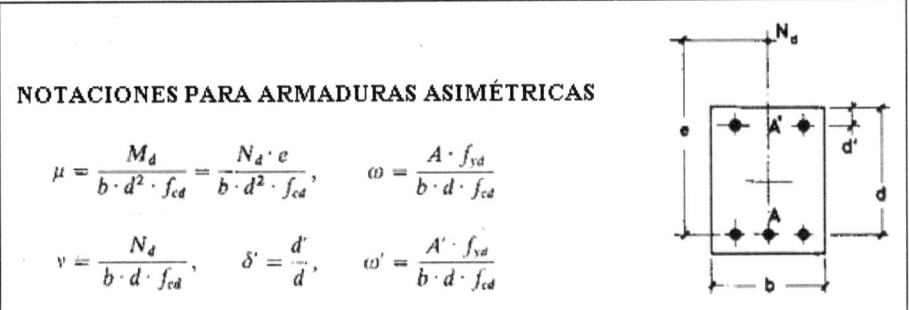

NOTACIONES PARA ARMADURAS ASIMÉTRICAS

$$\mu = \frac{M_d}{b \cdot d^2 \cdot f_{cd}} = \frac{N_d \cdot e}{b \cdot d^2 \cdot f_{cd}}, \qquad \omega = \frac{A \cdot f_{yd}}{b \cdot d \cdot f_{cd}}$$

$$v = \frac{N_d}{b \cdot d \cdot f_{cd}}, \qquad \delta' = \frac{d'}{d}, \qquad \omega' = \frac{A' \cdot f_{yd}}{b \cdot d \cdot f_{cd}}$$

2. Dimensionamiento con armaduras simétricas.

En el caso de soportes con armaduras simétricas, el método utiliza una sola expresión para hallar la cuantía mecánica total de la sección en función del momento reducido μ y de tres coeficientes α_1, α_2 y α_3 que dependen del axil reducido v y de la disposición de las armaduras:

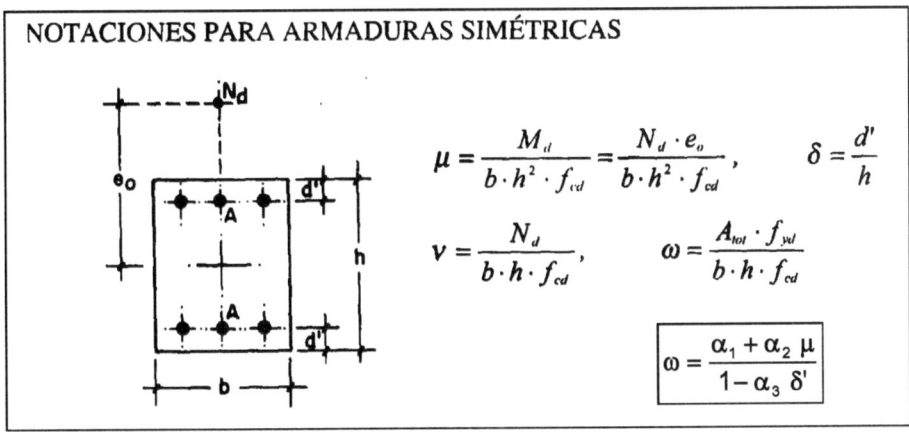

NOTACIONES PARA ARMADURAS SIMÉTRICAS

$$\mu = \frac{M_d}{b \cdot h^2 \cdot f_{cd}} = \frac{N_d \cdot e_o}{b \cdot h^2 \cdot f_{cd}}, \qquad \delta = \frac{d'}{h}$$

$$v = \frac{N_d}{b \cdot h \cdot f_{cd}}, \qquad \omega = \frac{A_{tot} \cdot f_{yd}}{b \cdot h \cdot f_{cd}}$$

$$\omega = \frac{\alpha_1 + \alpha_2\,\mu}{1 - \alpha_3\,\delta'}$$

TABLA
Coeficientes para el dimensionamiento de secciones rectangulares

Axil reducido ν	α_1	α_2	α_3	α_1	α_2	α_3	α_1	α_2	α_3
0,10	-0,09	2,01	2,00	-0,14	2,42	1,96	-0,14	2,55	1,95
0,20	-0,15	1,99	2,06	-0,22	2,61	1,97	-0,22	2,67	2,03
0,30	-0,19	2,00	2,00	-0,26	2,65	1,99	-0,27	2,71	2,20
0,40	-0,20	1,96	2,19	-0,27	2,66	2,02	-0,28	2,76	2,18
0,50	-0,18	2,05	2,17	-0,22	2,53	2,29	-0,23	2,63	2,38
0,60	-0,15	2,15	2,03	-0,19	2,62	2,17	-0,19	2,67	2,32
0,70	-0,11	2,26	1,89	-0,15	2,73	2,06	-0,16	2,78	2,17
0,80	-0,05	2,30	1,76	-0,09	2,74	1,94	-0,09	2,80	2,01
0,90	0,03	2,31	1,62	-0,01	2,75	1,82	-0,01	2,81	1,86
1,00	0,12	2,31	1,49	0,07	2,74	1,71	0,07	2,81	1,71
1,10	0,21	2,32	1,38	0,16	2,73	1,60	0,16	2,80	1,58
1,20	0,30	2,32	1,27	0,25	2,72	1,51	0,25	2,80	1,47
1,30	0,39	2,33	1,18	0,34	2,71	1,42	0,35	2,79	1,36
1,40	0,48	2,33	1,10	0,43	2,70	1,33	0,44	2,78	1,27
1,50	0,58	2,33	1,03	0,53	2,69	1,25	0,54	2,77	1,19
Armado	Tipo 1			Tipo 2			Tipo 3		

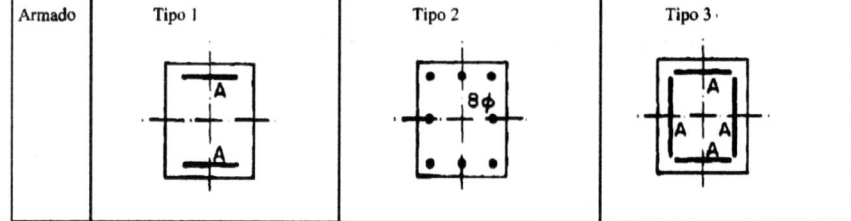

EJEMPLOS: ARMADO POR LAS FÓRMULAS APROXIMADAS

Ejemplo 1: Sección de una viga. Flexión simple

Determinar, con las Fórmulas Aproximadas, las armaduras de una viga de 0,60 m de ancho por 0,35 m de canto total y recubrimientos de 3 cm, con hormigón HA-25 y acero B500S, sometida a las siguientes solicitaciones:

Caso a: (Flexión Simple)

Un momento de servicio: M = 2,35 m·T

Armaduras asimétricas. Viga 1				Sección Izquierda		
b=	0,60 m	Fck=	2.500	t/m²	Fcd=	1.667
h=	0,35 m	Fyk=	5.100	Kp/cm²	Fyd=	4.100
d'=	0,03 m	M=	2,350	m·t	Md=	3,525 m·t
d=	0,32 m					
Mayoración:	γ=	1,5			Uc=	320,0 t

SOLUCION

μ= **0,0344**

A compresión: Solo montaje

Disponemos   **3** Φ **10**   **(9,66)**

A tracción:
ω=   **0,0356**   U=   **11,39** t
Disponemos   **4** Φ **10**   **(12,88)**

Caso b: (Flexión Simple)

Un momento de servicio: M = 5,80 m·T

Armaduras asimétricas. Viga 1				Sección Central		
b=	0,60 m	Fck=	2.500	t/m²	Fcd=	1.667
h=	0,35 m	Fyk=	5.100	Kp/cm²	Fyd=	4.100
d'=	0,03 m	M=	5,800	m·t	Md=	8,700 m·t
d=	0,32 m					
Mayoración:	γ=	1,5			Uc=	320,0 t

SOLUCION

μ= **0,0850**

A compresión: Solo montaje

Disponemos   **3** Φ **10**   **(9,66)**

A tracción:
ω=   **0,0922**   U=   **29,50** t
Disponemos   **5** Φ **14**   **(31,56)**

Ejemplo 2: Sección de un pilar. Flexión compuesta

Determinar las armaduras (simétricas en dos caras) de un pilar de sección de 0,30 x 0,30 m y recubrimientos de 4 cm, con hormigón HA-25 y acero B500S, sometida a las siguientes solicitaciones de servicio:

Caso a: (Pilar 5)

$$M = 2,35 \text{ m} \cdot t \qquad N = 5,38 \text{ T}$$

Armaduras simétricas					Pilar 5	
b=	0,30 m	Fck=	2.500	t/m²	Fcd=	1.667
h=	0,30 m	Fyk=	5.100	Kp/cm²	Fyd=	4.100
d'=	0,04 m	M=	2,350	m·t	Md=	3,525 m·t
d=	0,26 m	N=	5,380	t	Nd=	8,070 t
		eo=	0,437	m	δ= d'/h =	0,133
	Mayoración:	γ=	1,5		Uc=	150,00 t
		SOLUCION				
μ=	0,0783			ν=	0,0538	

Coeficientes: α_1 = -0,09
α_2 = 2,01
α_3 = 2,00

Arm. total:
ω=   0,0920 U_{tot}=   13,80 t
Total: 2 Φ 16   (16,49)

Ejemplo 3: Sección de un pilar. Compresión compuesta

Caso b: (Pilar 6)

$$M = 1,85 \text{ m} \cdot t \qquad N = 103,60 \text{ T}$$

Armaduras simétricas					Pilar 6	
b=	0,30 m	Fck=	2.500	t/m²	Fcd=	1.667
h=	0,30 m	Fyk=	5.100	Kp/cm²	Fyd=	4.100
d'=	0,04 m	M=	1,850	m·t	Md=	2,775 m·t
d=	0,26 m	N=	103,600	t	Nd=	155,400 t
		eo=	0,018	m	δ= d'/h =	0,1333
	Mayoración:	γ=	1,5		Uc=	150,00 t
		SOLUCION				
μ=	0,0617			ν=	1,0360	

Coeficientes: α_1 = 0,12
α_2 = 2,31
α_3 = 1,49

Arm. total:
ω=   0,3275 U_{tot}=   49,13 t
Total: 4 Φ 20   (51,52)

Es posible que a la vista de estos resultados, haya que replantearse la validez de la tabla de coeficientes α para armaduras simétricas.

2.8.   EL ESFUERZO CORTANTE

2.8.1.   Generalidades

El comportamiento de una pieza de hormigón armado cuando se considera la actuación de los esfuerzos transversales (cortante y momento torsor) es complejo. El efecto de las tensiones tangenciales, creadas por el cortante y el torsor, es el de inclinar las tensiones principales de tracción con respecto a la directriz de la pieza. Cuando aumentan las cargas, el hormigón se fisura y la relación de tensiones entre hormigón y armaduras varía conforme la fisuración aumenta y hasta que se llega a la rotura.

El objeto de las armaduras transversales es el de proporcionar una seguridad razonable frente a los distintos tipos de rotura de una pieza de hormigón (por flexión, por cortante, por compresión del alma o por deslizamiento de las armaduras) y, al mismo tiempo, mantener la fisuración dentro de los límites razonables.

El mecanismo resistente mediante el cual el hormigón y las armaduras soportan conjuntamente el esfuerzo cortante, en el caso de una viga de sección constante, es el de la celosía de Ritter-Mörsch, en el cual la carga aplicada a la pieza se descompone en una compresión longitudinal en cabeza de la pieza y otra en biela a 45°, que a su vez provoca tracciones longitudinales en la armadura inferior y en la diagonal perpendicular a la biela.

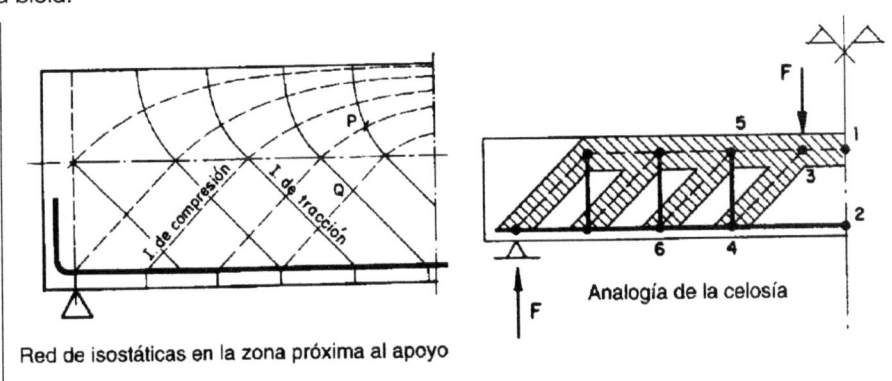

Red de isostáticas en la zona próxima al apoyo   Analogía de la celosía

2.8.2.   Dimensionamiento por el método de rotura

En el dimensionamiento a cortante en la situación de rotura, suele admitirse la colaboración del hormigón, resultando una fórmula en la que se suma la contribución del mismo V_{cu} con la de las armaduras V_{su}. La contribución del hormigón se basa en varios efectos que han sido estudiados ensayando hasta la rotura vigas sin armaduras transversales.

En lo que sigue se estudia el cálculo habitual a esfuerzo cortante en las estructuras convencionales de edificación, es decir, con estribos a 90° cuando es necesaria la armadura de cortante. También se ha adoptado como ángulo de formación de fisuras θ=45°.

La comprobación o dimensionamiento por cortante conlleva la comprobación de que el cortante de cálculo no supera ni la resistencia V_{u1} a compresión oblicua del alma ni la resistencia V_{u2} a tracción del alma.

En virtud de estos efectos, se llega a la conclusión de que el hormigón puede resistir, en la situación de rotura, un esfuerzo cortante **V_{cu}**, cuyo valor, para el caso habitual de piezas de <u>estructuras de edificación armadas con cercos o estribos</u> ortogonales a la directriz tiene el valor:

$$V_{cu} = \frac{0,15}{\gamma_c} \, \xi \left(100\rho_1 \, f_{ck}\right)^{1/3} b \, d$$

siendo $\xi = 1 + \sqrt{\dfrac{200}{d}}$, con d en mm

$\rho_1 = \dfrac{A_s}{b \, d} \leq 0,02$, cuantía geométrica de la armadura longitudinal

traccionada en la sección que se estudia $(\leq 0,02)$

f_{ck} = resistencia característica del hormigón, en N/mm².

La expresión con la que la nueva EHE-08 define la contribución del hormigón **V_{cu}** a la resistencia al esfuerzo cortante es ligeramente distinta de la anteriormente prevista en la EHE de 1998, ya que tiene en cuenta el coeficiente de minoración de la resistencia del hormigón γ_c, (que valdrá 1,5 en caso de acciones persistentes o transitorias o bien 1,3 para acciones accidentales), pero queda bastante claro que para las situaciones más habituales el resultado de dividir 0,15 por este coeficiente nos da un valor de 0,10 que era el que se preveía en la anterior Instrucción.

Para piezas sin armadura de cortante, la comprobación y el dimensionamiento se realizarán de acuerdo a la siguiente fórmula:

$$V_d \leq V_{cu} = \frac{0,18}{\gamma_c} \, \xi \left(100\rho_1 \, f_{ck}\right)^{1/3} b \, d$$

Mientras el esfuerzo cortante de cálculo V_d no supere el valor de V_{cu}, no serían teóricamente necesarias las armaduras transversales.

En el caso de que el cortante de cálculo fuese superior al que resiste el hormigón, se deberán disponer armaduras transversales que resistan un cortante V_{su} de manera que:

$$V_{su} = V_d - V_{cu}$$

Las vigas deben siempre llevar estribos aunque el cortante de cálculo sea inferior al que resiste por sí solo el hormigón.

2.8.3.   El esfuerzo cortante según la Instrucción

El Estado Límite de Agotamiento frente a esfuerzo cortante, tratado en el artículo 44 de la EHE, se puede alcanzar en dos situaciones:

- por agotarse la resistencia **V_{u1}** a compresión oblicua del alma;
- por agotarse la resistencia **V_{u2}** a tracción de la pieza.

Será necesario comprobar, como ya se ha dicho, que se cumple simultáneamente:

$$\boxed{V_d \leq V_{u1}} \qquad y \qquad \boxed{V_d \leq V_{u2}}$$

Obtención de Vu1

El esfuerzo cortante de agotamiento por compresión oblicua del alma se deduce de la siguiente expresión general:

$$V_{u1} = K\, f_{1cd}\, b_0\, d\, \frac{cotg\theta + cotg\alpha}{1 + cotg^2\theta}$$

En el caso específico de los pilares de edificación con dimensiones y solicitaciones habituales, puede adoptarse el valor unidad para el coeficiente **K** y el valor **b₀** será la anchura **b** del pilar. En el caso habitual de que las armaduras formen un ángulo de **α=90º** con el eje de la pieza y se adopte **θ=45º** como ángulo de compresión de las bielas, siendo **d** el canto útil y **f₁cd** el 60% de la resistencia **fcd** de cálculo del hormigón, la expresión general anterior se queda reducida a la siguiente:

$$\boxed{V_d \leq V_{u1} = 0{,}30\, b\, d\, f_{cd}}$$

Obtención de Vu2

El esfuerzo cortante de agotamiento por tracción en el alma, para piezas con armadura de cortante, vale:

$$V_{u2} = V_{cu} + V_{su}$$

siendo V_{cu} la contribución del hormigón a cortante,

V_{su} la contribución de la armadura transversal a cortante.

Para el caso habitual de vigas sometidas a flexión simple o compuesta con armadura transversal dispuesta con **α=90º** (estribos) y siendo **θ=45º**, la contribución del hormigón frente al esfuerzo cortante será la expresada anteriormente y la resistencia de la armadura transversal (valor del cortante absorbido por estribos normales a la directriz de la pieza) será:

$$\boxed{V_{su} = \frac{0{,}9\, d}{s}\, A_{90}\, f_{yd90}}$$

siendo: A_{90} = sección total de un estribo,

f_{yd90} = resistencia de cálculo del acero,

s = separación entre estribos,

d = canto útil de la pieza.

Desde un punto de vista práctico el procedimiento es muy simple: sabiendo cuál es el cortante de cálculo V_d y una vez calculada la contribución V_{cu} de la sección de hormigón frente a cortante, será suficiente entrar en la correspondiente tabla y elegir la disposición de cercos (diámetro y separación) necesaria para resistir el cortante V_{su} remanente.

Otra forma de proceder es la de determinar la separación **s** adecuada para cumplir con el cortante remanente **V$_{su}$** necesario una vez elegido el diámetro de los estribos y la disposición en dos o en cuatro ramas.

Para estribos de dos ramas a separación **s** se puede expresar como:

$$V_{su} = 1{,}41 \frac{d}{s} \phi^2 f_{yd}$$

Siendo ϕ el diámetro del estribo.

Para estribos de cuatro ramas a separación **s** se puede expresar como:

$$V_{su} = 2{,}82 \frac{d}{s} \phi^2 f_{yd}$$

EJEMPLO

Una viga de 30 x 40 cm (b x h), con estribos sencillos (dos ramas ϕ8 a 20 cm de separación y acero B500 S), resiste, exclusivamente con la armadura de cortante:

$$V_{su} = 1{,}41 \frac{370}{200} 8^2 \ 400 = 66.778 \, N = 66{,}78 \, kN$$

2.8.4. Recomendaciones y limitaciones

1° La cuantía mecánica mínima de las armaduras transversales A·f$_{yd}$, para que puedan tenerse en cuenta, no será inferior al 2 por ciento de f$_{cd}$·b ·d, siendo **b** y **d** el ancho y el canto útil de la pieza.

2° Para garantizar la seguridad contra la rotura por compresión oblicua del hormigón, el cortante total de cálculo V$_d$ absorbido por una sección (V$_{cu}$ + V$_{su}$), será:

$$V_d \leq 5 \cdot f_{cv} \cdot b \cdot d$$

en caso de que esta condición no se cumpla, habrá que redimensionar la sección, aumentando el ancho o el canto de la misma.

3° La separación máxima **s** entre estribos deberá cumplir las condiciones siguientes:

si el cortante de cálculo **V$_d$** es inferior a 1/5 del cortante último **V$_{u1}$**, la separación máxima será:

$$s_t \leq 0{,}75 \ d \qquad (\leq 600 \ mm)$$

si el cortante de cálculo está comprendido entre 1/5 y 2/3 del cortante último, la separación máxima será:

$$s_t \leq 0{,}60 \ d \qquad (\leq 450 \ mm)$$

si el cortante de cálculo es superior a 2/3 del cortante último, la separación máxima deberá ser:

$$s_t \leq 0{,}30 \ d \qquad (\leq 300 \ mm)$$

En el caso de que, además, exista armadura longitudinal de compresión y se tenga en cuenta en el cálculo, la separación, como ya se ha dicho anteriormente, no deberá ser superior a 15 veces el diámetro de la misma y su diámetro no podrá ser inferior a la cuarta parte del diámetro de la armadura de compresión. Si la armadura comprimida es sólo de montaje (con $\phi \leq 20$ mm), esta última condición se puede eludir.

Para simplificar la ferralla es recomendable usar sólo estribos de dos ramas y emplear separaciones de 150, 200, 250 y 300 mm. Colocar los estribos a menos de 150 mm puede crear problemas, especialmente si a la viga se enlazan viguetas de forjado. La mejor solución es parearlos.

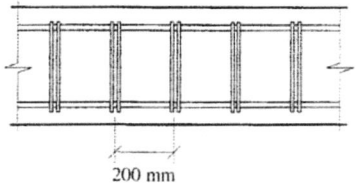

200 mm

a) Estribos dobles a 200 mm

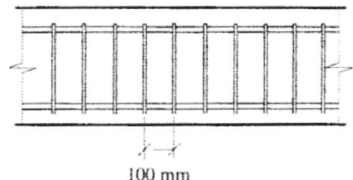

100 mm

b) Estribos simples a 100 mm

De esta forma se facilita la puesta en obra. En piezas anchas (0,5 m o más) puede ser adecuado distribuir los estribos en la sección disponiendo 4 ramas, de manera que permitan rigidizar la ferralla.

2.9. DISPOSICIONES RELATIVAS A LAS ARMADURAS

2.9.1. Generalidades

Si existen armaduras pasivas en compresión, para poder tenerlas en cuenta en el cálculo será preciso que vayan sujetas por cercos o estribos, cuya separación s_t y diámetro ϕ_t sean:

$s_t \leq 15\, \phi_{min}$ (ϕ_{min} diámetro de la barra comprimida más delgada)

$\phi_t \geq \frac{1}{4}\, \phi_{máx}$ ($\phi_{máx}$ diámetro de la armadura comprimida más gruesa)

Para piezas comprimidas, en cualquier caso, s_t debe ser inferior que la dimensión menor del elemento y no mayor que 30 cm.

La armadura pasiva longitudinal resistente, o la de piel, habrá de quedar distribuida convenientemente para evitar que queden zonas de hormigón sin armaduras, de forma que la distancia entre dos barras longitudinales consecutivas (s) cumpla las siguientes limitaciones:

$s \leq 30$ cm.

$s \leq$ tres veces el espesor bruto de la parte de la sección del elemento, alma o alas, en las que vayan situadas.

En zonas de solapo o de doblado de las barras puede ser necesario aumentar la armadura transversal.

Para que los cercos arriostren eficazmente la armadura longitudinal, es preciso que sujeten realmente las barras longitudinales en compresión, evitando su pandeo. Así, por ejemplo, si en un soporte la armadura longitudinal se dispone en las esquinas y también a lo largo de las caras, para que las barras centrales queden realmente sujetas, habrá que adoptar disposiciones del tipo de las que se indican en la figura siguiente, sujetando al menos una de cada dos barras consecutivas de la misma cara y todas aquellas que se dispongan a una distancia mayor de 15 cm.

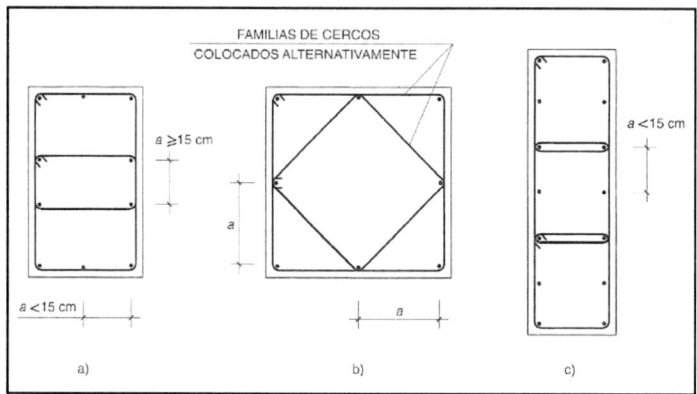

En los bordes o extremos de estos elementos convendrá disponer armadura transversal suficiente atando todos los nudos.

2.9.2. Flexión simple o compuesta

1) Armadura longitudinal

La separación entre armaduras longitudinales, sean resistentes o de piel y con independencia de que sean tenidas en cuenta o no en el cálculo, ha de ser menor de 300 mm.

La regla de utilizar el menor número de barras del mayor diámetro posible debe regir en el proyecto, pero con los condicionantes de adherencia y fisuración que no nos lleven a unos diámetros excesivamente gruesos.

Las condiciones de separación mínima entre barras longitudinales vienen dadas por razones de facilidad de puesta en obra y hormigonado. El criterio general es permitir el correcto hormigonado del elemento, de manera que todas las barras queden envueltas por el hormigón y éste se pueda vibrar.

La distancia libre, horizontal y vertical, debe cumplir los siguientes mínimos:

- 2 centímetros,
- el diámetro de la barra más gruesa,
- 1,25 veces el tamaño máximo del árido.

En resumen, existen dos reglas prácticas esenciales para un proyecto correcto:

Regla 1: El ancho de la viga y la disposición de armaduras deben elegirse pensando en la facilidad constructiva de los nudos. Por ejemplo emplear el mismo ancho de viga y pilar conduce a complicaciones graves en la ferralla del nudo.

Regla 2: El vibrador debe poder descender en vertical hasta la capa inferior de la armadura de la cara inferior de la pieza (mejor si el vibrador puede llegar hasta el encofrado de la cara inferior de la viga). El vibrador usualmente empleado es de 50 mm de diámetro, lo cual conduce a una separación libre de unos 6 cm si tenemos en cuenta los resaltos de las barras.

Las figuras siguientes indican soluciones incorrectas y correctas de acuerdo con la regla 2.

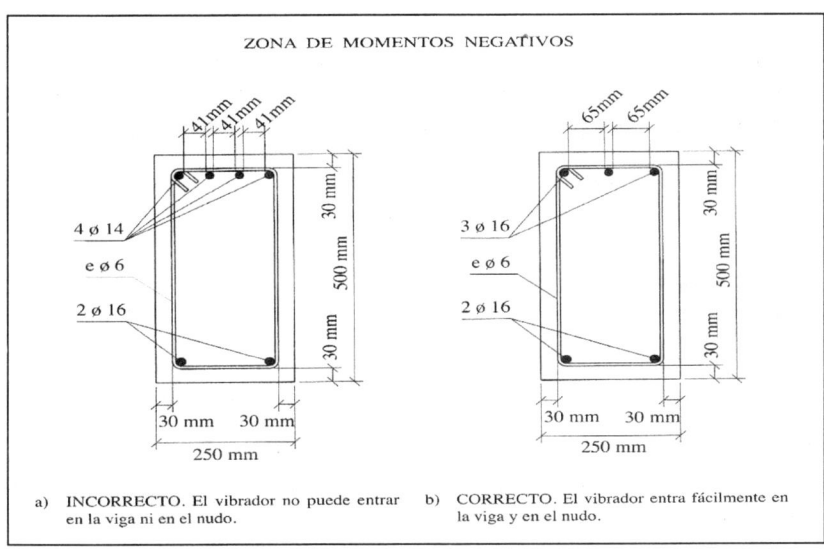

ZONA DE MOMENTOS NEGATIVOS

a) INCORRECTO. El vibrador no puede entrar en la viga ni en el nudo.

b) CORRECTO. El vibrador entra fácilmente en la viga y en el nudo.

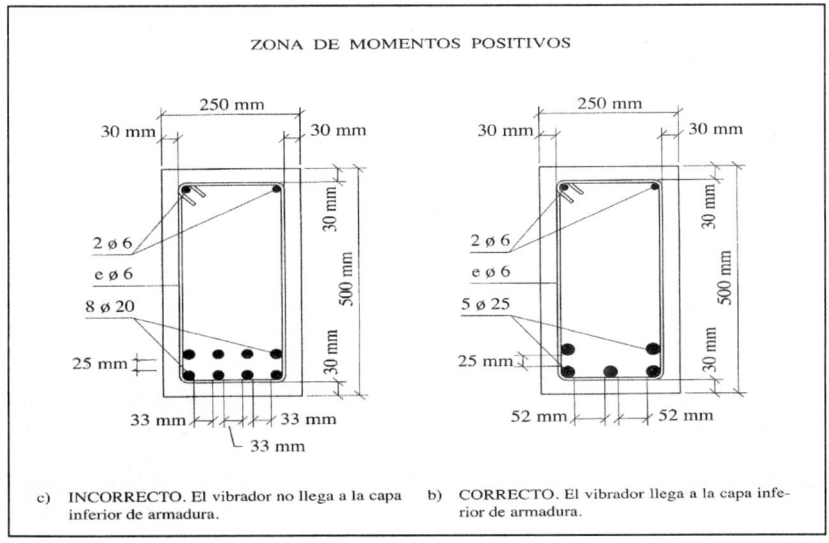

ZONA DE MOMENTOS POSITIVOS

c) INCORRECTO. El vibrador no llega a la capa inferior de armadura.

b) CORRECTO. El vibrador llega a la capa inferior de armadura.

2) Separación y forma de cercos

Para que una armadura comprimida se pueda considerar en el cálculo, deben disponerse estribos con una separación máxima de 15 Φ_{min}, siendo Φ_{min} el diámetro de la barra más fina considerada en el cálculo. Esta condición hace que no sea interesante tener en cuenta en el cálculo la armadura de montaje si es de pequeño diámetro.

La separación máxima de estribos será, como en el caso de compresión simple o compuesta, igual a la menor dimensión de la sección transversal de la pieza, siempre que no supere los 300 mm. Además habrá que cumplir con las limitaciones por cortante, tal y como se verá y en su caso, por punzonamiento y torsión.

3) Cuantías mínimas

Las armaduras de los elementos sometidos a flexión simple, según se deduce del Artículo 42° de la EHE-08, deberán cumplir con las siguientes cuantías geométricas mínimas, expresadas en tanto por mil del área de la sección bruta de hormigón:

Elemento	B 400S	B 500S
Vigas (armadura de tracción)	3,3	2,8
Vigas (armadura de compresión)	1,0	0,84
Losas y zapatas (armadura longitudinal)	2,0	1,8
Losas y zapatas (armadura transversal)	2,0	1,8

La cuantía de losas se repartirá en las dos caras.

En el caso de losas de cimentación y zapatas armadas, se adoptará la mitad de estos valores en cada dirección, dispuestos en la cara inferior.

Las cuantías mecánicas mínimas se establecen para evitar que la resistencia de la pieza como elemento de hormigón en masa sea mayor que la de la pieza armada fisurada. Es decir, que controlan la rotura frágil del elemento, que se produciría sin deformaciones apreciables y sin fisuración de aviso.

Deberá disponerse, por lo tanto, una armadura suficiente para resistir una fuerza de tracción igual a la del bloque traccionado de la sección no fisurada.

Para secciones rectangulares sometidas a flexión simple, cuando la resistencia del hormigón es inferior a 50 N/mm², la cuantía mecánica mínima a tracción será:

$$A_s \geq 0,04 \, A_c \, \frac{f_{cd}}{f_{yd}}$$

siendo A_c el área de la sección total del hormigón.

Este límite se puede reducir hasta el valor $\boxed{\alpha \, A_s}$ donde el coeficiente α vale, para secciones rectangulares: $\boxed{\alpha = 1,5 - 12,5 \, \dfrac{A_s f_{yd}}{A_c f_{cd}}}$

Para secciones armadas sometidas a flexión compuesta, las fórmulas anteriores, que no tienen en cuenta el efecto del axil, son conservadoras.

Para el caso de muros con juntas de hormigonado a menos de 7,5 m, las cuantías geométricas mínimas en tanto por mil de la sección bruta de hormigón serán:

Elemento	B 400S	B 500S
Armadura vertical en la cara de tracción	1,2	0,9
Armadura vertical en cara de compresión	0,4	0,3
Muro visto por las dos caras		
Armadura horizontal en cada cara (*)	1,0	0,8
Muro visto a una cara		
Armadura horizontal en cara vista (*)	1,3	1,1
Armadura horizontal en cara no vista (*)	0,7	0,5

(*) En el caso de juntas a distancia mayores de 7,5 m habrá que aumentar estas cuantías al doble.

La armadura mínima de <u>compresión</u> para los casos de flexión compuesta, debe ser tal que pueda resistir un esfuerzo del 5% del axil de cálculo:

$$A'_s f_{yd} \geq 0,05\, N_d$$

siendo A'$_s$ la sección de la armadura comprimida.

2.9.3.   Compresión simple y compuesta

1) <u>Armadura longitudinal. Cuantías mínimas</u>

En las secciones sometidas a compresión simple o compuesta, las armaduras principales en compresión A'$_{s1}$ y A'$_{s2}$ deberán cumplir las condiciones siguientes:

- deberán ser capaces de soportar al menos el 5% del esfuerzo axil de cálculo,

- no podrán superar el 50% de la capacidad mecánica de la sección de hormigón.

Esto se traduce en las siguientes expresiones de cuantías <u>mecánicas</u>:

$$A'_{s1}\, f_{yd} \geq 0,05\, N_d \qquad A'_{s2}\, f_{yd} \geq 0,05\, N_d$$

$$A'_{s1}\, f_{yd} \leq 0,5\, f_{cd} A_c \qquad A'_{s2}\, f_{yd} \leq 0,5\, f_{cd} A_c$$

donde:

f_{yd} Resistencia de cálculo del acero a compresión (<= 400 N/mm²)

N_d Esfuerzo normal mayorado (axil de cálculo) en compresión

f_{cd} Resistencia de cálculo del hormigón en compresión

A_c Área de la sección total de hormigón

En los casos de compresión simple con armadura simétrica, las cuatro fórmulas limitativas quedan reducidas a:

$$A'_s\, f_{yd} \geq 0{,}1 N_d \qquad\qquad A'_s\, f_{yd} \leq f_{cd} A_c$$

siendo A_{1s} la sección total de las armaduras longitudinales comprimidas.

La máxima tensión de cálculo posible en el acero es de 400 N/mm², lo que nos lleva a suponer que si utilizamos acero B 500S podemos estar desaprovechando ligeramente el material en piezas a compresión. Caben entonces tres posibilidades:

- Utilizar acero B400S en toda la estructura.

- Utilizar acero B400S en elementos a compresión y B500S en elementos a flexión.

- Utilizar acero B500S en toda la estructura.

La primera solución es más cara. La segunda es ligeramente más costosa que la tercera y suele dar lugar a errores en obra si no se utilizan sistemas de ferralla industrial. La tercera solución es la más adecuada para el conjunto de la obra aunque se desaproveche una parte de la capacidad resistente del acero.

Por lo que se refiere a la cuantía geométrica mínima, por razones de retracción y de temperatura y con independencia del límite elástico del acero empleado, deberá cumplir con la siguiente expresión, válida para pilares:

$$A_{s,min} = 0{,}004 \cdot A_c$$

siendo A_c el área bruta de la sección de hormigón.

2) Disposición de armaduras

Reglas de armado con número mínimo de barras.

Tanto desde el punto de vista económico como de sencillez de armado, de reducción de número de barras y de facilidad de vertido, interesa disponer la armadura longitudinal con el mínimo número de barras, es decir, con el máximo diámetro posible, que también vendrá limitado por condiciones de adherencia, fisuración, anclaje y empalme.

Colocación de la armadura longitudinal.

Igual que en el caso general, la separación entre armaduras longitudinales, sean resistentes o de piel y con independencia de que sean tenidas en cuenta o no en el cálculo, ha de ser de:

≤ 300 mm.

≤ tres veces el espesor bruto del elemento en la zona en que van situadas.

Su diámetro mínimo será de 12 mm.

En el caso de secciones circulares, el número mínimo de barras será de 6 para la armadura principal.

Es importante, sobre todo si se utilizan grupos de barras, elegir una combinación de anchos de pilar y de viga que permita resolver adecuadamente el cruce de armaduras de ambas piezas en los nudos.

Separación y forma de los cercos.

La función esencial de los cercos es confinar transversalmente el hormigón para proporcionar una cierta ductilidad a la pieza comprimida. Asimismo limitan el riesgo de pandeo de las barras de la armadura longitudinal.

Si la pieza requiere armadura transversal para resistir además esfuerzos cortantes, los cercos pasan a llamarse estribos. Para poder tener en cuenta en el cálculo la armadura longitudinal comprimida, se deberán cumplir las siguientes condiciones:

-    La separación máxima s_t de cercos o estribos debe ser:

    o $\leq 15\ \Phi_{min}$ (Φ_{min} es el diámetro de la barra más fina de la armadura longitudinal).

    o $\leq$ la menor dimensión de la sección transversal de la pieza

    o ≤ 300 mm.

-    El diámetro de los estribos Φ_t debe ser:

    o $\geq$ la cuarta parte del diámetro de la barra más gruesa ($\Phi_{máx}/4$).

Si por cualquier motivo los estribos se disponen a separación menor que la máxima indicada, bastará que el diámetro cumpla la condición:

$$\phi_t \geq \frac{\phi_{max}}{4} \sqrt{\frac{s_t}{15\ \phi_{min}}}$$

Para que las barras longitudinales comprimidas, separadas más de 150 mm entre sí, se puedan tener en cuenta en el cálculo, es preciso que todas vayan sujetas por estribos. Si la separación es inferior a 150 mm, será suficiente con que se arriostren una sí y otra no.

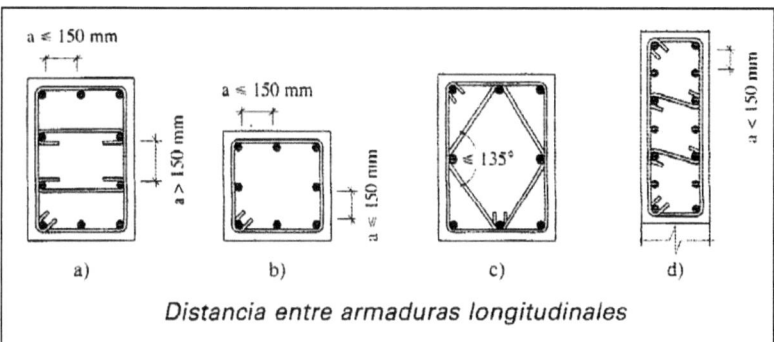

Distancia entre armaduras longitudinales

Las pantallas requieren consideración especial. Como regla general deben atarse con estribos una de cada dos barras verticales, alternando estos puntos de atado tanto vertical como horizontalmente.

En la figura siguiente se exponen distintos tipos de armado para secciones de pilares.

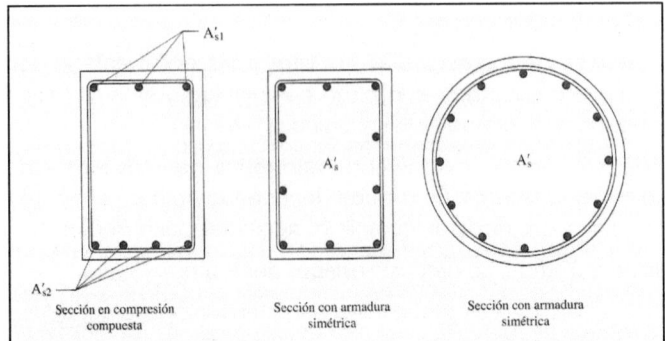

La forma recomendada de cierre de los estribos, así como sus longitudes y radios de doblado, se indican en la figura siguiente.

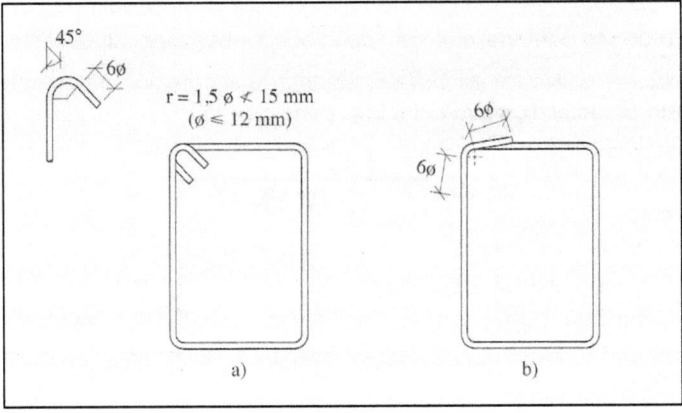

3. LOS ELEMENTOS ESTRUCTURALES

3.1. ELEMENTOS DE CIMENTACIÓN

3.1.1. Introducción

Los elementos de cimentación que contempla la Instrucción EHE-08 se reducen prácticamente a las llamadas <u>cimentaciones superficiales</u>.

Bajo la denominación de cimentaciones superficiales se engloban las zapatas, los encepados y las losas de cimentación como elementos de transmisión de cargas al terreno a través de superficies de apoyo considerablemente más grandes que su canto o dimensión vertical. Tanto a las losas de cimentación como a las vigas de centrado y atado, y sobre todo a los pilotes, la EHE-08 –como las anteriores instrucciones de hormigón– no les otorga excesiva atención, limitándose a hacer referencias al cumplimiento de artículos de tipo general (estados límite y requisitos para placas, vigas y pilares respectivamente), sin profundizar en aspectos específicos de estos elementos.

La profundidad del plano de apoyo suele ser reducida (generalmente menor de 3 metros), especialmente en el caso de las zapatas, al contrario de lo que sucede en el caso de los pilotes que, por su penetración en el terreno, reciben el nombre de cimentaciones profundas.

1) <u>Clasificación de las cimentaciones de hormigón estructural</u>

Los encepados y zapatas de cimentación pueden clasificarse en rígidos y flexibles. Este concepto de rigidez se refiere a la estructura y no presupone comportamiento específico alguno sobre la distribución de tensiones en el terreno.

En la siguiente tabla se exponen algunos ejemplos de esta clasificación.

	Rígidas	**Flexibles**
Método de cálculo más apropiado	Bielas y tirantes	Teoría general de flexión
Ejemplos	Encepados con v<2h en la dirección de más vuelo. Zapatas con v<2h en la dirección de más vuelo. Pozos de cimentación. Elementos masivos de cimentación.	Encepados con v≥2h en la dirección de menor vuelo. Zapatas con v≥2h en la dirección de menor vuelo. Losas de cimentación. Vigas de cimentación.

En las cimentaciones de tipo rígido, la distribución de las deformaciones a nivel de sección no es lineal, y por tanto el método general de análisis más adecuado es el de bielas y tirantes. No es necesaria la comprobación a cortante. La armadura inferior de zapatas rígidas también se puede comprobar por el método de zapatas flexibles.

En las cimentaciones de tipo flexible la distribución de deformaciones a nivel de sección se puede considerar lineal, por lo que es de aplicación la teoría general de flexión. Es necesaria la comprobación a cortante y a punzonamiento.

2) Tipología de zapatas

Las zapatas pueden clasificarse en tipos, atendiendo a distintos conceptos: por su forma de trabajo, por su morfología o por su forma en planta.

a) En lo referente a su forma de trabajo pueden clasificarse en:

- Aisladas.

- Combinadas.

- Continuas bajo pilares.

- Continuas bajo muros.

- Arriostradas o atadas.

b) Atendiendo a su morfología pueden ser:

- Rectas.

- Escalonadas.

- Ataluzadas.

c) En cuanto a su forma en planta, pueden ser:

- Rectangulares o cuadradas.

- Circulares.

- Poligonales.

Aunque en la mayor parte de los casos, y buscando una mayor facilidad constructiva, las zapatas se construyen de canto recto y con forma en planta cuadrada o rectangular.

3) Criterios generales de proyecto

Los elementos de cimentación se dimensionarán para resistir las cargas actuantes y las reacciones inducidas. Para ello será necesario que las solicitaciones sobre el elemento se transmitan íntegramente al terreno (caso de zapatas) o a los pilotes en que se apoya (caso de los encepados).

- Comprobación de tensiones en el terreno.

Se utilizan los valores **de servicio** de las acciones exteriores que actúan sobre el terreno: todas las cargas transmitidas por la cimentación, incluido el peso propio de la misma y el peso de las tierras, así como las cargas uniformes repartidas por encima del plano de cimentación.

- Comprobación estructural del cimiento.

Se considera la reacción del suelo a las acciones **mayoradas** transmitidas por la cimentación, descontando el peso propio de la misma y las cargas uniformes por encima del plano de cimentación.

3.1.2.   Zapatas aisladas centradas

1) <u>Predimensionamiento de la zapata</u>

El <u>dimensionamiento en planta</u> de una zapata rectangular o cuadrada, es decir, la superficie de contacto con el terreno, depende de la distribución de presiones en dicha superficie. Esta superficie se obtiene a partir de las acciones que la zapata debe transmitir al terreno, y que son las siguientes:

- **Debidas a la estructura:**
    - a)   Esfuerzo normal, N.
    - b)   Momentos en una o en dos direcciones, M_x, M_y.
    - c)   Esfuerzos cortantes en una o en dos direcciones, V_x, V_y.
- **Debidas al cimiento y a las tierras:**
    - a)   Peso propio de la zapata, N_z.
    - b)   Peso de las tierras que descansan sobre la zapata, N_p.

Estas acciones, por traslado vertical a la base del cimiento, quedan, a efectos de cálculo, reducidas a:

- Esfuerzo normal $N_1 = N+N_z+N_p = N+P$

- Momentos: $M_{x1} = M_x \pm V_y \cdot h$ $M_{y1}=M_y \pm V_x \cdot h$

Los esfuerzos cortantes en la base de la zapata son, en general, acciones horizontales que deben ser absorbidas por rozamiento entre terreno y zapata.

Las acciones indicadas se toman siempre **sin mayorar**, prescripción que está recogida en la Instrucción. Por lo tanto, si para la ponderación de las acciones de una estructura se han adoptado unos coeficientes γ_f, bastará con dividir los valores de cálculo por esos mismos coeficientes.

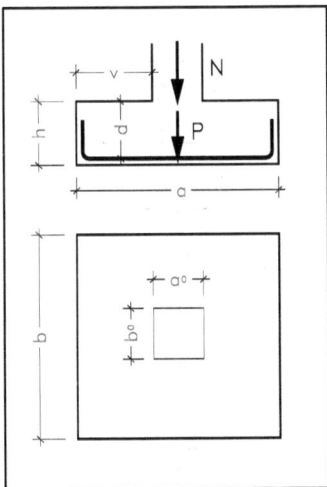

Las dimensiones en planta serán tales que, bajo cargas centradas, la tensión transmitida al terreno no sobrepase la tensión admisible (σ_{adm}) dada en el estudio geotécnico. Bajo cargas excéntricas (teniendo en cuenta los momentos flectores característicos de las acciones) la tensión máxima transmitida al terreno deberá ser inferior a 1,25 σ_{adm} siempre que la tensión media no supere σ_{adm}.

El área A necesaria para una zapata sometida a carga centrada se deduce directamente de la expresión:

$$A = ab \geq \frac{N+P}{\sigma_{adm}}$$

Al no conocer inicialmente el peso **P** de la zapata, es

necesario efectuar tanteos suponiendo que el peso propio es una fracción de la carga (entre el 8 y el 10% de **N**).

Para determinar las dimensiones a y b de la zapata, considerando el peso propio de la misma y el peso de las tierras por encima de ellas como un porcentaje de la carga total N, de la expresión anterior se obtiene, para zapatas cuadradas:

$$a = \sqrt{\frac{N+P}{\sigma_{t.adm}}}$$

y para rectangulares, fijando previamente una relación entre lados a = n·b:

$$b = \sqrt{\frac{N+P}{n\,\sigma_{t.adm}}}$$

En el caso de zapatas rectangulares no es aconsejable sobrepasar la relación a = 2·b.

El canto de la zapata viene dado por su dimensionamiento como pieza de hormigón (cálculo estructural). Por razones económicas **el canto debe ser el menor posible**, siendo el óptimo aquél por debajo del cual es necesaria la armadura de cortante. Para evitar tanteos y comprobaciones a cortante y punzonamiento en la mayoría de los casos, se recomienda adoptar un canto útil:

$$\boxed{d \geq v/1,5}$$

donde **v** es el mayor de los vuelos en las dos direcciones, en metros.

El canto mínimo no será inferior a 35 cm para zapatas aisladas hormigón en masa ni de 25 cm para hormigón armado. Por otros motivos (anclajes de esperas, patillas, etc.) es recomendable no bajar de 40 cm de canto total. Para los encepados sobre pilotes el canto mínimo será de 40 cm.

2) Distribución de presiones en el terreno

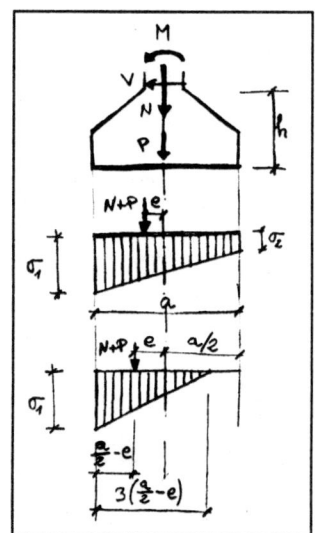

El caso más general de carga, teniendo ya en cuenta el peso de la zapata y del terreno que descansa sobre ella, corresponde a una carga vertical y a momentos en dos direcciones, aunque por la propia configuración de las cargas en estructuras de edificios, uno de los dos momentos suele ser de menor importancia.

La mayoría de las zapatas de edificación se calculan con carga centrada, ya que los momentos son pequeños en relación con la resultante de cargas **N + P**.

Si sobre una zapata rectangular de dimensiones **a x b** en planta actúan un axil N y un momento M paralelo a la dimensión **a**, produciendo una excentricidad reducida de valor $\boxed{e \leq a/6}$ en una dirección, se obtiene una distribución trapecial y las presiones máxima y mínima en los bordes de la zapata son, teniendo en cuenta el volumen del prisma trapecial de tensiones:

$$\sigma_2^1 = \frac{\Sigma N}{A} \pm \frac{M}{W} \quad \text{es decir :} \quad \sigma_2^1 = \frac{N+P}{ab} \pm \frac{6M}{ba^2}$$

que también puede expresarse:
$$\boxed{\sigma_2^1 = \frac{N+P}{ab}\left(1 \pm \frac{6e}{a}\right)}$$

y debe verificarse: $\sigma_1 \le 1{,}25\sigma_{adm}$

Si la carga actúa con una excentricidad $\boxed{e > a/6}$ cae fuera del tercio central de inercia y tenemos una distribución triangular donde, para que exista equilibrio, la resultante de las tensiones en el terreno tendrá que ser igual a la suma de acciones N+P y estar alineado con ella, es decir:

$$R = \frac{1}{2}(3 c\, \sigma_{max})b = N+P$$

$$\text{siendo :} \quad e = \frac{M}{N+P} \quad y \quad c = \frac{a}{2} - e$$

La presión máxima será, teniendo en cuenta el volumen del prisma triangular de tensiones:

$$\boxed{\sigma_1 = \frac{4}{3}\frac{N+P}{(a-2e)b}}$$

3) <u>Comprobación al vuelco y al deslizamiento</u>

- Cuando una zapata está sometida a momentos o fuerzas horizontales importantes se debe comprobar la <u>seguridad al vuelco</u>, a menos que los elementos estructurales que sustentan impidan dicho vuelco. La condición que se impone es que los momentos estabilizadores de las fuerzas exteriores superen a los momentos de vuelco:

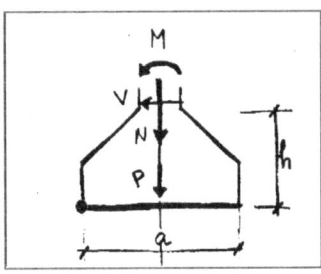

$$(N+P)^* a/2 \ge (M + Vh)\, C_{sv}$$

siendo: N, M, V = solicitaciones en la cara superior de la zapata

P = peso propio de la zapata

a, h = ancho y altura total de la zapata

C_{sv} = coeficiente de seguridad al vuelco, de valor 1,5

- Cuando una zapata no está arriostrada y está sometida a acciones horizontales importantes se comprobará la <u>seguridad al deslizamiento</u>. En este caso la fuerza estabilizante deberá superar un coeficiente de 1,5 veces la desestabilizante, según las expresiones:

para suelos cohesivos (arcillas):

$$A\, c_d \ge C_{sd}\, V$$

para suelos no cohesivos (arenas):

$$(N+P)\ tg\ \varphi_d \geq C_{sd}\ V$$

siendo: N, V = axil, y cortante en la cara superior de la zapata

P = peso propio de la zapata

A = superficie en planta de la zapata

C_{sd} = coeficiente de seguridad al deslizamiento, de valor 1,5

c_d = valor minorado de la cohesión del terreno (0,5 c)

φ_d = valor minorado del ángulo de rozamiento interno ($2\varphi/3$)

4) <u>Zapatas de hormigón en masa</u>

El canto **h** de una zapata se elige por consideraciones económicas. A mayor canto resultan necesarias menores armaduras, pudiendo incluso hacerse la zapata de hormigón en masa para cargas pequeñas, como veremos a continuación. Se recomienda que el vuelo no supere el canto total (v ≤ h).

Las zapatas normalmente llevan una armadura principal de tracción paralela a la cara inferior del cimiento, constituida por barras en ambas direcciones. Se deben emplear redondos de diámetro 12 mm o superior cuya separación no supere los 30 cm.

Las dimensiones de las zapatas se eligen normalmente de forma que no se necesite armadura de cortante, como veremos después.

Para el **cálculo de las armaduras principales** se define la sección de referencia S_1 situada a una distancia $0,15 \cdot a_0$ de la cara del soporte o muro (siendo a_0 el espesor de dicho soporte o muro). En la sección S_1 se obtiene el momento flector de cálculo M_d producido por la ley de tensiones σ_t del terreno sobre la zapata, calculada sin tener en cuenta el peso propio de la misma. De esta forma se calcula la zapata como una ménsula invertida, empotrada en la sección S_1 y sometida a las tensiones del terreno.

El momento flector de cálculo en la sección 1-1 será:

$$M_d = \frac{1}{2}\sigma_t\ b\left(v + 0{,}15a_0\right)^2$$

Si queremos conocer la necesidad o no de armar el cimiento, obtendremos la tensión σ_{ct} de tracción del hormigón en la cara inferior de la zapata, supuesta sin armar:

$$\sigma_{ct} = \frac{M_{d1}}{W_1} = \frac{6\,M_d}{b\,h^2}$$

siendo: M_{d1} = momento flector mayorado en la sección S_1

W_1 = momento resistente de la sección S_1

y la comparamos con la resistencia de cálculo a tracción del hormigón:

$$f_{ct,d} = \frac{0{,}21\sqrt[3]{f_{ck}^2}}{\gamma_c}$$

Si la tensión de tracción es inferior a la resistencia a flexotracción, no es necesaria la armadura y la zapata puede hacerse de hormigón en masa. En caso contrario, se dimensionan las armaduras necesarias en la sección S_1 que trabaja según el modelo de bielas y tirantes o bien a flexión simple, como veremos a continuación.

EJERCICIOS DE ZAPATAS AISLADAS

1) Dimensionar en planta una zapata cuadrada aislada, cargada con N=100 T para un terreno de tensión admisible σ_{adm}=2 Kp/cm². La sección del pilar es de 0,40x0,40 metros. Hormigón HA-25.

Solución. Estimamos en un 10% de N el peso de la zapata, con lo cual:

$$N_1 = 110T \quad \sigma = N_1 / a^2 \quad a = \sqrt{110/20} = 2,35 \, m$$

Redondeamos a 2,40 m

2) Estimar el canto de la zapata del ejercicio anterior para que cumpla a cortante sin necesidad de armaduras de cortante.

Solución. Determinamos el vuelo:

$$v = (a' - a) / 2 = (2,40 - 0,40) / 2 = 1,00 \, m.$$

Estimamos el canto útil de la zapata en:

$$d = \frac{v}{2} = \frac{1,00}{2} = 0,50 \, m$$

con un recubrimiento de 5 cm el canto total será: $\boxed{h \cong 0,55 \, m}$.

3) ¿Cuáles serían las tensiones sobre el terreno si la zapata del primer ejercicio estuviera además sometida a un momento M_x=20m·t?

Solución. Calculamos el peso real de la zapata con h = 0,55 m:

$$P = 2,5x2,40^2x0,55 = 7,92 \, T; \quad N_1 = N+P = 107,92 \, T$$

Comprobamos si la resultante cae en el tercio central, calculando la excentricidad e_x:

$$e_x = M_x/N_1 = 20/107,92 = 0,185 \, m$$

$$a/6 = 2,40/6 = 0,40 \, m$$

Está dentro, luego la ley de presiones es trapecial, con valores:

$$\sigma_{min}^{max} = \frac{N_1}{a^2}\left(1 \pm \frac{6e_x}{a}\right) = \frac{107,92}{2,40^2}\left(1 \pm \frac{6x0,185}{2,40}\right)$$

σ_{max} = 27,40 T/m² > 1,25 σ_{adm}

σ_{min} = 10,07 T/m² > 0 (no tiende a separarse del terreno)

(Sería necesario aumentar las dimensiones de la zapata hasta 2,50 X 2,50 m).

4) Comprobar la zapata frente al vuelco, teniendo en cuenta que recibe, además, un cortante de 12,5 T del pilar.

Solución. La condición debe ser:

$$(N+P)\frac{a}{2} \geq (M+V\,h)\,C_{sv}$$

con $C_{sv} = 1,5$ es decir:

$$(N+P)\frac{a}{2} = 107,92x\frac{2,40}{2} = 129,50 \text{ m·T}$$

$$(M+V\,h)\,C_{cv} = (20+12,5x0,55)x1,5 = 40,31\,\text{m·T}$$

$\boxed{\text{CUMPLE}}$ frente al vuelco.

5) ¿Cuál sería el canto necesario para que la zapata se pudiera ejecutar en masa?

Solución. Calculamos la presión mayorada del terreno sobre la zapata:

$$\sigma_t = \gamma_f \cdot N/a^2 = 1,5x100/2,40^2 = 26,04 \cong 26 \text{ T/m}^2$$

Hallamos el momento de cálculo:

$$M_d = \frac{\sigma_t}{2}b(v+0,15a_0)^2 = \frac{26}{2}x2,40x(1,00+0,15x0,40)^2 = 33,07 \text{ m·T}$$

Calculamos la resistencia a flexotracción del hormigón:

$$f_{ct,d} = \frac{0,21\sqrt[3]{f_{ck}^2}}{\gamma_c} = \frac{0,21\sqrt[3]{25^2}}{1,5} = 1,20 \text{ N/mm}^2 = 12 \text{ Kp/cm}^2 = 120 \text{ T/m}^2$$

La condición debe ser:

$$\sigma_{ct} = \frac{M_d}{W} = \frac{6M_d}{b\,h^2} \leq f_{ct,d}$$

es decir:

$$h = \sqrt{\frac{6\,M_d}{b\,f_{ct,d}}} = \sqrt{\frac{6x33,07}{2,40x120}} = 0,83 \text{ m}$$

Se podría adoptar un canto total $\boxed{h = 0,90 \text{ m}}$.

---

5) Cálculo estructural del cimiento

El cimiento como elemento estructural debe dimensionarse y en su caso armarse considerando los valores ponderados de las solicitaciones debidas a las reacciones del terreno, es decir, afectando estas solicitaciones por el coeficiente de mayoración de cargas.

Puede admitirse, para simplificación del cálculo, que las tensiones en el terreno son uniformes, con valor $\gamma_f \cdot \sigma_t$, siendo σ_t el valor máximo de las tensiones calculadas en el terreno, con lo que se cometerán pequeños errores, pero siempre del lado de la seguridad.

Las proporciones de las zapatas y su forma de trabajar como elemento único hacen que su estudio no sea equiparable a los modelos habituales, sin embargo, considerando cada sección por separado, podemos calcularlas como ménsulas solicitadas por la reacción del terreno.

En las zapatas de hormigón armado se admite que la forma de trabajo es diferente, según sea la relación entre vuelo **v** y canto **h**. En las zapatas de poco canto en relación con el vuelo, el mecanismo es el clásico de flexión, donde una zona central trabaja como bielas de compresión y el resto trabaja a flexión, mientras que en zapatas con poco vuelo la zona exterior que trabaja a flexión se reduce o se anula, quedando únicamente la zona central que trabaja como bielas en abanico.

Las zapatas reciben en la Instrucción EHE-08 vigente la denominación de zapatas **rígidas** (con vuelo **v** hasta 2 veces el canto total **h**), y zapatas **flexibles** (con vuelo **v** superior a 2 veces el canto **h**). En lo referente a cálculo estructural, según EHE, las zapatas rígidas de estudian por el método de bielas y tirantes y las flexibles se arman según el método a flexión, aunque aquéllas se pueden comprobar   también por este procedimiento.

A continuación se establecen los distintos cálculos y comprobaciones que se deben efectuar para ambos tipos de zapatas en hormigón armado.

6) Zapatas rígidas. Cálculo de la cimentación

El modelo a tener en cuenta en cada una de las direcciones de la zapata que se considera rígida será el de bielas y tirantes, según se refleja en la figura adjunta.

La armadura necesaria para resistir T_d será:

$$T_d = \frac{R_{1d}}{0,85 \cdot d} \cdot \left(x_1 - \frac{a_1}{4}\right) = A_s \cdot f_{yd}$$

donde las incógnitas x_1 y x_2 son:

x_1 = distancia del eje de la zapata hasta el centro de gravedad del área B-C-E-F.

x_2 = distancia del eje de la zapata hasta el centro de gravedad del área F-E-D-A.

no pudiendo ser la resistencia de cálculo de las armaduras f_{yd} superior a 400N/mm².

En el caso que nos ocupa, las distancias son las siguientes (centro de gravedad de un trapecio):

$$x_2 = \frac{a}{6}\left(\frac{2 \cdot \sigma_{2d} + \sigma_{med}}{\sigma_{2d} + \sigma_{med}}\right)$$

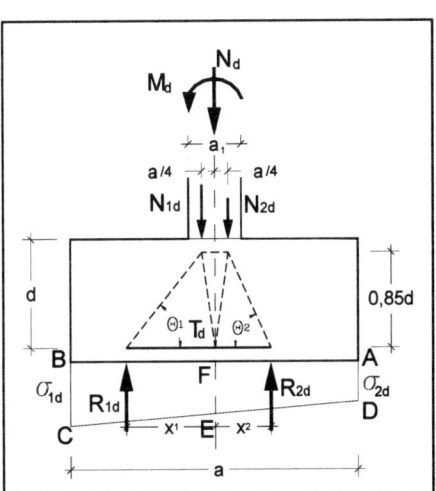

$$x_1 = \frac{a}{2} - \frac{a}{6}\left(\frac{2 \cdot \sigma_{med} + \sigma_{1d}}{\sigma_{med} + \sigma_{1d}}\right)$$

Siendo: $\sigma_{med} = \dfrac{N_d}{a}$

Las resultantes R_{1d} y R_{2d} de las presiones del terreno sobre las dos semizonas se deben igualar con las cargas N_{1d} y N_{2d} que actúan sobre cada parte del sistema y su valor es:

$$R_{1d} = \frac{N_d}{2} + \frac{2M_d}{a_1} = N_{1d} \qquad R_{2d} = \frac{N_d}{2} - \frac{2M_d}{a_1} = N_{2d}$$

La Instrucción EHE recomienda un diámetro mínimo de 12 mm para las armaduras de cimentación.

<u>Zapata rígida con carga centrada</u>

En el caso de una carga centrada, el modelo a tener en cuenta en cada una de las direcciones de la zapata que se considera rígida será el de bielas y tirantes con el esquema simplificado que se expone a continuación.

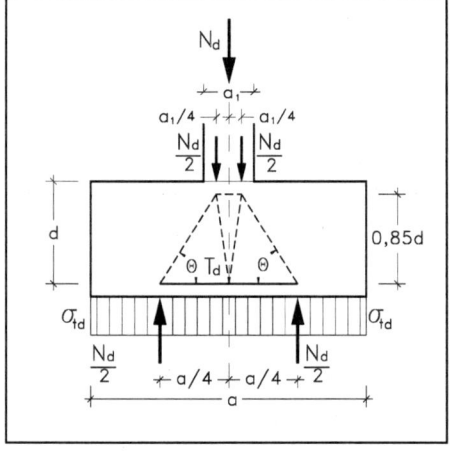

En este caso las distancias x_1 y x_2 valen ambas $a/4$ y las reacciones R_{1d} y R_{2d} valen cada una $N_d/2$. Esto significa que las tensiones seguirán una ley uniforme sobre el terreno.

La armadura principal debe resistir la tracción dada por la expresión:

$$T_d = \frac{1}{2}\frac{N_d}{0,85 \cdot d}\cdot\left(\frac{a}{4} - \frac{a_1}{4}\right)$$

es decir:

$$T_d = \frac{N_d}{6,8 \cdot d}\cdot(a - a_1) = A_s \cdot f_{yd} = U$$

con $f_{yd} \leq 400$ N/mm² y teniendo en cuenta las cuantías geométricas mínimas según EHE.

<u>Colocación de las armaduras</u>

La armadura calculada no debe escalonarse, extendiéndose, sin reducir su sección, de un extremo a otro de la zapata. Además, para garantizar el debido anclaje, es conveniente doblar las armaduras en ángulo recto en sus extremos.

En zapatas cuadradas se deben distribuir uniformemente las armaduras necesarias, paralelamente a los lados de la base de la zapata. Si la diferencia de armado según las dos direcciones no es excesiva, es recomendable colocar armaduras iguales en las dos direcciones (son de gran utilidad las mallas electrosoldadas).

EJEMPLO DE CÁLCULO DE UNA ZAPATA RÍGIDA

Sección del pilar: 0,40 x 0,40 m

Cargas soportadas: una carga vertical   N = 850 kN

                            un momento flector   M = 42 kN·m

Tensión admisible del terreno: σ_{adm} = 250 kN/m²

Materiales: Hormigón HA-25   Acero B500 S

Recubrimientos de la zapata: 0,05 m

    a. *Predimensionamiento en planta y alzado.*

Hacemos la zapata cuadrada con un lado: $a \geq \sqrt{\dfrac{N}{\sigma_{adm}}} = \sqrt{\dfrac{850}{250}} = 1{,}84$ m

Redondeamos hasta **a= 2,00 m**

El canto total, para que sea rígida, será: $h \geq \dfrac{v}{2} = \dfrac{2{,}00 - 0{,}40}{4} = 0{,}40$ m

Adoptamos un canto **h = 0,50 m** que supone un canto útil **d = 0,45 m**

    b. *Comprobación de presiones en el terreno.*

Peso real de la zapata: P = 25 x 2,00² x 0,50 = 50,0 kN

Presiones máxima y mínima:

$$\sigma_{máx} = \frac{N+P}{ab} + \frac{6\,M}{a^2\,b} = \frac{850+50}{2^2} + \frac{6\times42}{2^2\times2} = 256{,}5\,kN/m^2 \quad < \quad 1{,}25 \cdot \sigma_{adm}$$

$$\sigma_{mín} = \frac{N+P}{ab} - \frac{6\,M}{a^2\,b} = \frac{850+50}{2^2} - \frac{6\cdot42}{2^2\times2} = 193{,}5\,kN/m^2 \quad > \quad 0$$

Se cumplen ambas condiciones: no se supera 1,25 veces la tensión admisible y no tiende a separarse la zapata del terreno.

    c. *Tensiones y solicitaciones de cálculo.*

Cargas mayoradas: $N_d = 1{,}5 \cdot 850 = 1.275$ kN $M_d = 1{,}5 \cdot 42 = 63$ kN·m

Tensiones de cálculo que produce el terreno sobre la base de la zapata, a efectos estructurales:

$$\sigma_{d,máx} = \frac{N_d}{a \cdot b} + \frac{6 \cdot M_d}{a^2 \cdot b} = \frac{1.275}{4} + \frac{6\times63}{8} = 366{,}00\,kN/m^2$$

$$\sigma_{d,mín} = \frac{N_d}{a \cdot b} - \frac{6 \cdot M_d}{a^2 \cdot b} = \frac{1.275}{4} - \frac{6\times63}{8} = 271{,}50\,kN/m^2$$

$$\sigma_{d,med} = \frac{\sigma_{d,máx} + \sigma_{d,mín}}{2} = \frac{366{,}00 + 271{,}50}{2} = 318{,}75\,t/m^2$$

Resultantes de las reacciones en cada semizapata:

$$R_{1d} = \frac{\sigma_{d,máx} + \sigma_{d,med}}{2} \cdot \frac{a}{2} \cdot b = \frac{366 + 318{,}75}{2} \cdot 1{,}00 \cdot 2{,}00 = 684{,}75\,kN$$

$$R_{2d} = \frac{\sigma_{d,med} + \sigma_{d,mín}}{2} \cdot \frac{a}{2} \cdot b = \frac{318,75 + 271,50}{2} \cdot 1,00 \cdot 2,00 = 659,25 \, kN$$

Distancia x_1 de la resultante mayor al centro de la zapata:

$$x_1 = \frac{a}{2} - \frac{a}{6}\left(\frac{2 \cdot \sigma_{d,med} + \sigma_{d,máx}}{\sigma_{d,med} + \sigma_{d,máx}}\right) = 1,00 - \frac{1}{3}\left(\frac{2 \times 318,75 + 366,00}{318,75 + 366,00}\right) = 0,5115 \, m$$

Las cargas de cálculo (N_d, M_d) equivalen al par de fuerzas (N_{1d}, N_{2d}) que actúan a una distancia igual a 1/4 del eje del pilar. Resolvemos, por lo tanto, el sistema de ecuaciones:

$$\left. \begin{array}{l} N_{1d} + N_{2d} = N_d \\[2mm] (N_{1d} - N_{2d}) \cdot a_1/4 = M_d \\[2mm] (2\,N_{1d} - 1.275) \cdot 0,40/4 = 63 \end{array} \right\}$$

$$N_{2d} = 1.275 - N_{1d}$$
$$(N_{1d} - 1.275 + N_{1d}) \cdot a_1/4 = M_d$$
$$N_{1d} = (63 + 1.275)/0,2 = \boxed{952,50 \, kN}$$
$$N_{2d} = 1.275 - 952,50 = \boxed{322,50 \, kN}$$

d. *Dimensionamiento de la armadura por tracción.*

Esfuerzo de tracción que debe soportar la armadura:

$$T_d = \frac{R_{1d}}{0,85 \cdot d}\left(x_1 - \frac{a_1}{4}\right) = \frac{684,75}{0,85 \times 0,45}(0,5115 - 0,10) = 736,67 \, kN$$

$$T_d = A_s \cdot f_{yd} \quad \text{siendo} \quad f_{yd} \leq 400 \, kN/mm^2$$

el área mínima deberá ser: $A_s \geq \dfrac{T_d}{f_{yd}} = \dfrac{736.670}{400} = 1.842 \, mm^2 = 18,42 \, cm^2$

Si armamos con redondos de 16 mm (área = 2,01 cm²), obtenemos:

$$n \geq \frac{18,42}{2,01} = 9,16$$

Adoptamos 10Φ16

e. *Dimensionamiento de la armadura por flexión.*

Las tensiones mayoradas en el terreno en correspondencia con la sección S de cálculo a flexión, se pueden hallar interpolando entre la máxima en un extremo y la media en el centro de la zapata para una distancia L_0 igual al vuelo de la zapata más 0,15 del ancho del pilar:

$$L_0 = \frac{a - a_1}{2} + 0,15 \, a_1 = \frac{2,00 - 0,40}{2} + 0,15 \times 0,40 = 0,80 + 0,06 = 0,86 \, m$$

Para estar del lado de la seguridad vamos a suponer una tensión uniforme igual a la máxima de cálculo, obteniendo así en la sección S un momento de cálculo:

$$M_d = \frac{(\sigma_{d,máx} \cdot b)L_0^2}{2} = \frac{(366 \times 2) \times 0,86^2}{2} = 270,69 \, kN \cdot m$$

La capacidad mecánica de la armadura, según la expresión del brazo mecánico, será:

$$U = \frac{M_d}{0,85 \cdot d} = \frac{270,69}{0,85 \times 0,45} = 707,70 \, kN$$

que es inferior a la que resultaba por tracción.

f.   _Comprobación de la cuantía geométrica mínima._

Según la EHE el área de las armaduras en cada dirección debe ser igual o mayor que el 1,8 por mil de la sección bruta de hormigón. En nuestro caso:

A_c = 200x50 = 10.000 cm²   0,18%·A_c = 0,18%x10.000 = 18,00 cm²

A_s (10 Ø 16) = 10 x 2,01 = 20.10 cm²   Cumple.

---

7) Zapatas flexibles. Cálculo de las armaduras

Cuando el vuelo de la zapata sobrepasa el doble de la altura total (v > 2h), la Instrucción establece un procedimiento de cálculo a flexión, determinando la armadura principal según el momento de cálculo al que está sometido la zapata en la sección 1-1 de la figura.

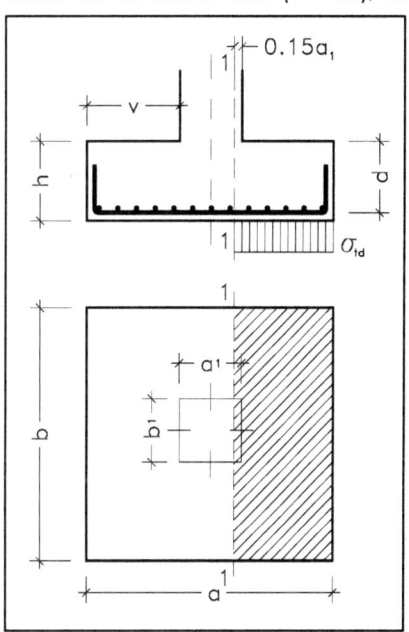

El canto útil **d** de esa sección de referencia será igual al de la zapata en la cara del soporte, y nunca podrá ser superior a vez y media la dimensión del vuelo **v**.

Al considerar esta sección de referencia se está teniendo en cuenta que el momento flector puede aumentar considerablemente detrás de la cara del soporte. El momento flector máximo es el que produce la reacción (mayorada) del terreno en la sección de referencia. De igual manera se calcula el momento flector según la otra dirección, que no podrá ser menor que la quinta parte del momento considerado en la citada sección de referencia.

Momento de cálculo de la ménsula:

$$M_d = \frac{\sigma_{td}}{2} b \left(v + 0,15\, a_1\right)^2$$

donde σ_{td} es la presión mayorada que el terreno ejerce sobre el fondo de la zapata y sin tener en cuenta el peso de la misma (es un cálculo estructural).

En las zapatas no se suele colocar armadura de compresión, por lo cual el canto de la zapata debe ser el necesario para que los esfuerzos de compresión puedan ser absorbidos enteramente por el hormigón ($\mu \le 0,375$).

En caso de no disponer de tablas o ábacos de armado, la armadura correspondiente se puede calcular con cualquier método válido:

• Con la fórmula simplificada de Jiménez Montoya:

$$U = \omega\, b\, d\, f_{cd} \quad \text{con} \quad \omega = \mu\,(1+\mu)$$

- O con la expresión del brazo mecánico (en este caso el brazo mecánico lo reducimos a 0,85 del canto útil):

$$U = \frac{M_d}{0,85d}$$

Y además habrá que tener en cuenta las cuantías geométricas mínimas del 2 por mil para acero B400 S o del 1,8 por mil para el B500 S, que pueden resultar determinantes [1].

8) Comprobación a cortante

Cuando el canto de la zapata se ha predimensionado con la expresión vista anteriormente (**h >1,5 v**), no suele ser necesaria la comprobación a cortante.

No obstante, la Instrucción española indica un procedimiento mediante el cual se comprueba que el cortante de cálculo no alcanza el valor del esfuerzo cortante último que es capaz de absorber el hormigón.

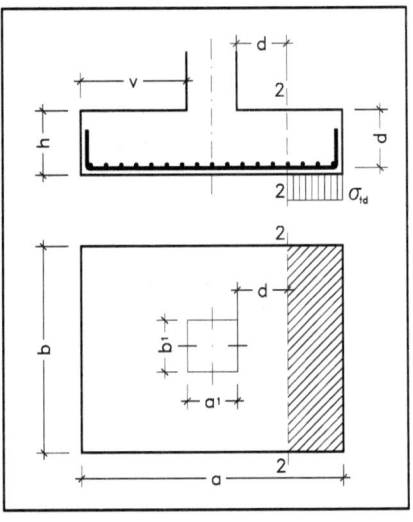

La comprobación se hace en la sección 2-2 de la figura, situada a una distancia igual a **d** desde el paramento del soporte o muro.

- Cortante de cálculo:

$$V_d = \sigma_{td}\, b(v - d)$$

- Esfuerzo cortante último:

$$V_{u2} = V_{cu} = f_{cv}\, bd$$

siendo **f_cv** la resistencia convencional del hormigón a cortante, según la expresión:

$$f_{cv} = 0,12\,\xi(100\rho_1\, f_{ck})^{1/3}$$

tal como establece la EHE, donde la resistencia característica del hormigón se expresa en N/mm², la cuantía geométrica de la armadura longitudinal traccionada no debe superar el valor de 0,02 y el coeficiente **ξ** que depende de canto útil **d** expresado en milímetros, se calcula mediante la fórmula:

$$\xi = 1 + \sqrt{\frac{200}{d}}$$

---

[1] En la tabla 42.3.5 de la nueva EHE-08 se establece que "para losas y zapatas armadas, se adoptará la mitad de estos valores en cada dirección dispuestos en la cara inferior", aclarando la frase de la anterior Instrucción, que decía simplemente: "Las losas apoyadas en el terreno requieren un estudio especial".

(el coeficiente por el que se multiplica ξ se suele aumentar hasta 0,12 por tratarse de secciones sin armadura de cortante como son las zapatas).

9) Comprobación a punzonamiento

Cuando se calculan zapatas con cargas elevadas y suelos con baja resistencia donde resultan vuelos de grandes proporciones (del orden de 3,5 veces el canto total), se debe efectuar la comprobación a punzonamiento.

La Instrucción española establece (Artículo 46° de la EHE-08) una sección crítica de punzonamiento situada a una distancia desde el soporte igual al doble del canto útil, tal como se refleja en la figura.

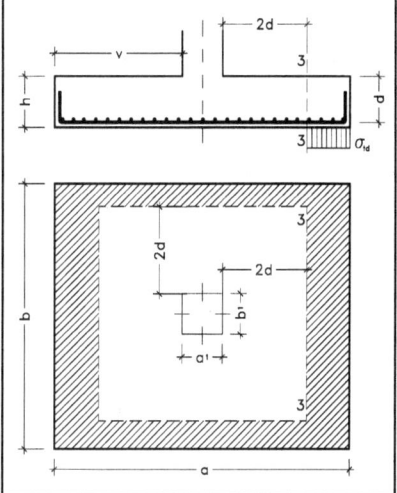

La condición que se debe cumplir es la siguiente:

$$\tau_{sd} = \frac{F_{sd}}{u_1 \, d} \le f_{cv}$$

donde:

τ_{sd} = tensión nominal de cálculo en el perímetro crítico,

F_{sd} = esfuerzo de cálculo de punzonamiento,

u_1 = perímetro crítico,

f_{cv} = resistencia del hormigón a cortante, definida anteriormente.

El esfuerzo de cálculo de punzonamiento tiene la expresión:

$$F_{sd} = N_d \left(1 - \frac{A_{cri}}{A_{tot}} \right)$$

donde:

A_{cri} es el área de zapata dentro del perímetro crítico (ver figura),

A_{tot} es el área total de la zapata en planta.

3.1.3. Encepados de dos pilotes

El método idóneo de cálculo para los encepados rígidos sobre dos pilotes es el de bielas y tirantes. En el cálculo se han de obtener las cuantías de armadura principal y armadura secundaria.

La armadura principal es la que se dispone en la cara inferior del encepado y que une los ejes de los pilotes.

La armadura secundaria es la dispuesta en la cara superior y en las caras laterales del encepado.

Según la figura adjunta, la cuantía de **armadura principal** necesaria se obtiene de la expresión:

$$T_d = \frac{N_d}{0,85 \cdot d}\left(v + 0,25\,a_1\right) = A_s \cdot f_{yd}$$

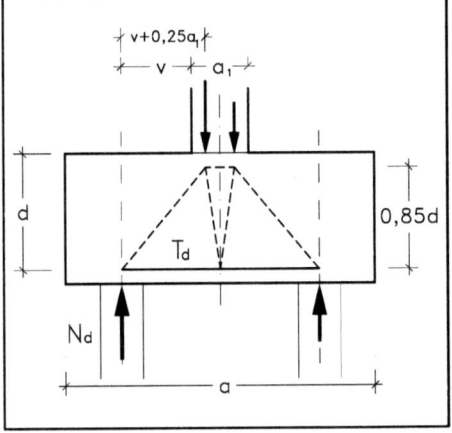

donde:

A_s = armadura necesaria,

v = distancia desde el eje del pilote más solicitado hasta la cara del soporte,

a_1 = ancho del soporte,

d = canto útil del encepado,

fyd = resistencia de cálculo de la armadura ($\leq$ 400 N/mm²).

Esta armadura inferior se colocará, sin reducir su sección, en toda la longitud del encepado. Se anclará, por prolongación recta o en ángulo recto, o mediante barras transversales soldadas, a partir de planos verticales que pasen por el eje de cada pilote.

Como armadura secundaria se dispondrá:

- Armadura longitudinal superior extendida a toda su cara. Su cuantía será tal que pueda soportar 1/10 de la tracción de cálculo de la armadura superior.

- Armadura secundaria lateral. La forman cercos cerrados verticales y horizontales que sujetan la armadura longitudinal superior e inferior. La cuantía de estas armaduras será como mínimo del 4 por mil del área de la sección de hormigón perpendicular a su dirección, es decir:

$$A'_{s,vertical} = 0,004\,b'\,a$$

$$A'_{s,horizontal} = 0,004\,b'\,h$$

donde:

$A_{s,vertical}$ = cuantía de armadura vertical

$A_{s,horizontal}$ = cuantía de armadura horizontal

    a = dimensión longitudinal del encepado

    b = dimensión transversal del encepado (ancho)

    h = canto total del encepado

    b' = mín (b; h/2)

3.1.4. Zapatas de medianería

1) **Introducción**

La zapata de medianería es un caso muy frecuente en edificación de zapata aislada con carga excéntrica en una sola dirección.

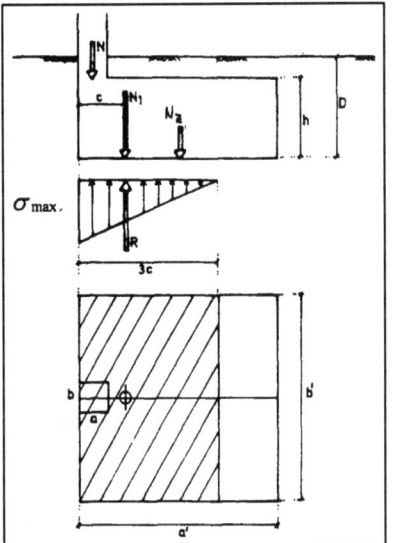

En general, la carga se encuentra fuera del núcleo central de inercia de la zapata, la distribución de tensiones es un diagrama de sección triangular y la tensión de pico (σ_{max}) se obtiene despejándola de la expresión:

$$R = \frac{1}{2}(3c\sigma_{max})b' = N_1$$

es decir:

$$\sigma_{max} = \frac{2N_1}{3\,c\,b'} \leq 1,25\sigma_{adm}$$

Normalmente el valor de la σ_{max} supera con mucho el 1,25 de la σ_{adm} permitida, y como consecuencia de ello se pueden producir asientos y giros de la zapata que podrían afectar incluso a las estructuras colindantes.

La solución inmediata para disminuir el citado valor de la tensión de pico consistiría en centrar más la carga aumentando el peso de la zapata, lo que se consigue aumentando la dimensión mayor b' o aumentando el canto h.

El aumento del lado b' no es aconsejable, ya que se llegaría a una dimensión desproporcionada con una zapata cuya relación de lados b'/a' sería muy superior a 2, con lo que el trabajo de conjunto sería difícil de garantizar.

El aumento de canto h proporcionaría las siguientes ventajas:

- Aumenta la profundidad de la sobrecarga de tierras a los lados de la zapata con una mejora de la carga de hundimiento del terreno.
- La altura de tierras puede ser suficiente para aumentar el empuje pasivo que contrarreste la deformación por giro.

Aparte de la solución de reducir la tensión máxima aumentando el peso de la zapata, existen otras específicas para zapatas de medianería. Los tipos de solución más frecuentes son:

a) zapata con biela,

b) zapata con viga tirante,

c) zapata combinada,

d) zapata con viga centradora.

2) Zapata de medianería con biela

Consiste en disponer una barra inclinada o biela con dos rótulas en los extremos, para transmitir de forma centrada en la zapata la carga vertical P del soporte de medianería.

Dicha carga P se descompone en una fuerza vertical N centrada con la zapata y una fuerza H horizontal.

$$\sigma_t = \frac{N_1}{a'b'} \leq \sigma_{adm}$$

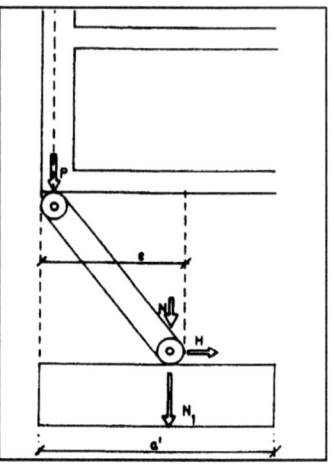

La zapata se dimensiona con las tensiones del terreno para carga centrada:

siendo: $N_1 = N + N_z$

La fuerza horizontal H deberá absorberse por rozamiento en la base de la zapata.

Esta solución solamente se utiliza para casos singulares, ya que presenta una serie de inconvenientes como:

- -   Las rótulas son de difícil ejecución, sobre todo en estructuras de hormigón.
- -   La barra inclinada enrarece el espacio y las condiciones de uso de la planta, con una notable reducción del espacio disponible.

3) Zapata de medianería con viga tirante

Esta solución consiste en recurrir a la colaboración de la viga del forjado superior que apoya sobre el pilar de medianería.

Si se compone la carga vertical N con una horizontal T (tracción de la viga), se puede hacer que la resultante pase por el centro de la zapata.

La zapata se dimensiona con las tensiones del terreno con carga centrada:

$$\sigma_t = \frac{N_1}{a'b'} \leq \sigma_{adm}$$

siendo: $N_1 = N + N_z$

$N_1 \cdot e = T \cdot H$

$T = N_1 \cdot e \, / \, H$

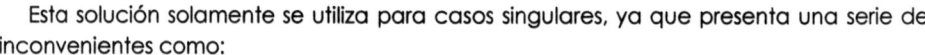

La componente T horizontal en la base de la zapata tiene que ser absorbida por rozamiento.

La viga deberá dimensionarse con sus condiciones propias de flexión más la tracción T correspondiente.

El soporte en su sección inferior deberá dimensionarse para soportar las acciones que le llegan de la estructura y un momento adicional de valor:

$$M = T \cdot (H - h)$$

4) Zapata de medianería con zapata combinada

Esta solución consiste en combinar la cimentación del pilar de medianería con otro u otros pilares contiguos situados en alineaciones interiores, proyectando una sola zapata para ellos.

Las zapatas combinadas se utilizan por otras razones distintas de la solución de zapata de medianería, por lo que deben ser objeto de un estudio aparte.

Los casos más frecuentes de zapatas combinadas como zapata común a dos o más pilares próximos son:

- Zapata de medianería, con el fin de centrar la carga del pilar de medianería.
- Superposición de zapatas: cuando dos o más pilares están muy próximos o tienen mucha carga o el terreno tiene poca capacidad portante, las zapatas aisladas podrían solaparse y se recurre a zapata combinada.
- Cargas desiguales: cuando dos o más pilares próximos se encuentran cargados de forma muy desigual, pueden producirse asientos diferenciales superiores a los admisibles o distorsiones angulares muy fuertes. En este caso, la zapata única para dos o más pilares puede homogeneizar esos asientos.

El dimensionamiento de una zapata común a dos o más pilares se puede abordar de forma sencilla como zapata cargada con la resultante de las cargas, para lo que es necesario admitir que la zapata es lo suficientemente rígida.

El procedimiento de cálculo consiste en determinar el punto de aplicación de la resultante de las cargas de los pilares en cuestión. Conocido el punto de aplicación, el problema se reduce a proyectar una zapata cuyas dimensiones garanticen que las tensiones transmitidas al terreno son admisibles.

El caso más sencillo es proyectar una zapata cuyo centro de gravedad coincida con el punto de aplicación de la resultante calculada, con lo que la distribución de tensiones sobre el terreno será constante.

Conviene evitar diseños en los que la resultante quede fuera del núcleo central de inercia de la zapata, ya que podrían dar lugar a despegues de la misma o trabajo en ménsula.

En el caso de que la zapata no se encontrara centrada respecto al punto de aplicación de la resultante, el problema se reduce a calcular la excentricidad **e** de la misma y la excentricidad **e'** de la resultante N_1 de las cargas más el peso N_2 de la zapata, con lo que el cálculo de las tensiones sobre el terreno se efectúa de la misma forma que en el caso, visto anteriormente, de zapata aislada con una carga descentrada.

Una vez conocidas las tensiones sobre el terreno, el cálculo de esfuerzos cortantes y momentos flectores en una sección dada se efectúa mediante las habituales ecuaciones de equilibrio de la estática, considerando como acciones las tensiones del terreno y como reacciones las cargas de los pilares.

El cálculo estructural se realiza siguiendo los mismos criterios expuestos para las zapatas aisladas.

5) Zapata de medianería con viga centradora

Este tipo de solución consiste en recurrir a la colaboración del pilar y la zapata próximos, situados en una alineación interior, para crear un mecanismo que centra la carga de la zapata de medianería por medio de una viga de unión.

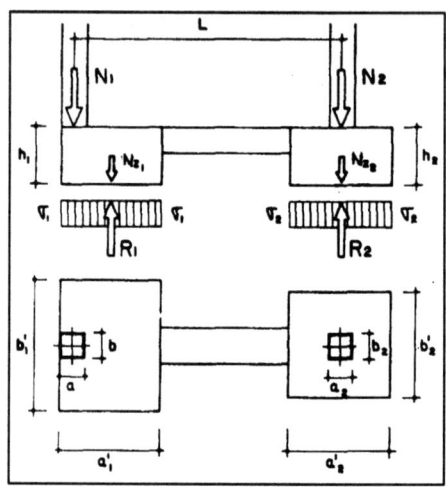

Siendo N_1 y N_2 las cargas verticales que transmiten los pilares 1 y 2, por medio de la viga centradora se establece un par de fuerzas que centra la carga de la zapata correspondiente al pilar 1.

Según los esquemas de la figura adjunta, siendo $R'_1 = R_1 - N_{z1}$ y $R'_2 = R_2 - N_{z2}$, se establece el siguiente equilibrio de fuerzas y momentos:

$$R'_1 + R'_2 = N_1 + N_2$$

$$N_1 L = R'_1 (L - e)$$

con lo que las reacciones serán:

$$R'_1 = N_1 \frac{L}{L - e} \quad ; \quad R_1 = N_{z1} + N_1 \frac{L}{L - e}$$

$$R'_2 = N_2 - N_1 \frac{e}{L - e} \quad ; \quad R_2 = N_{z2} + N_2 - N_1 \frac{e}{L - e}$$

De las expresiones anteriores se deduce que la reacción correspondiente a la zapata 1 ha aumentado respecto a la que tendría como zapata aislada, mientras que la reacción correspondiente a la zapata 2 ha disminuido.

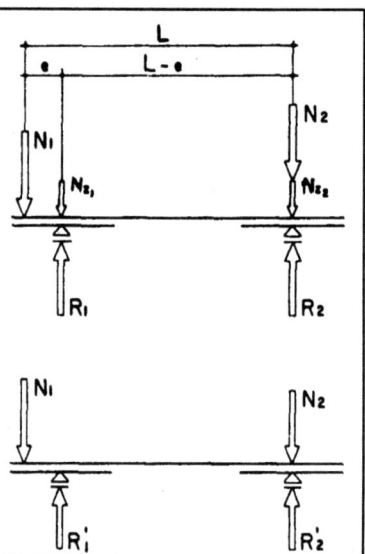

Según este planteamiento, el procedimiento a seguir es el siguiente:

1. Predimensionar las zapatas como si las cargas estuvieran centradas, considerando una mayoración de un 30 a un 40% para la zapata 1 y entre un 5 y un 10% para la zapata 2, para tener en cuenta el peso de las zapatas y el incremento de la reacción R_1.

$$a'_1 b'_1 \geq \frac{1,35 N_1}{\sigma_{adm}} \quad ; \quad a'_2 b'_2 \geq \frac{1,05 N_2}{\sigma_{adm}}$$

2. Calcular la excentricidad e de la carga sobre la zapata 1:

$$e = \frac{a_1'}{2} - \frac{a_1}{2}$$

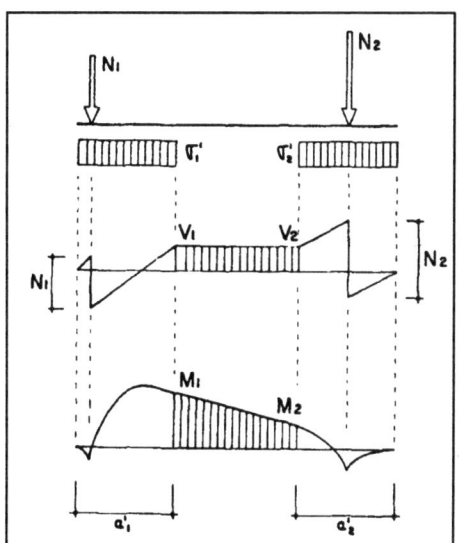

3. Hallar los valores de las reacciones R1 y R2 mediante las condiciones de equilibrio vistas anteriormente:

$$R_1 = N_{z1} + N_1 \frac{L}{L-e}$$

$$R_2 = N_{z2} + N_2 - N_1 \frac{e}{L-e}$$

4. Calcular las tensiones del terreno bajo cada una de las zapatas:

$$\sigma_1 = \frac{R_1}{a_1' b_1'} \quad ; \quad \sigma_2 = \frac{R_2}{a_2' b_2'}$$

En caso de no ser σ_1 y σ_2 menores que la σ admisible, se deben aumentar las dimensiones necesarias.

5. Cálculo de los cortantes y momentos flectores en el conjunto, mediante las ecuaciones habituales de la estática, siendo:

$$\sigma_1' = \sigma_1 - \gamma_{horm} h_1$$

$$\sigma_2' = \sigma_2 - \gamma_{horm} h_2$$

Para el cálculo de la viga centradora se necesitan los cortantes $V_1 = V_2$ y los momentos flectores M_1 y M_2, indicados en la figura anterior.

Las zapatas se armarán considerando los valores ponderados de las solicitaciones debidas a las reacciones del terreno σ_1 y σ_2.

ZAPATAS DE MEDIANERÍA. EJERCICIOS

1) Comprobar las tensiones sobre el terreno (σ_{adm}=2,0 Kp/cm²) de una zapata aislada de medianería, con dimensiones 1,50x3,00 metros bajo un pilar de hormigón de sección 0,40x0,40 metros cargado con N=30 T (sin mayorar) para un canto h=0,80 metros.

Solución. El peso de la zapata será:

$$N_z = 1,50 \cdot 3,00 \cdot 0,80 \cdot 2,5 = \boxed{9,0\ T}$$

La carga total en la base de la zapata es:

$$N_1 = N + N_z = 30,0 + 9,0 = \boxed{39,0\ T}$$

y se encuentra aplicada a una distancia c de la medianería tal que, cumpliéndose la condición de equilibrio de momentos:

$$N_1 \cdot c = N \cdot a / 2 + N_z \cdot a' / 2$$

$$39 \cdot c = 30 \cdot 0,4 / 2 + 9 \cdot 1,5 / 2$$

es decir: $c = (30 \cdot 0,2 + 9 \cdot 0,75) / 39 = \boxed{0,33 \text{ m}}$

La distribución de tensiones será un diagrama triangular, cuya tensión pico deberá ser:

$$\sigma_{max} = 2 \cdot N_1 / 3 \cdot c \cdot b' \leq 1,25 \cdot \sigma_{adm}$$

es decir: $2 \cdot 39,0 / 3 \cdot 0,33 \cdot 3,0 = \boxed{26,00 \text{ T}} > 1,25 \cdot 20 \text{ T} = 25,00 \text{ T}$

Luego la zapata no cumple con las dimensiones dadas.

2) ¿Cuáles serían las dimensiones de la zapata anterior si se contara con la colaboración de un pilar cargado con 60 T sin mayorar y su zapata, situados a una distancia de 4 m a ejes para centrar la carga de la zapata de medianería mediante una viga de unión?

<u>Solución.</u> Las fases de cálculo son:

o Predimensionar las dos zapatas como si las cargas fuesen centradas. Suponiendo zapatas cuadradas, la zapata 1, de medianería tendrá dimensiones:

$$a'_1 = \sqrt{\frac{1,35 \times 30}{20}} = 1,42 \text{ m}$$

para la que asumimos un lado de $\boxed{1,45 \text{ m.}}$

El lado de la zapata 2 será:

$$a'_2 = \sqrt{\frac{1,05 \times 60}{20}} = 1,77 \text{ m}$$

para la que asumimos un lado de $\boxed{1,80 \text{ m.}}$

o Cálculo de la excentricidad $e = (a'_1 - a_1) / 2$:

$$e = (1,45 - 0,40) / 2 = \boxed{0,525 \text{ m.}}$$

o Cálculo de las reacciones R_1 y R_2 (considerando un canto h=0,80 m para ambas zapatas):

$R_1 = 1,45^2 \cdot 0,8 \cdot 2,5 + 30 \cdot 4 / 3,475 = \boxed{38,74 \text{ T}}$

$R_2 = 1,80^2 \cdot 0,8 \cdot 2,5 + 60 - 30 \cdot 0,525 / 3,475 = \boxed{61,95 \text{ T.}}$

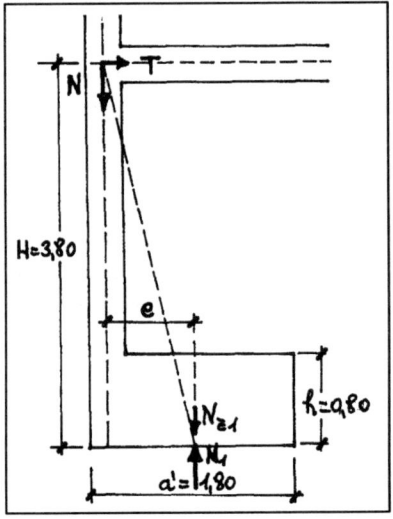

o Cálculo de las tensiones del terreno bajo cada una de las zapatas:

$$\sigma'_1 = 38,74 / 1,45^2 = 18,43 \text{ T/m}^2 < \sigma_{adm}$$

$$\sigma'_2 = 61,95 / 1,80^2 = 19,12 \text{ T/m}^2 < \sigma_{adm}.$$

Por lo tanto, las dimensiones serán:

$\boxed{1,45 \times 1,45 \text{ m}}$ para la zapata de medianería, y

$\boxed{1,80 \times 1,80 \text{ m}}$ para la zapata colindante.

3) Calcular la tracción necesaria en la viga y el momento adicional en la base del soporte de la estructura que colabora a centrar la carga de la zapata cuadrada de medianería de la figura, con unas dimensiones de 1,80x1,80 metros que soporta una carga sin mayorar N=40 T. La sección del pilar es de 0,40x0,40 metros.

<u>Solución</u>. El valor de la excentricidad será:

$$e = (1,8 - 0,4) / 2 = 0,70 \text{ m}$$

y la tracción T valdrá:

$$T = N \cdot e / H = 40 \cdot 0,7 / 3,8 = 7,4 \text{ T.}$$

El momento adicional en la base del soporte tendrá el valor:

$$M = T \cdot (H - h) = 7,4 \cdot 3,0 = 22,2 \text{ m·T.}$$

4) Para la zapata anterior, calcular las tensiones sobre el terreno, con una tensión admisible de 1,5 Kp/cm².

<u>Solución</u>. Habiendo quedado centrada la carga sobre la zapata, la tensión sobre el terreno será uniforme y de valor:

$$\sigma_t = \frac{N}{a'^2} + \gamma_{horm} h = \frac{40}{1,8^2} + 2,5 \times 0,8 = 14,35 \text{T/m}^2$$

Las dimensiones proyectadas para la zapata son válidas.

6) <u>Recomendaciones para zapatas de medianería</u>

Para este tipo de zapatas se recomienda que la relación entre las dimensiones **a** y **b** en planta no varíe mucho respecto de 1, ya que lo contrario complicaría el armado.

También se deben cumplir las limitaciones impuestas sobre valores máximos de tensiones, tensión media y tensión mínima transmitidas al terreno, teniendo en cuenta la existencia o no de viga centradora.

Por lo que se refiere al cálculo de las armaduras, se pueden distinguir dos casos:

- Para zapatas sin viga centradora:

    o Armadura según la dimensión a: se puede calcular como una viga de ancho el del pilar más medio canto a cada lado (ver figura), en voladizo y sometida a las acciones del terreno.

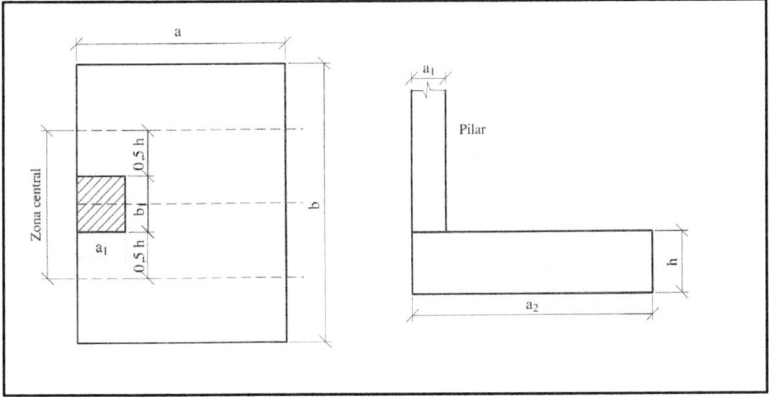

    o Armadura según la dimensión b: se calcula como una losa en voladizo desde el eje de la zapata (b/2).

  - Para zapatas con viga centradora:

    o Armadura según la dimensión a: la necesaria para resistir un 20% del esfuerzo del que resiste la armadura según b.

    o Armadura según la dimensión b: cálculo como zapata, rígida o flexible, con un ancho de soporte igual al de la viga centradora.

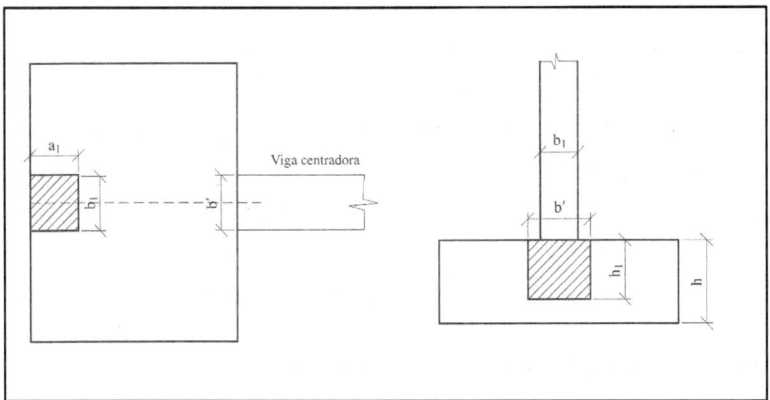

7) Vigas centradoras y vigas de atado

Las principales diferencias entre las vigas centradoras y las vigas de atado son las siguientes:

- Una viga centradora permite compensar la excentricidad de encepados y zapatas mediante su trabajo a flexión. Su uso principal está en el centrado de la carga de zapatas de medianería y de esquina, así como encepados de dos pilotes que no tengan capacidad de absorber momentos por sí mismos.

- Una viga de atado es un elemento que permite el arriostramiento de zapatas frente a esfuerzos horizontales. En zonas sísmicas de aceleración de cálculo igual o superior a **0,16 g** es obligatorio el atado de zapatas y encepados en al menos dos direcciones.

Por lo que se refiere al cálculo de una viga centradora, se efectuará como el de cualquier otro elemento sometido a flexión sobre el que actúan las acciones del terreno y los soportes.

Las cuantías geométricas y mecánicas mínimas son las correspondientes a vigas.

En cuanto a la disposición de las armaduras, para las vigas centradoras deberán cumplirse las mismas prescripciones generales que figuran en las distintas tablas del apartado 37.2.4 de la EHE-08 en función de la clase de exposición y el tipo de cemento utilizado.

EJEMPLO: ZAPATA DE MEDIANERÍA CON VIGA CENTRADORA

Dado el sistema de cimentación representado en la figura, se pide:

1. Completar las dimensiones de las dos zapatas A y B en planta.
2. Comprobar las tensiones en el terreno bajo las dos zapatas.
3. Determinar los valores del cortante y del momento en los extremos de la viga centradora.

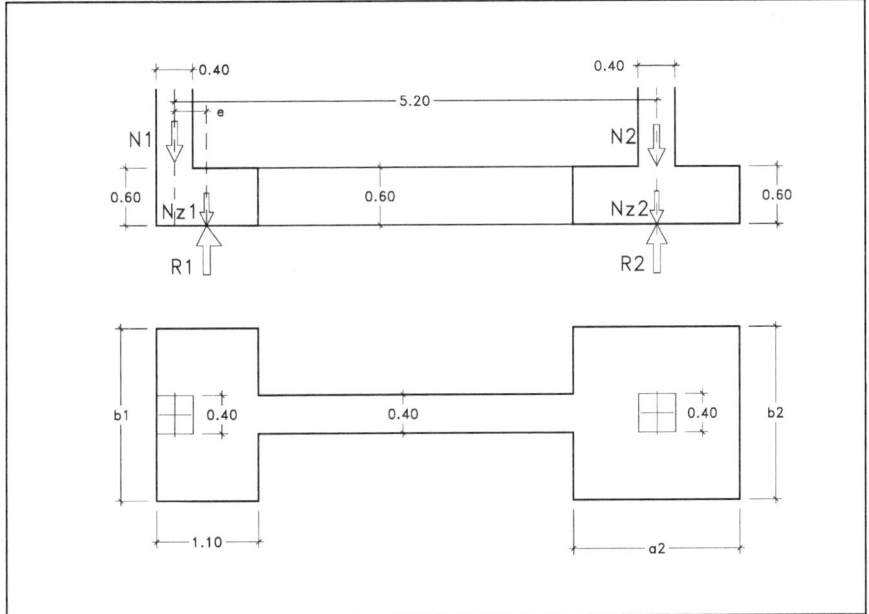

4. Calcular las armaduras longitudinales y transversales de la viga para la sección más solicitada.
5. Armar la zapata adyacente a la medianera como zapata rígida.

Datos:

Tensión admisible del terreno = 3,0 Kp/cm²
Hormigón HA-25 (25 N/mm²)
Acero B500 S

Cargas en pilares:	$N_A = 50$ t	$N_B = 120$ t
Distancia entre pilares:	$L = 5,20$ m	
Dimensiones de zapatas:	$a_A = 1,10$ m	$a_B = b_B$ (cuadrada)
Canto total de zapatas:	$h_A = 0,60$ m	$h_B = 0,60$ m
Sección de los pilares:	$a_0 = b_0 = 0,40$ m	
Sección de la viga:	$b = 0,40$ m	$h = 0,60$ m

Recubrimientos en zapata y viga centradora = 5 cm.

SOLUCION:

Predimensionamiento.

Área en planta de la zapata A:

$$a_1 \cdot b_1 = 1{,}35 \cdot N_1 / \sigma_{adm} \qquad b_1 = \quad 2{,}045 \text{ m}$$

Dimensiones zapata 1: $\boxed{a_1 = \quad 1{,}10 \quad b_1 = \quad 2{,}10}$

Área en planta de la zapata B:

$$a_2 \cdot b_2 = 1{,}05 \cdot N_2 / \sigma_{adm} \qquad b_2 = \quad 2{,}049 \text{ m}$$

Dimensiones zapata 2: $\boxed{a_2 = \quad 2{,}10 \quad b_2 = \quad 2{,}10}$

Excentricidad.

$$e = (a_1 - a'_1)/2 = \quad \underline{0{,}35} \text{ m}$$

Cálculo de reacciones.

Peso real de las zapatas:

$$N_{z1} = 2{,}5 \cdot a_1 \cdot b_1 \cdot h_1 = \quad 3{,}465 \text{ t}$$
$$N_{z2} = 2{,}5 \cdot a_2 \cdot b_2 \cdot h_2 = \quad 6{,}615 \text{ t}$$

Reacciones resultantes:

$$R_1 = N_{z1} + N_1 \cdot L/(L-e) = \quad \underline{57{,}073} \text{ t}$$
$$R_2 = N_{z2} + N_2 - N_1 \cdot e/(L-e) = \quad \underline{123{,}007} \text{ t}$$

Tensiones sobre el terreno.

$$\sigma_1 = R_1/(a_1 \cdot b_1) = \boxed{\underline{24{,}707} \text{ t/m}^2}$$
$$\sigma_2 = R_2/(a_2 \cdot b_2) = \boxed{\underline{27{,}893} \text{ t/m}^2}$$

Cargas sobre las zapatas.

Presiones del terreno:

$$\sigma'_1 = \sigma_1 - \gamma_h \cdot h_1 = \quad \underline{23{,}207} \text{ t/m}^2$$
$$\sigma'_2 = \sigma_2 - \gamma_h \cdot h_2 = \quad \underline{26{,}393} \text{ t/m}^2$$

Cargas lineales sobre las zapatas:

$$q_1 = \sigma'_1 \cdot b_1 = \boxed{\underline{48{,}735} \text{ t/ml}}$$
$$q_2 = \sigma'_2 \cdot b_2 = \boxed{\underline{55{,}425} \text{ t/ml}}$$

Cortantes y momentos por puntos.

Punto 1: $V_1 = q_1 \cdot a'_1 / 2 = \quad 9{,}747 \text{ t}$

$V'_1 = V_1 - N_1 = \quad -40{,}253 \text{ t}$

$M_1 = V_1 \cdot a'_1 / 4 = \quad 0{,}975 \text{ m·t}$

Punto 2:	$V_2 = q_1 \cdot a_1 - N_1 =$	**3,608 t**	**Punto en**
$M_2 = q_1 \cdot a^2_1/2 - N_1 \cdot (a_1 - a'_1 /2) =$		**-15,515 m·t**	**estudio**

Punto 3: $V_3 = V_2 = \quad 3{,}608 \text{ t}$

$M_3 = q_2 \cdot a^2_2/2 - N_2 \cdot a_2 /2 = \quad -3{,}789 \text{ m·t}$

Punto 4: $V_4 = V_3 + q_2 \cdot a_2 /2 = \quad 61{,}804 \text{ t}$

$V'_4 = V_4 - N_2 = \quad -58{,}196 \text{ t}$

$M_4 = q_2 \cdot a_2{}^2 /8 = \quad 30{,}553 \text{ m·t}$

Armado de la viga centradora.

Momento flector mayorado:

$$M_d = 1,5 \cdot M2 = \quad \textbf{23,273 t}$$
$$U_c = b \cdot d \cdot f_{cd} = \quad \textbf{366,67 t}$$

Momento reducido:

$$\mu = M_d / (U_c \cdot d) = \quad \textbf{0,1154}$$

Cuantía mecánica:

$$\omega = \mu \cdot (1+\mu) = \quad \textbf{0,1287}$$

Capacidad mecánica:

$$U = \omega \cdot U_c = \quad \underline{\textbf{47,20 t}}$$

Adoptamos:	6	Φ	16	(49,46)
Para montaje:	2	Φ	10	
Armadura de piel:	2	Φ	10	

Armadura de cortante.

Cortante de cálculo:

$$V_d = 1,5 \cdot V2 = \quad \underline{\textbf{5,412 t}}$$

Coeficiente ξ:

$$\xi = 1 + raiz(200/d) = \quad 1,603$$

Cuantía geométrica:

$$\rho = A_s / (b \cdot d) = \quad 0,0055$$

Resistencia virtual en piezas con armadura de cortante:

$$f_{cv} = 0,10 \cdot \xi \cdot (100 \cdot \rho \cdot f_{ck})^{1/3} = \quad 0,3837 \text{ N/mm}^2 = \underline{38,37} \text{ t/m}^2$$

Cortante último:

$$V_{cu} = f_{cv} \cdot b \cdot d = \quad \underline{\textbf{8,44 t}} \quad (> V_d)$$

Dispondremos los cercos mínimos: | Φ 6 mm cada 30 cm |

Zapata Adyacente

Dimensiones del pilar: $a_0 =$ **0,40** m

                                             $b_0 =$ **0,40** m

Carga axil sobre la zapata: N = | **120,0 T** |

Características de materiales:

  f_{ck} del hormigón: **25** N/mm² $f_{cd} =$ 1.666,7 T/m²

  f_{yk} del acero: **500** N/mm² $f_{yd} =$ 4.100,0 Kp/cm²

  $\sigma_{adm} =$ | **30,0 T/m²** |

Dimensiones de la zapata adyacente:

                    a =   **2,10** m | Vuelo: |
                    b =   **2,10** m | **0,850** m |
                    h=   **0,60** m
  Canto útil: d=   **0,55** m

Cálculo de la armadura como zapata rígida

  $T_d = N_d\,(a-a_0)/6,8d =$ **81,82** T

                    Resultan: | **8** Φ **20** | **(103,04 T)**

  Área del armadura: $A_s =$ 25,13 cm²

Comprobación de la cuantía geométrica

  $\rho = A_s/b \cdot d =$ 0,2176 %

Área mínima:

  $A_{min} = 0,18\% \cdot b \cdot d =$ 20,79 cm²

  Con 4 más: | **8** Φ **20** | **(103,04 T)**

  Área real: 25,13 cm²

  Cuantía geométrica: **0,218 %**

  Separación: **28,6 cm**

Comprobación a cortante

Presión del terreno para el cálculo estructural:

  $\sigma_t = N_d/(a \cdot b) =$ | **40,82 t/m²** |

Cortante que actúa:

  $V_d = \sigma_t \cdot b \cdot (v-d) =$ | **25,71 t** |

Resistencia virtual en piezas sin armadura de cortante:

  $f_{cv} = 0,12 \cdot \xi \cdot (100 \cdot \rho \cdot f_{ck})^{1/3} =$ 0,338 N/mm² =   33,8   t/m²

Cortante último:

  $V_{cu} = f_{cv} \cdot b \cdot d =$ | **39,08 t** | **(Canto suficiente)**

3.2. MUROS DE CONTENCIÓN Y MUROS DE SÓTANO

3.2.1. Los muros en la Instrucción EHE-08

En la Instrucción EHE-08 aparece solamente una referencia a los muros. Es en el Artículo 57°, donde establece lo siguiente:

"Los muros sometidos a flexión se calcularán de acuerdo con el Artículo 42° [Estado Límite de Agotamiento frente a solicitaciones normales] o las fórmulas simplificadas del Anejo núm. 7, a partir de los valores de cálculo de la resistencia de los materiales y los valores de cálculo de las acciones combinadas (Artículo 13°). Si la flexión está combinada con esfuerzo cortante, se calculará la pieza frente a este esfuerzo con arreglo al Artículo 44°.

Asimismo se comprobará el Estado Límite de Fisuración de acuerdo con el Artículo 49°.

La disposición de armaduras se ajustará a lo prescrito en los Artículos 69°, para las armaduras pasivas, y 70° para las armaduras activas".

Y esto es todo lo que trata la nueva Instrucción (igual que hacía de antigua EHE de 1998) con respecto a los muros.

3.2.2. Muros de contención

1) <u>Definiciones</u>

Los muros de contención son estructuras formadas por dos elementos superficiales: uno en un plano horizontal y otro vertical, cuya misión es proteger una zona conteniendo el empuje de tierras que se encuentran en una cota superior a la zona que se va a proteger.

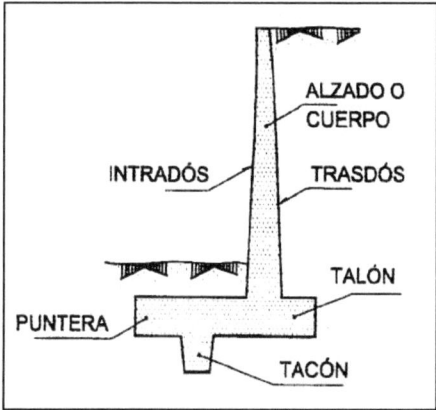

Las designaciones más habituales se indican en la figura.

Un muro de contención puede adoptar varias formas:

a) <u>Muro sin talón</u>, que se usa cuando el terreno del trasdós es de propiedad ajena. En este caso puede presentarse el inconveniente de la falta de drenaje del muro, y en estas condiciones el empuje del terreno (saturado) es difícil de evaluar.

b) <u>Muro con puntera y talón</u>, que es la solución habitual y más económica del problema de contención.

c) <u>Muro sin puntera</u>, de uso poco frecuente en edificación.

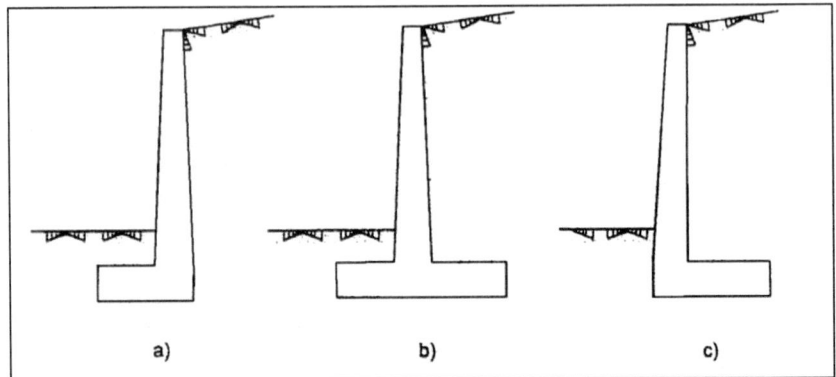

a)   b)   c)

2) Tipos generales de muro

Los muros que vamos a analizar se denominan **muros en ménsula** por su forma de trabajar. Son la solución intermedia entre los antiguos <u>muros de gravedad</u>, donde el espesor del mismo es importante frente a su altura, y las soluciones de muros de <u>contrafuertes</u> y muros de <u>bandejas</u>, propias de muros de gran altura (más de 12 metros).

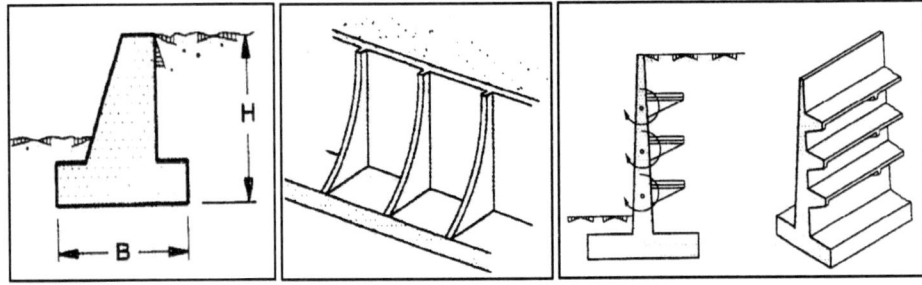

1. Muro de gravedad   2. Muro de contrafuertes   3. Muro de bandejas

3) Funcionamiento

El funcionamiento de un muro de contención es esencialmente el de tres losas monolíticamente unidas que sostienen y se apoyan en el terreno.

Las posibles acciones sobre un muro de contención en ménsula son:

A) Presión del terreno contra el trasdós del muro, con una ley triangular, que da lugar a la flexión de éste en el alzado.

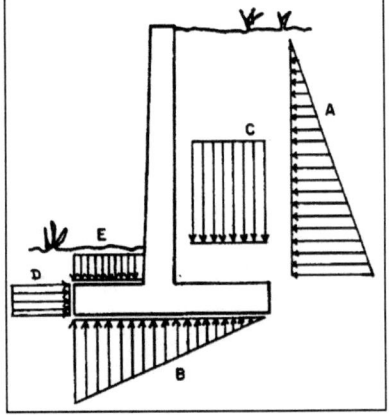

B) Debido a dicha flexión, se produce una presión excéntrica de descarga en el terreno, que se ve más solicitado en la puntera que en el talón.

C) El peso del relleno sobre el talón, que tiende a equilibrar parcialmente la anterior solicitación.

D) En el frente de la puntera, el suelo impide el deslizamiento del muro, provocado por la componente de empuje del terreno, aunque el rozamiento de la base del muro contra el suelo tiene más importancia que la reacción D.

E) A veces puede aparecer una carga de relleno sobre la puntera, que pocas veces se tiene en cuenta, pues carece de importancia.

4) <u>Deformación del muro</u>

La deformación producida por las cargas en el muro de contención puede provocar una distribución de fisuras en las zonas traccionadas, como las que se representan en la figura adjunta.

Esto nos lleva a pensar intuitivamente en la forma en que se deben disponer las armaduras en un elemento estructural de este tipo.

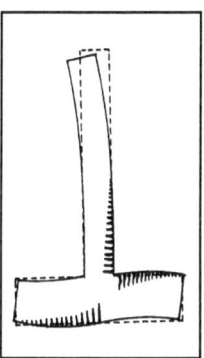 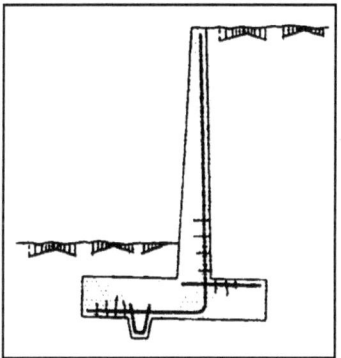

5) <u>Agotamiento del muro</u>

Las posibles formas de fallo de un muro de contención son:

1. Fallos de la estructura como pieza de hormigón armado. Estos fallos pueden afectar al alzado, a la puntera o al talón, debidos a cualquier estado límite último o a la corrosión por fisuración excesiva.

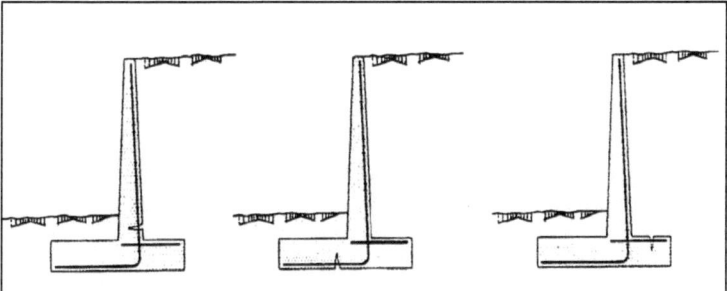

2. Fallos por deslizamiento del muro.

3. Fallos por vuelco alrededor del borde de la puntera.

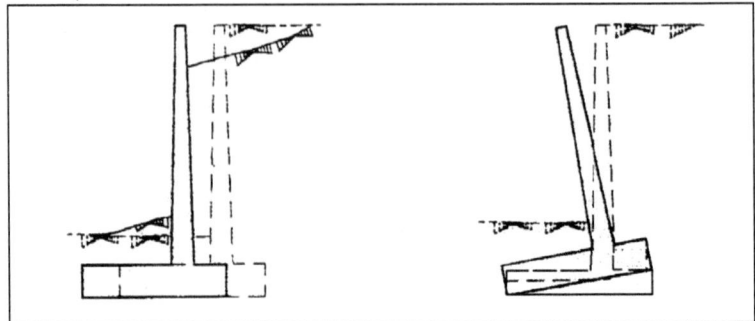

6) <u>Proyecto del muro</u>

El proyecto de un muro se compone de tres etapas:

o **Cálculo de los empujes**, para el que adoptaremos el método de Rankine. Un cálculo riguroso de los empujes puede conducir a ahorros importantes en el proyecto del muro.

o **Predimensionamiento**, basado en métodos prácticos (ábacos de José Calavera y A. Cabrera) o en la experiencia.

o **Comprobación**, como verificación del predimensionamiento en cuanto a tensiones y cumplimiento frente al deslizamiento y al vuelco.

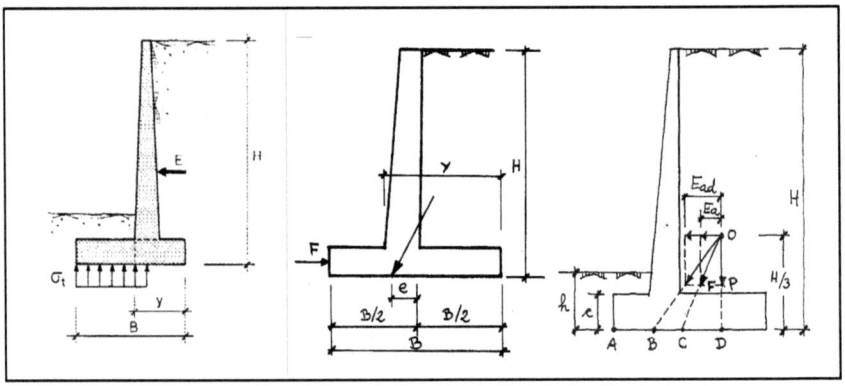

a) Cálculo de empujes   b) Predimensionamiento   c) Comprobación

Fase 1: Cálculo de empujes

Para que el muro se encuentre en equilibrio, es necesario que la suma de momentos producidos por el conjunto de acciones sea nula.

Para el cálculo de los empujes adoptamos la teoría de Rankine. En general adoptaremos la situación de **empuje activo**, lo cual supone que el muro puede girar y deformarse (del orden del 0,5% de la altura del muro).

En el caso de terreno horizontal a nivel de la coronación, la presión activa a una profundidad **x** viene dada según Rankine por la expresión:

$$P_{ax} = \gamma \, x \frac{1-\operatorname{sen}\varphi}{1+\operatorname{sen}\varphi}$$

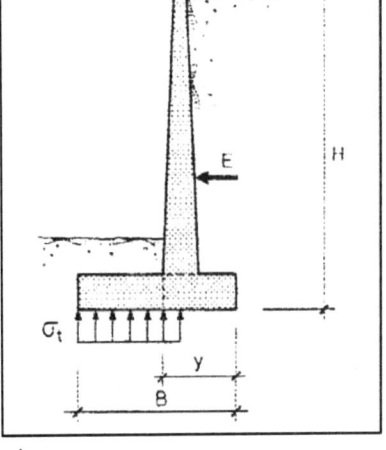

siendo:

P_{ax}= Presión activa en T/m² por metro de muro, a la profundidad **x**,

γ= Densidad del relleno, en t/m³,

φ= Ángulo de rozamiento interno del relleno,

x= Profundidad en metros.

La distribución de presiones sigue una ley triangular con resultante situada a una profundidad $x_g = 2 \cdot x/3$, cuyo valor es:

$$E_a = \frac{P_{ax}\, x}{2} = \frac{1}{2}\gamma \, x^2 \frac{1-\operatorname{sen}\varphi}{1+\operatorname{sen}\varphi}$$

Para x = H, el empuje activo resulta:

$$E_a = \frac{P_a\, H}{2} = \frac{1}{2}\gamma \, H^2 \frac{1-\operatorname{sen}\varphi}{1+\operatorname{sen}\varphi}$$

Si sobre el terreno actúa una sobrecarga uniformemente repartida de valor **q** (en t/m²), se puede considerar equivalente a una altura de tierras $h_0 = q/\gamma$, y la ley de presiones resulta trapecial.

El valor del empuje activo resulta entonces:

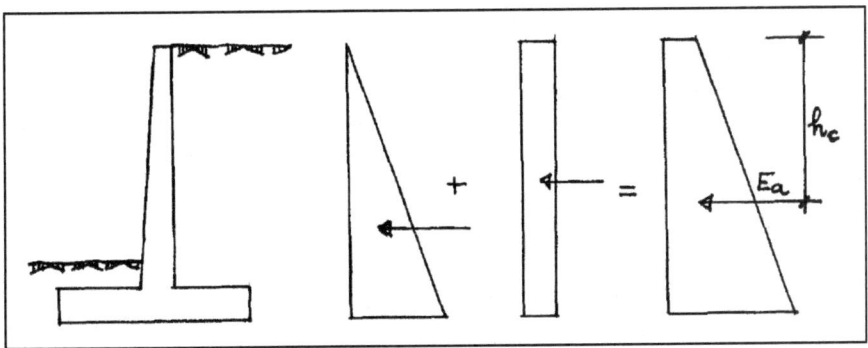

$$E_a = \frac{1}{2}(\gamma H^2 + 2qH)\frac{1-\operatorname{sen}\varphi}{1+\operatorname{sen}\varphi}$$

que actúa a una profundidad:

$$h_c = \frac{H}{3}\frac{(2H + 3h_0)}{(H + 2h_0)}$$

La teoría hasta aquí expuesta supone un relleno drenado. Si no se drena el relleno, los empujes pueden fácilmente duplicar los obtenidos anteriormente.

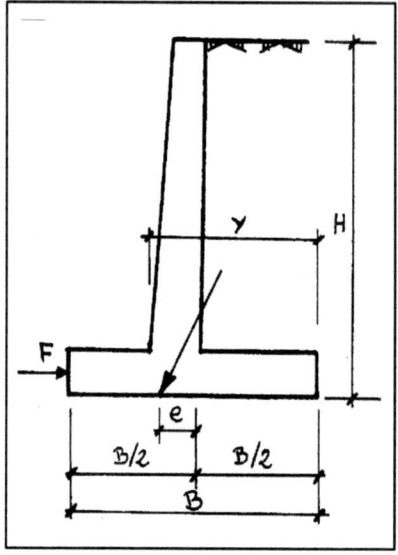

Con los métodos habituales de proyecto de muros se comprueba que el muro presente seguridad a **vuelco** y a **deslizamiento** y además que la **presión** σ no rebasa la tensión admisible fijada para el suelo.

[Si se supone un empuje mayorado $E_{ad} = 1,5 \cdot E_a$ la tensión no superará el valor $2 \cdot \sigma_{adm}$].

Fase 2: Predimensionamiento

Es esencial hacer un predimensionamiento correcto con el fin de que la seguridad al vuelco y al deslizamiento sean suficientes y de que la presión en puntera sea próxima a la admisible, sin rebasarla. La comprobación posterior se limitará entonces a verificar lo anterior y a dimensionar la estructura de hormigón. De lo contrario estaremos obligados a una serie innecesaria de tanteos. Habitualmente se suele exigir una seguridad a deslizamiento $C_{sd} \geq 1,5$ y al vuelco $C_{sv} \geq 1,8$.

En el caso de los muros con puntera y talón, así como en muros sin puntera, las dimensiones de la estructura se suelen elegir con un espesor del alzado en el arranque de entre 1/8 y 1/10 de la altura total H. El mismo espesor se le suele dar al cimiento. Estas dimensiones conducen a un muro cercano al óptimo económico.

Los muros suelen ser objeto de un dimensionamiento previo que después se comprueba y se corrige por aproximaciones sucesivas. Con el método que se expone a continuación, utilizando el ábaco de Calavera y Cabrera, el predimensionamiento en la mayoría de los casos no requiere modificaciones al ser comprobado.

El siguiente diagrama sirve para los muros con puntera y talón, con los rellenos habituales con ángulo de rozamiento interno $\varphi = 30°$ y con coeficientes μ de rozamiento entre suelo y cimiento desde tg 20° hasta tg 40°.

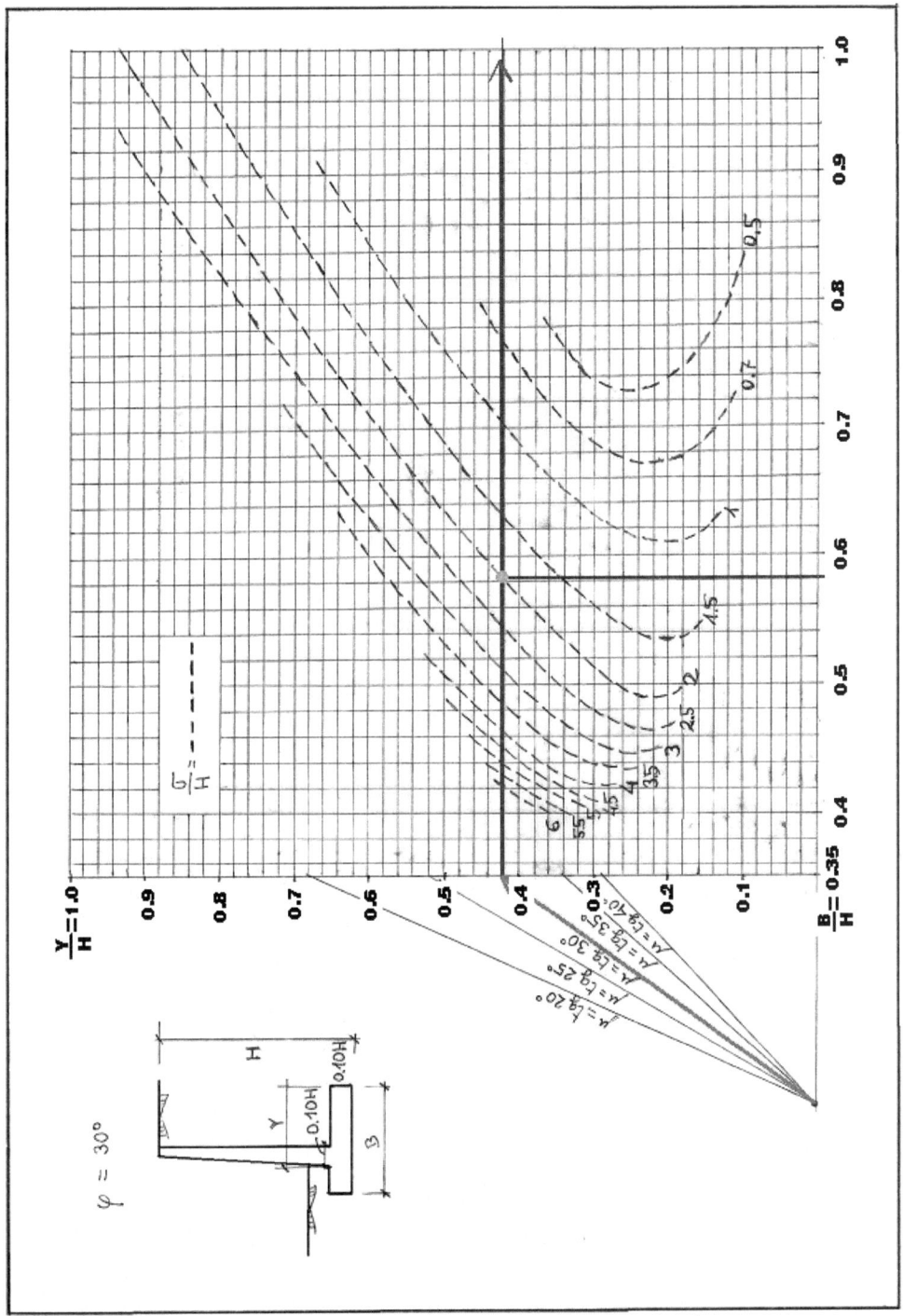

El diagrama anterior consta de dos ejes de valores Y/H, B/H, y de una familia de curvas que representan la tensión de servicio relativa σ/H respecto a la altura total del muro.

De esta forma, para una altura H dada, una vez elegidos los valores B e Y (ver figura), se calculan las relaciones B/H e Y/H y se obtienen los valores de las tensiones σ de servicio.

En esta versión simplificada del gráfico de Calavera y Cabrera se confía toda la seguridad al deslizamiento al coeficiente de rozamiento entre cimiento y muro. De esta manera se entrará en la zona principal del ábaco desde el punto de encuentro de la recta de valor μ dado con el eje de ordenadas hacia la derecha. Todos los muros posibles en el diagrama Y/H, B/H, están representados por puntos de la recta horizontal Y/H = constante.

Los valores máximos admisibles de la curva σ/H delimitan una zona (un segmento de recta horizontal) que corresponde a las soluciones posibles. El muro de coste mínimo es el de menor valor B/H (el situado más a la izquierda) dentro de dicho segmento.

Las formas de conseguir una fuerza F que, junto con el coeficiente de rozamiento, colabore a impedir el deslizamiento pueden ser, por ejemplo:

- la existencia de una estructura adyacente,

- una solera hormigonada contra el muro,

- un tacón que, junto con el frente de la puntera, proporcione un empuje pasivo.

El empuje pasivo a una profundidad x tiene el valor:

$$E_p = \frac{1}{2}\gamma x^2 \frac{1+\text{sen}\varphi}{1-\text{sen}\varphi}$$

EJEMPLO: PREDIMENSIONAMIENTO DE UN MURO DE CONTENCIÓN

En un terreno cuyo ángulo de rozamiento interno es φ=30° hay que disponer un muro de 10 metros de altura. Debemos predimensionarlo, sabiendo que la tensión máxima admisible de servicio es σ=2 Kp/cm² y que el coeficiente de rozamiento entre cimiento y terreno es μ=tg 30°.

SOLUCIÓN

Para que todo el deslizamiento sea absorbido por el rozamiento entre cimiento y suelo, entramos en el diagrama con el valor Y/H que corresponde a μ= tg 30° y obtenemos:

Y/H = 0,42

Los muros posibles están en el segmento a la derecha del punto de corte de la horizontal con la curva:

σ/H=20/10=2 t/m³

El punto situado más a la izquierda nos dará el muro con el menor valor de B (el más económico) correspondiéndole los valores:

$$\frac{B}{H} = 0,58$$

$$\frac{\sigma}{H} = 2 \text{ (sobre la curva) es decir:}$$

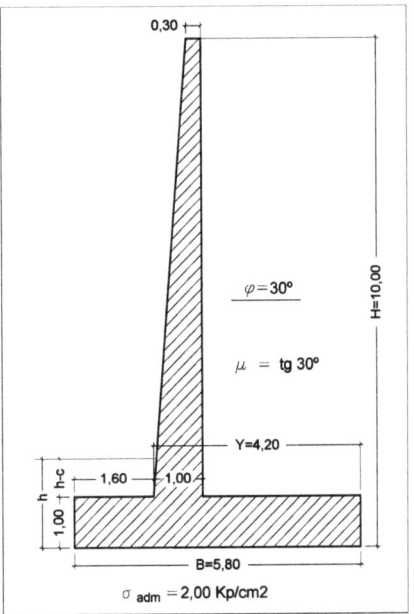

Y=0,42·H=4,20 m   ;   B=0,58·H=5,80 m

El canto total h de la zapata lo estimamos en 1/10 de la altura del muro, es decir:

h= H/10 =1,00 m

El ancho de la sección inferior del fuste también se estima en H/10 = 1,00 m, mientras que en coronación prevemos la dimensión que se recomienda: 0,30 m.

El predimensionamiento del muro se refleja en la figura adjunta.

Fase 3: Comprobación

En una primera etapa del dimensionamiento se verifica que las tensiones σ y σ_d no superan los límites fijados y que los coeficientes de seguridad al deslizamiento C_{sd} y al vuelco C_{sv} no son inferiores a los establecidos (1,5 y 1,8 respectivamente).

El método de verificación se efectúa en cinco pasos:

1º: Cálculo del valor del empuje activo:

$$E_a = \frac{P_a H}{2} = \frac{1}{2}\gamma H^2 \frac{1-\operatorname{sen}\varphi}{1+\operatorname{sen}\varphi}$$

2º: Confección del cuadro de pesos y momentos. Se halla la resultante y el punto de aplicación de las fuerzas verticales mediante la formación de una tabla de pesos, distancias al punto de vuelco **A** y momentos que producen.

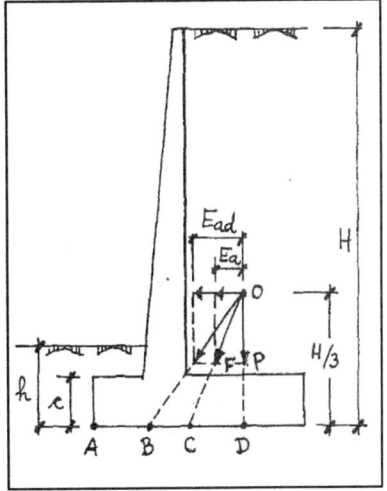

Las distancias AD y AC, para el empuje activo sin mayorar (siendo OD=H/3), valdrán:

$$AD = \Sigma M \,/\, \Sigma P$$

CD = OD · E_a / ΣP   ; $AC = AD - CD$

La distancia AB, para el empuje activo mayorado:

BD = OD · E_{ad} / ΣP   ; $AB = AD - BD$

3º: Cálculo de la presión sobre el terreno. La distribución de presiones es lineal con diagrama trapecial o triangular, según que la resultante quede dentro o fuera del tercio central de la sección, como veremos a continuación.

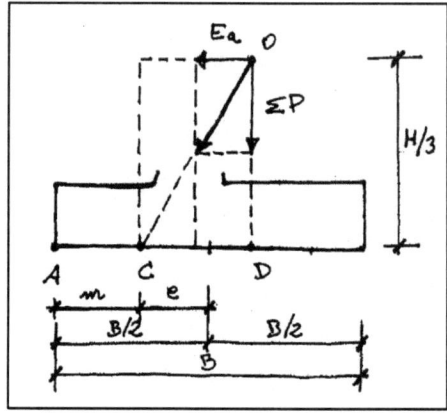

Para calcular las tensiones en el terreno bajo la zapata de un muro de contención es necesario previamente calcular la excentricidad, es decir, el punto de aplicación **C** de la resultante de las fuerzas horizontales (empuje activo) y de las fuerzas verticales (pesos).

Según lo expuesto anteriormente, la excentricidad **e** se deduce de las siguientes expresiones:

$$AD = \Sigma M \,/\, \Sigma P \quad OD = H/3$$

$$CD \,/\, OD = E_a \,/\, \Sigma P$$

$$CD = H \cdot Ea \,/\, 3 \cdot \Sigma P$$

$$AC \,(= m) = AD - CD$$

$$m = \frac{\Sigma M}{\Sigma P} - \frac{H E_a}{3 \,\Sigma P}$$

con lo que: **e = B/2 – m**

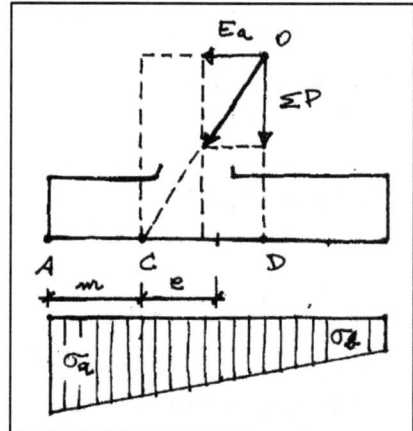

En el caso de que la excentricidad sea menor que B/6, o lo que es lo mismo, la resultante cae dentro del tercio central de la zapata, las tensiones máxima y mínima sobre el terreno se pueden hallar mediante la expresión:

$$\sigma_b^a = \frac{\Sigma P}{B}\left(1 \pm \frac{6\,e}{B}\right)$$

cuyo valor máximo no podrá superar 1,25 veces la tensión σ_{adm} del terreno.

Cuando la excentricidad es mayor que B/6, es decir, la resultante cae fuera del tercio central de la zapata, o lo que es lo mismo, m<B/3, la tensión máxima sobre el terreno se calcula según las siguientes expresiones:

$$\frac{3\,m\,\sigma_a}{2} = \Sigma P \qquad m = \frac{B}{2} - e$$

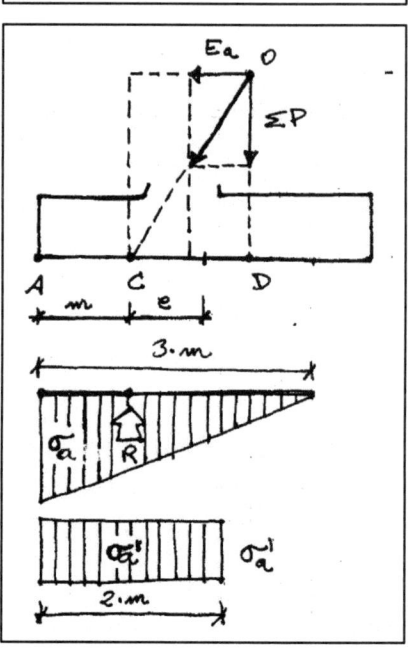

con lo cual:

$$\sigma_a = \frac{2 \sum P}{3m}$$

valor que no podrá superar 1,25 veces la tensión σ_{adm} del terreno.

Para este caso se admite una equivalencia que se deriva de considerar una tensión uniforme σ'_a de valor $\sum P/2m$ a lo largo de una longitud igual a 2 m y cuyo valor no puede superar la tensión σ_{adm} del terreno.

4º: Cálculo del coeficiente de seguridad frente al deslizamiento C_{sd}, dado por la expresión:

$$C_{sd} = \frac{\sum P \, tg \, \varphi + E_p}{E_a}$$

siendo E_p el <u>empuje pasivo</u> sobre la puntera, cuyo valor es:

$$E_p = \frac{1}{2}\gamma \left[h^2 - (h-c)^2\right]\frac{1+sen\varphi}{1-sen\varphi}$$

estimándose suficiente un valor de C_{sd} mayor o igual a 1,50.

5º: Cálculo del coeficiente de seguridad al vuelco, que se define como el cociente entre el momento estabilizador M_e y el momento de vuelco M_v.

a) El momento estabilizador es la suma del momento que producen los pesos ($\sum M$) más el producido por el empuje pasivo (M_{ep}), siendo este valor:

$$M_{ep} = \frac{E_p(h-c)}{h-c/2}\frac{c}{2} + \frac{E_p c}{2(h-c/2)}\frac{c}{3} = \frac{E_p(h-c)c}{2h-c} + \frac{E_p c^2}{6h-3c}$$

El momento estabilizador será, por tanto: $M_e = \sum M + M_{ep}$

Dado que el momento del empuje pasivo suele tener un valor de apenas entre un 1% y un 3% del producido por los pesos, el momento estabilizador se considera habitualmente: $M_e = \sum M$

b) El momento de vuelco es el producido por el empuje activo E_a con un brazo de H/3, es decir:

$$M_v = E_a \cdot H/3$$

c) El coeficiente de seguridad al vuelco será entonces:

$$C_{sv} = M_e/M_v$$

que se considera suficiente para valores iguales o superiores a 1,80.

EJEMPLO DE COMPROBACIÓN DE UN MURO DE CONTENCIÓN

Dimensionar el muro de contención de la figura adjunta y comprobar las tensiones en el terreno y los coeficientes de seguridad al deslizamiento y al vuelco.

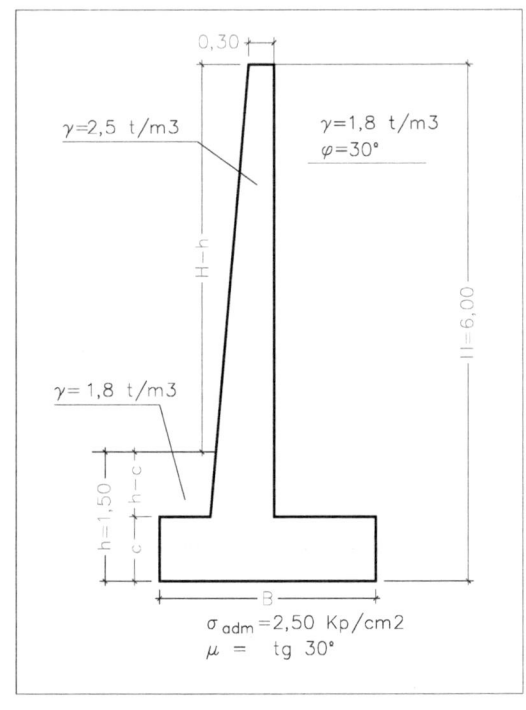

Datos:

Altura del muro:

$$H = 6,00 \text{ m}$$

Profundidad en el intradós:

$$h = 1,50 \text{ m}$$

Ángulo de rozamiento interno del relleno:

$$\varphi = 30°$$

Densidad de los rellenos:

$$\gamma = 1,8 \text{ T/m}^3$$

Densidad del hormigón:

$$\gamma = 2,5 \text{ T/m}^3$$

Tensión máxima admisible del terreno:

$$\sigma = 2,5 \text{ Kp/cm}^2$$

Coeficiente de rozamiento entre terreno y cimiento:

$$\mu = \text{tg } 30°$$

SOLUCIÓN

Entramos en el diagrama (ver figura de la página siguiente) con el valor Y/H que corresponde a μ= tg 30° y obtenemos:

$$Y/H = 0,42$$

Los muros posibles están en el segmento a la derecha del punto de corte de la horizontal con la curva:

$$\sigma/H = 25/6 = 4,166 \text{ T/m}^3$$

El punto situado sobre la curva $\sigma/H=4$ nos dará el muro con el menor valor de B (el más económico) correspondiéndole los valores:

$$\frac{B}{H} = 0,46$$

$\dfrac{\sigma}{H} = 4$ (sobre la curva) es decir:

Y=0,42·H=2,52 m

B=0,46·H=2,76 m

El canto total h de la zapata lo estimamos en 1/10 de la altura del muro, es decir:

h= H/6 =0,60 m

El ancho de la sección inferior del fuste también se estima en H/10 = 0,60 m, mientras que en coronación prevemos la dimensión que se recomienda: 0,30 m.

El predimensionamiento del muro se refleja en la figura adjunta, donde se han redondeado las dimensiones: Y a 2,50 m y B a 2,80 m.

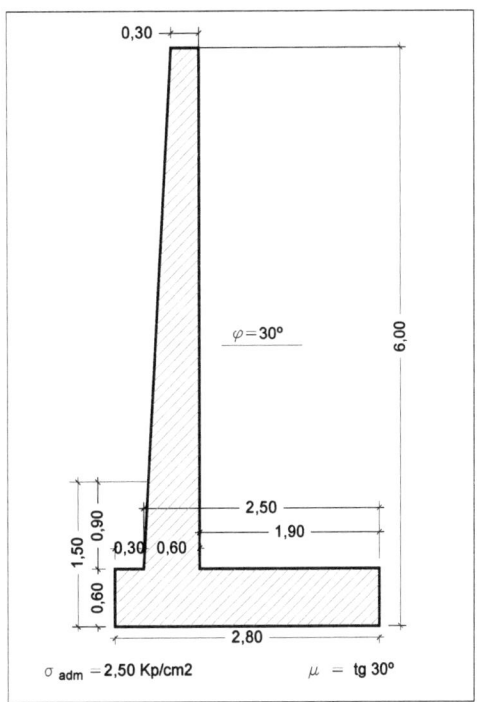

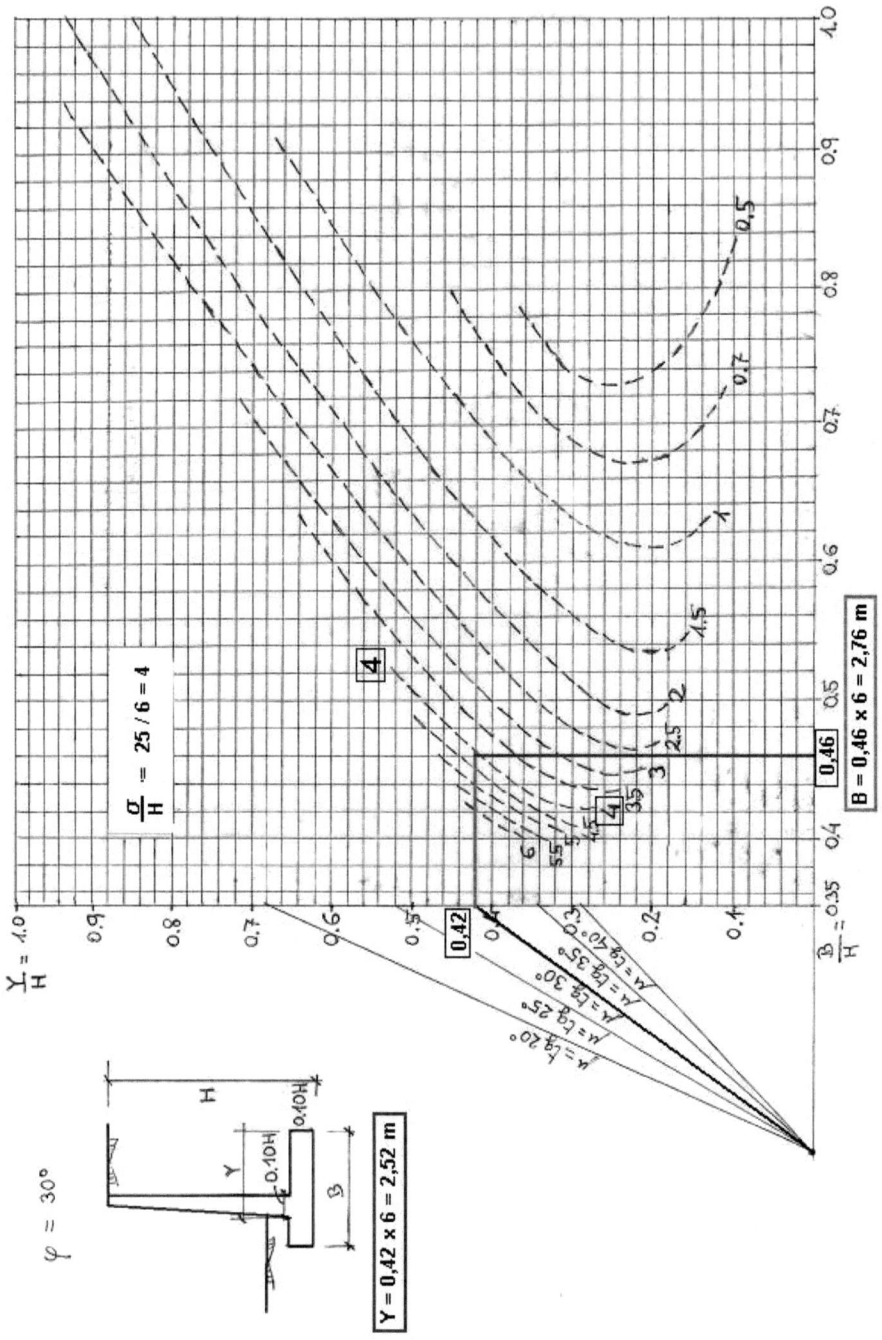

a)   Valor del empuje activo.

$$E_a = \frac{1}{2} \times 1,8 \times 6,0^2 \times \frac{1 - sen30}{1 + sen30} = 10,8\,T$$

b)   Resultante y punto de actuación de las cargas verticales.

Tomamos momentos respecto al punto **A**, con los valores calculados en la siguiente tabla.

ZONA	Peso (T)		Distancia de A al c.d.g (m)		Momentos (m·T)
Zapata	2,80·0,60·2,50=	4,20	2,80/2=	1,40	5,88
Alzado	0,30·5,40·2,50/2=	2,025	0,30+0,20=	0,50	1,0125
	0,30·5,40·2,50=	4,05	0,90-0,15=	0,75	3,0375
Relleno delantero	0,30·0,90·1,80=	0,486	0,30/2=	0,15	0,0729
Relleno trasdós	1,90·5,40·1,80=	18,468	2,80-1,90/2=	1,85	34,1658
SUMAS	$\Sigma P = 29,229$		---		$\Sigma M = 44,1687$

Cálculo de las distancias:

$$AD = \Sigma M / \Sigma P = 44,1687 / 29,229 = \underline{1,511\ m}$$

$$CD = OD \cdot E_a / \Sigma P = 2,00 \cdot 10,8 / 29,229 = \underline{0,739\ m}$$

$$AC = AD - CD = 1,511 - 0,739 = \underline{0,772\ m}$$

$$BD = OD \cdot E_{ad} / \Sigma P = 2,00 \cdot 1,5 \cdot 10,8 / 29,229 = \underline{1,108\ m}$$

$$AB = AD - BD = 1,511 - 1,108 = \underline{0,403\ m}$$

Siendo el punto C el del paso de la resultante de las fuerzas, se comprueba que cae fuera del tercio central (0,772m / 2,80m = 0,276 < 0,33). En el caso de empujes mayorados, la resultante cae en el punto B, siendo:

$$0,403 / 2,80 = 0,144 < 0,33$$

es decir que esta resultante también pasa fuera del tercio central.

c)   Tensiones media, mayorada y máxima sobre el terreno:

$$\sigma_a = \Sigma P / 2 \cdot AC = 29,229 / (2 \cdot 0,772) = 18,93\ t/m^2 = 1,89\ Kp/cm^2\ (<\sigma_{adm})$$

$$\sigma_{ad} = \Sigma P / 2 \cdot AB = 29,229 / (2 \cdot 0,403) = 36,26\ t/m^2 = 3,63\ Kp/cm^2\ (<2 \cdot \sigma_{adm})$$

$$\sigma_M = 2 \cdot \Sigma P / 3 \cdot AC = 2 \cdot 29,229 / (3 \cdot 0,772) = 25,24\ t/m^2 = 2,52\ Kp/cm^2\ (<1,25 \cdot \sigma_{adm})$$

d)   Seguridad al deslizamiento.

$$C_{sd} = \frac{P\,tg30 + E_p}{E_a} \quad \text{siendo}\quad E_p = \frac{1}{2}\gamma\left[h^2 - (h-c)^2\right]\frac{1 + sen30}{1 - sen30}$$

$$E_p = \frac{1}{2}1,8(1,5^2-0,9^2)\frac{1,5}{0,5} = 3,888t \qquad C_{sd} = \frac{29,229\times0,577+3,888}{10,8} = 1,923 \ (>1,50)$$

e) Seguridad frente al vuelco. El valor del momento estabilizador es:

$$M_e = \Sigma M + M_{ep} \quad \text{siendo} \quad M_{ep} = \frac{E_p(h-c)c}{2h-c} + \frac{E_p c^2}{6h-3c}$$

$$M_{ep} = \frac{3,888 \times 0,9 \times 0,6}{2 \times 1,5-0,6} + \frac{3,888 \times 0,6^2}{6 \times 1,5-3\times0,6} = \frac{2,1}{2,4} + \frac{1,4}{7,2} = 1,069mt$$

$$M_e = 44,1687 + 1,069 = 45,2377 \ mt$$

El valor del momento de vuelco es: $M_v = E_a \cdot H / 3 = 10,80 \cdot 6,00 / 3 = \textbf{21,60 m·t}$

El coeficiente de seguridad frente al vuelco será entonces:

$$C_{sv} = 45,2377 / 21,60 = \textbf{2,09} \ (>1,80)$$

Por lo tanto el muro cumple todas las condiciones de tensiones y estabilidad.

---

7) Dimensionamiento de la estructura

Una vez comprobadas las tensiones máximas y los coeficientes de seguridad al deslizamiento y al vuelco, la segunda etapa la constituye el dimensionamiento y armado de la estructura de hormigón sometida a flexión.

1º. Conocida la ley de empujes mayorados E_{ad} se puede dimensionar el alzado, despreciándose la pequeña compresión debida al peso propio del fuste. El problema es idéntico al de una losa de canto variable en ménsula y sometida a flexión.

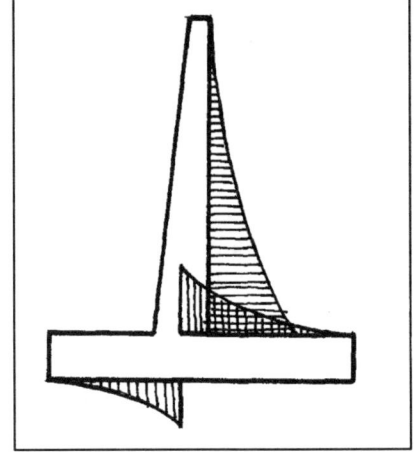

2º. Conocida la ley de presiones sobre el suelo bajo la acción del empuje E_{ad}, se dimensiona a flexión la puntera.

3º. El talón se calcula de forma análoga, teniendo en cuenta el momento flector negativo que ocasiona el peso del relleno mayorado.

8) Detalles constructivos

El armado de muro y zapata puede efectuarse mediante barras, mallas electrosoldadas o ambas a la vez, en las zonas en que sea necesario. Los criterios de armado a partir de las gráficas de momentos flectores son los habituales. El esquema general se indica en la figura siguiente para los tres tipos de muro.

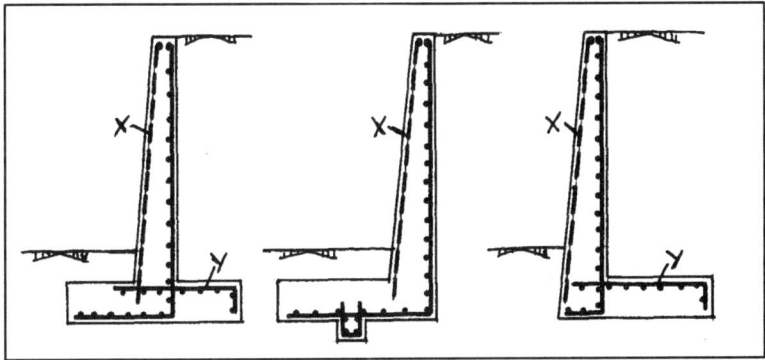

La armadura X es un emparrillado de retracción y temperatura. Las armaduras Y necesitarán alguna armadura auxiliar para ser mantenidas en posición durante el hormigonado.

En la coronación, para evitar la concentración de fisuras de retracción y temperatura, conviene disponer como armadura suplementaria dos redondos de diámetro no inferior a 12 mm para muros de hasta 4 metros y no menor de 16 mm para los de mayor altura.

El recubrimiento de las armaduras se recomienda que sea de al menos 3 o 4 cm.

Las juntas de hormigonado entre cimiento y alzado se efectúan en la zona de mayor momento flector y máximo esfuerzo cortante. A la vista de ensayos y otras investigaciones, puede establecerse que dejando el hormigón en la zona de junta con su rugosidad natural (evitando la formación de capa de lechada), la junta tiene un funcionamiento satisfactorio. La costumbre de marcar una muesca en la cara superior del cimiento supone una ventaja puramente psicológica, y si la muesca queda con su superficie lisa puede ser peor que la junta horizontal. En esta junta la armadura vertical del alzado ha de empalmarse con la de espera de la zapata.

Las juntas verticales de contracción se suelen disponen a distancias de 7 a 9 metros, sin pasar nunca de los 12 metros y se utilizan simultáneamente como juntas de hormigonado. La junta afecta al fuste pero no al cimiento. Si fuese necesario se puede disponer de una banda de impermeabilización, como para las juntas de dilatación.

Las juntas de dilatación deben disponerse en los puntos siguientes:

- o   Cada 30 metros como máximo.
- o   Donde cambie la profundidad del plano de cimentación.
- o   Donde cambie la altura del muro.
- o   En todo cambio de dirección en planta.

Si el muro no cambia de dirección ni de sección (altura del muro o profundidad del plano de cimentación), la junta puede afectar sólo al alzado. En otro caso debe afectar también al cimiento.

3.2.3.   Muros de sótano

1) Introducción

Los muros de sótano presentan diferencias considerables respecto a los muros de contención, tratados anteriormente.

- Un muro de sótano puede recibir a la vez cargas verticales (transmitidas por pilares de la estructura o por algún forjado) y cargas horizontales (producidas por el empuje de tierras).

- Otra diferencia fundamental: el muro no trabaja como una ménsula, ya que se enlaza al forjado de planta baja y funciona como una losa apoyada y empotrada en sentido transversal.

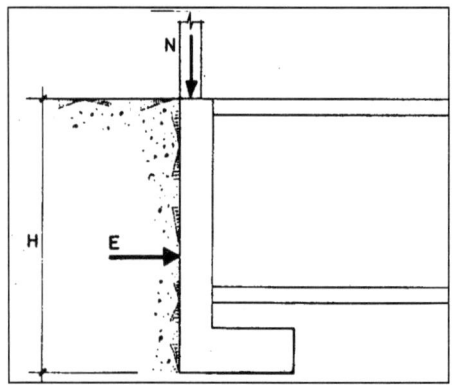 

- En sentido longitudinal, el muro trabaja como una viga de cimentación.

- Además, también el proceso constructivo más habitual es diferente:

  a. Encofrado del muro a dos caras.

  b. Construcción del muro y del forjado.

  c. Relleno del trasdós con material granular.

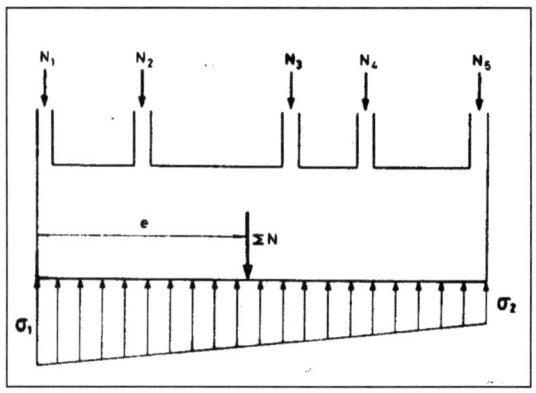 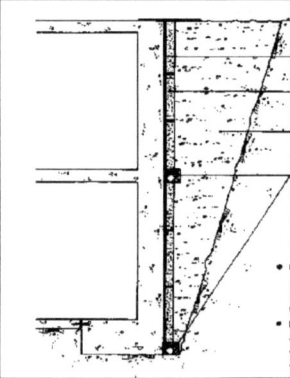

2) Cálculo del empuje

Al estar impedido el corrimiento del muro tanto en coronación como en cimiento, su deformabilidad es muy reducida y estamos en una situación de _empuje en reposo_.

De la misma forma que las presiones activa y pasiva a una profundidad **x** tienen la forma:

$$P_{ax} = \gamma \times \frac{1-\text{sen}\varphi}{1+\text{sen}\varphi} \qquad y \qquad P_{px} = \gamma \times \frac{1+\text{sen}\varphi}{1-\text{sen}\varphi}$$

respectivamente, la presión en reposo tiene el valor intermedio:

$$\boxed{P_{rx} = \gamma \times (1-\text{sen}\varphi)}$$

donde φ es el ángulo de rozamiento interno del relleno y con las mismas notaciones vistas anteriormente.

Para el caso de un relleno granular con densidad γ (en T/m³) y una sobrecarga de valor q (en T/m²) sobre el relleno, la distribución de presiones en el muro sigue una ley trapecial como la que se indica en la parte izquierda de la figura siguiente, aunque podemos asimilarla a una ley rectangular con los valores indicados en la parte central de la misma figura, para el caso de un sótano, o con los de la parte derecha en el caso de dos sótanos.

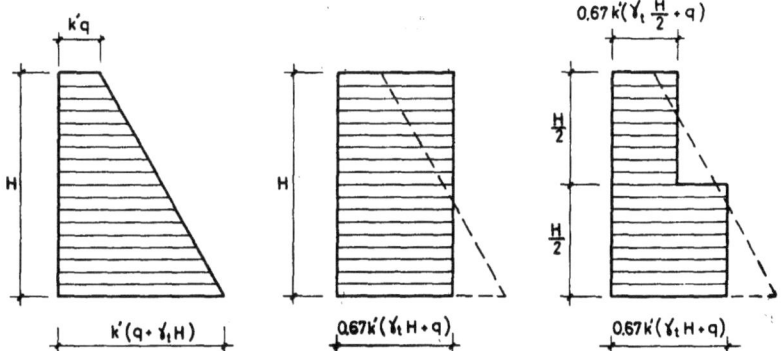

El valor del empuje en reposo, mediante la expresión simplificada de la distribución de presiones sobre el muro tiene, para un muro de un sótano, la forma:

$$\boxed{E_r = \frac{2}{3}k'_r\left(\gamma H + q\right)h}$$

siendo $k'_r = (1-\text{sen }\varphi)$ el coeficiente de empuje en reposo.

3) Esquema de funcionamiento

Como ya se ha dicho, la forma en que funciona este tipo de muros es radicalmente distinta de la de los muros de contención.

Consideremos el muro de la figura siguiente.

Sea ΣN la suma de todas las cargas verticales:

N (carga de la estructura sobre el muro),

N_m (peso del alzado del muro),

N_c (peso del cimiento) y

N_t (peso del terreno, solera o pavimento sobre el cimiento).

En principio aceptamos que bajo las acciones:

- horizontales E_r de empuje del terreno y

- verticales ΣN,

el equilibrio del muro se consigue por las fuerzas:

- T_1 de reacción del forjado sobre el muro,

- T_2 de rozamiento del suelo sobre el cimiento y

- una tensión σ_t bajo el cimiento, uniformemente repartida.

(Todos los esfuerzos se consideran por metro lineal de muro).

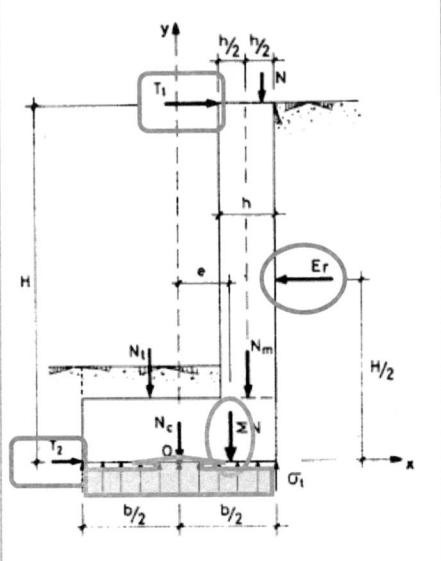

Si expresamos estas condiciones de equilibrio respecto a los ejes x, y, tendremos:

$$\Sigma N = \sigma_t \, b \quad \text{[Equilibrio de fuerzas verticales]}$$

$$\Sigma N \, e + T_1 H = E_r \frac{H}{2} \quad \text{[Equilibrio de momentos flectores]}$$

$$T_1 + T_2 = E_r \quad \text{[Equilibrio de fuerzas horizontales]}$$

Resolviendo el sistema se obtiene:

$$\sigma_t = \frac{\Sigma N}{b}$$

$$T_1 = \frac{E_r \dfrac{H}{2} - \Sigma N \, e}{H}$$

$$T_2 = E_r - T_1$$

Siempre que el numerador de la expresión de T_1 sea >0, el valor de T_1 corresponderá a apoyo del muro sobre el forjado. En caso contrario, el muro se deberá anclar al forjado.

Según el esquema estático de la figura siguiente, las reacciones parciales R y T tienen solución inmediata:

$$\boxed{R = \frac{E}{2}} \qquad \boxed{T = \frac{e \, \Sigma N}{H}}$$

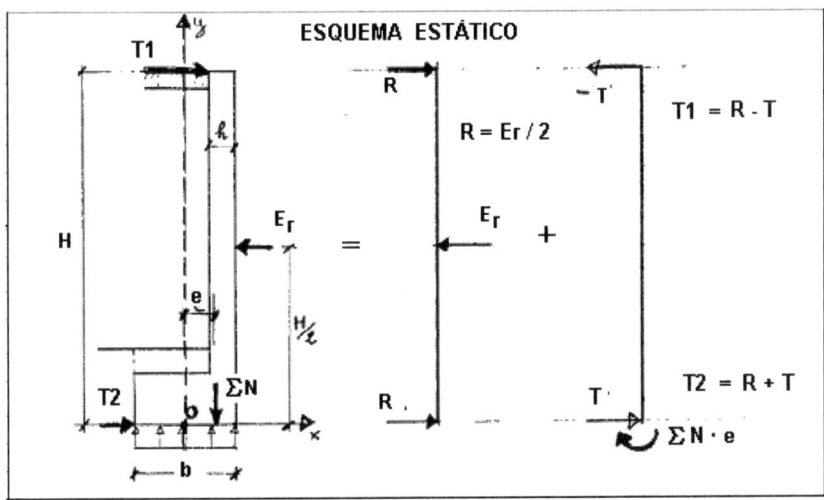

4) La seguridad frente al deslizamiento

Además, para que el muro no se deslice, se deberá cumplir la condición:

$$\mu \, \Sigma N \geq C_{sd} \, T_2$$

donde C_{sd} es el coeficiente de seguridad al deslizamiento y μ el coeficiente de rozamiento (tangente de φ, en terrenos granulares). Habitualmente se toma $C_{sd}=1,5$. Esto significa que se cumplirá frente a deslizamiento siempre que se cumpla la condición siguiente:

$$C_{sd} = \frac{\mu \, \Sigma N}{T_2} \geq 1,5$$

En toda la exposición anterior se ha supuesto un reparto uniforme de las presiones bajo el cimiento, hipótesis muy aproximada a la realidad en este tipo de muros, ya que el modelo trapecial de tensiones presenta desviaciones de poca importancia respecto al que se ha considerado.

EJEMPLO: COMPROBACIÓN DE UN MURO DE SÓTANO

Comprobar el muro de sótano de la figura siguiente, comprobando las tensiones en el terreno, las reacciones T_1 y T_2 y el coeficiente de seguridad al deslizamiento.

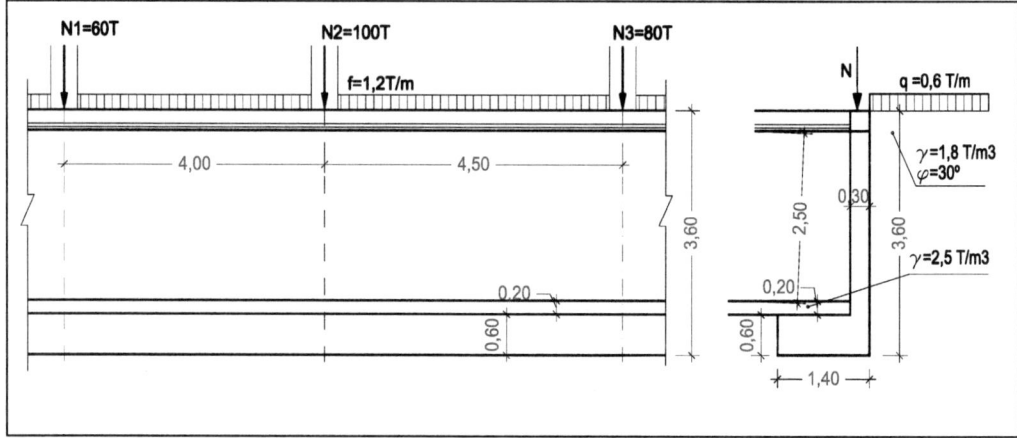

Datos:

Angulo de rozamiento interno del relleno: $\varphi = 30°$

Tensión máxima admisible del terreno: $\sigma = 2,0$ Kp/cm²

Altura total del muro: H = 3,60 m

Ancho del muro: h = 0,30 m

Ancho de la zapata: 1,40 m

Canto de la zapata: 0,60 m

Espesor de la solera: 0,20 m

Carga uniforme transmitida por el forjado: 1,20 t/m

Peso específico del terreno de relleno: $\gamma_t = 1,8$ t/m³.

Densidad del hormigón (muro, zapata y solera): $\gamma_h = 2,5$ t/m³.

Coeficiente de rozamiento del terreno con el cimiento: $\mu = $ tg 30°

SOLUCIÓN

a) Cálculo del empuje de las tierras:

$$k'_r = 1 - \text{sen } \varphi = 1 - \text{sen } 30° = 0,50$$

$$P_r = \frac{2}{3}k'_r \,(q + \gamma \, H) = \frac{2}{3}x0,50x(0,6 + 1,8x3,60) = 2,36 \text{ T}/m$$

$$E_r = P_r \cdot H = 2,36 \times 3,60 = \textbf{8,496 T}$$

b) Cargas por metro lineal de muro:

$$N = \frac{\dfrac{N_1}{2} + N_2 + \dfrac{N_3}{2}}{L_1 + L_2} + f = \frac{\dfrac{60}{2} + 100 + \dfrac{80}{2}}{4,00 + 4,50} + 1,2 = 21,20 \text{ T}$$

$$N_m = 0,30 \times 3,00 \times 2,5 = \quad 2,25 \text{ T}$$

$$N_z = 1,40 \times 0,60 \times 2,5 = \quad 2,10 \text{ T}$$

$$N_s = 0,20 \times 1,00 \times 2,5 = \quad 0,55 \text{ t}$$

c) Tensión en el terreno y excentricidad de ΣN:

Tomamos momentos respecto al centro de la zapata, con los valores calculados en la siguiente tabla. (Asumimos 2,5 t/m³ para la densidad del hormigón armado).

ZONA	Carga (T)	Distancia al centro de la zapata(m)	Momento (m·T)
Carga (N)	21,20	(1,40 - 0,30)/2= 0,55	11,660
Muro (Nm)	2,25	(1,40 - 0,30)/2= 0,55	1,2375
Zapata (Nz)	2,10	(centrada)	0,000
Solera (Ns)	0,55	(1,10 - 1,40)/2= -0,15	-0.0825
SUMAS	ΣN = 26,10	---	ΣM = 12,815

$$\underline{e} = \Sigma M / \Sigma N = 12,815 / 26,10 = \underline{0,491 \text{ m}} \text{ respecto al centro de la zapata.}$$

$$\sigma_t = \Sigma N / b = 26,10 / 1,40 = \underline{18.64 \text{ T/m}^2} \text{ (} < \sigma_{adm} = 20 \text{ T/m}^2) \boxed{\text{CUMPLE}}.$$

d) Reacciones T1 en el forjado y T2 en fondo de cimiento:

- Valor de la reacción R:

$$R = \frac{1}{2}E_r = \frac{8,496}{2} = 4,248 \text{ T}$$

- Valor del vector T del par de fuerzas:

$$T \cdot H = \Sigma N \cdot e = \Sigma M$$

$$T = \frac{\Sigma M}{H} = \frac{12,815}{3,60} = 3,560 \text{ T}$$

$$\underline{T_1} = R - T = 4,248 - 3,560 = \underline{0,688 \text{ T}}$$

$$\underline{T_2} = R + T = 4,248 + 3,560 = \underline{7,808 \text{ T}}$$

e) Seguridad al deslizamiento:

$$\boxed{C_{sd} = \frac{\mu \, \Sigma N}{T_2} = \frac{tg30° \times 26,10}{7,808} = 1,93 \quad (> 1,50)}$$

Por lo tanto el muro cumple las condiciones de tensiones y estabilidad.

---

5) Cálculo del muro en sentido transversal

A continuación exponemos el método general de cálculo de esfuerzos para el cálculo práctico referido a muros de un solo sótano.

Adoptamos las designaciones y ejes que se indican en la figura y un muro genérico que abarca tanto la solución de zapata centrada como la de zapata excéntrica o de medianera. De acuerdo con lo visto anteriormente, la resultante del empuje al reposo se supone a mitad de la altura H.

Recordemos el esquema de funcionamiento visto anteriormente:

Se designan con -T y T las reacciones a nivel de forjado y fondo de cimiento que equilibran el momento e·ΣN. Igualmente, se designa con R las reacciones a nivel de forjado y fondo de cimiento que equilibran el empuje E_r en reposo. Separamos ambos conjuntos de reacciones porque responden a acciones que no tienen que ser necesariamente simultáneas.

Planteamos las ecuaciones de equilibrio respecto a los ejes x, y para una longitud unidad de muro:

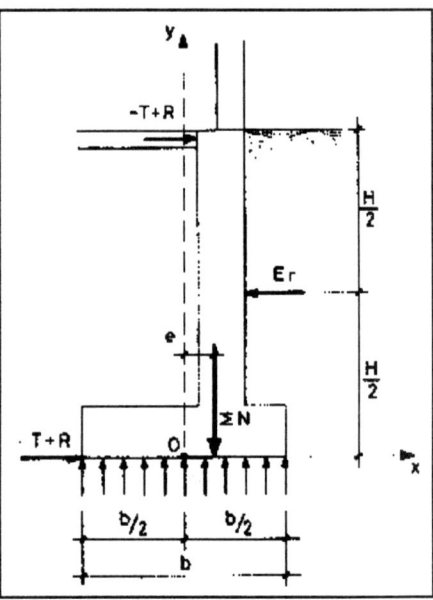

$$\Sigma N + \sigma_t b = 0$$

$$-T + R + T + R = E_r$$

$$\Sigma N \, e + (-T + R) \, H = E_r \frac{H}{2}$$

y resolviendo el sistema:

$$\boxed{\sigma_t = \frac{\Sigma N}{b}} \qquad \boxed{R = \frac{E_r}{2}} \qquad \boxed{-T = \frac{e\Sigma N}{H}}$$

Se plantean, en principio, tres hipótesis:

1°: Hay empuje y las cargas verticales son mínimas.

Esta situación se produce cuando el edificio está en construcción y existe relleno en el trasdós.   Como simplificación puede calcularse el muro sometido a flexión simple, despreciando las cargas verticales. Conviene, en cualquier caso, cubrir la ley de momentos correspondiente al muro apoyado en coronación y en la base.

En la figura siguiente se indican los diagramas de flexión simple y flexión compuesta y los diagramas finales de momentos flectores y esfuerzos axiles.

La reacción del terreno es mínima:

$$\sigma_t = \Sigma N_{min} / b$$

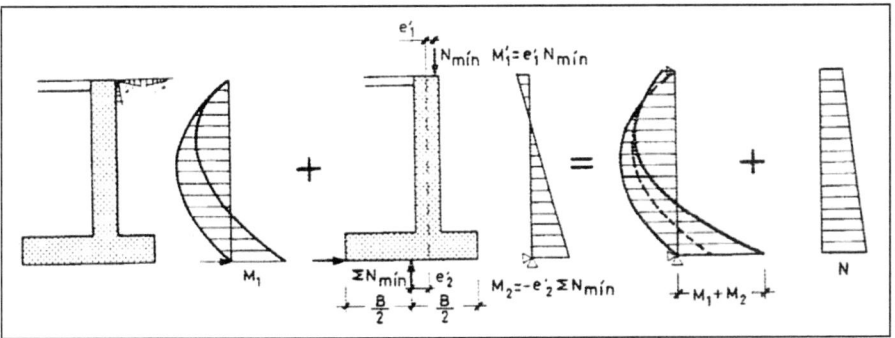

2ª: Hay empuje y las cargas verticales son máximas.

Esta situación se puede presentar durante la vida útil del edificio, cuando el edificio está en carga y existe relleno en el trasdós.

En la figura siguiente se representan los correspondientes diagramas de momentos flectores y axiles.

La reacción del terreno es máxima:

$$\sigma_t = \Sigma N_{max} / b$$

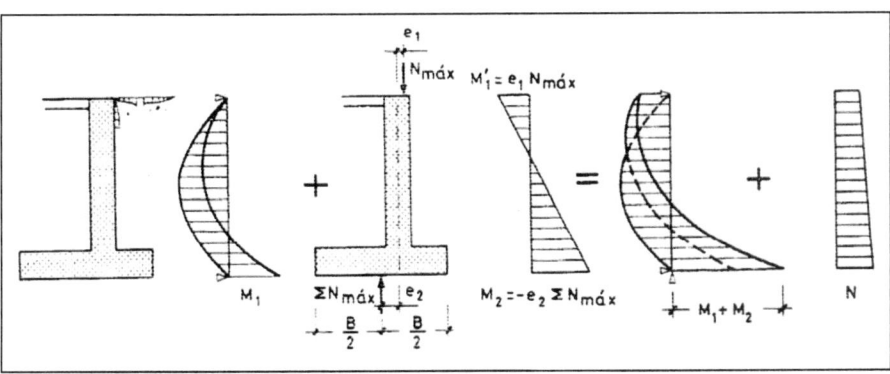

3ª: No hay empuje y las cargas verticales son máximas.

Esta situación se produce cuando el edificio está en carga pero no existe relleno en el trasdós. En este caso, al ser la reacción R nula, la reacción -T en el forjado es mínima:

$$-T = e \cdot \Sigma N / H$$

(el muro tira del forjado) y la reacción en el fondo del cimiento es la contraria. Usualmente las hipótesis que rigen para el cálculo son las dos anteriores.

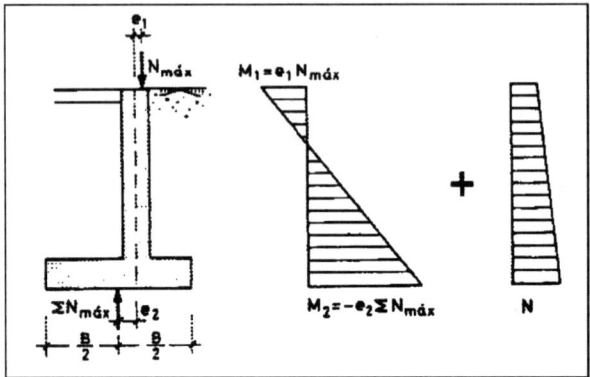

La hipótesis pésima, resumiendo los resultados de las tres hipótesis será:

<u>Presión sobre el terreno</u>. Se produce cuando las cargas verticales son máximas, independientemente de que actúe o no el empuje del terreno (hipótesis 1ª y 3ª).

$$\sigma_t = \frac{\Sigma N}{b}$$

<u>Reacción en el forjado</u>. La máxima tracción se produce cuando no hay empuje y las cargas verticales son máximas (hipótesis 1ª).

$$-T = \frac{\Sigma N_{max}\, e}{H}$$

La máxima compresión (si existe) se produce cuando hay empuje y las cargas verticales son mínimas (hipótesis 2ª).

$$-T + R = \frac{E_r}{2} - \frac{\Sigma N_{min}\, e}{H}$$

<u>Reacción en fondo de cimiento</u>. La máxima reacción se produce cuando hay empuje y la carga vertical es máxima (hipótesis 3ª).

La optimización de la suma de armaduras para las dos caras se puede obtener de acuerdo con el gráfico siguiente (asumiendo b = 1 m de muro).

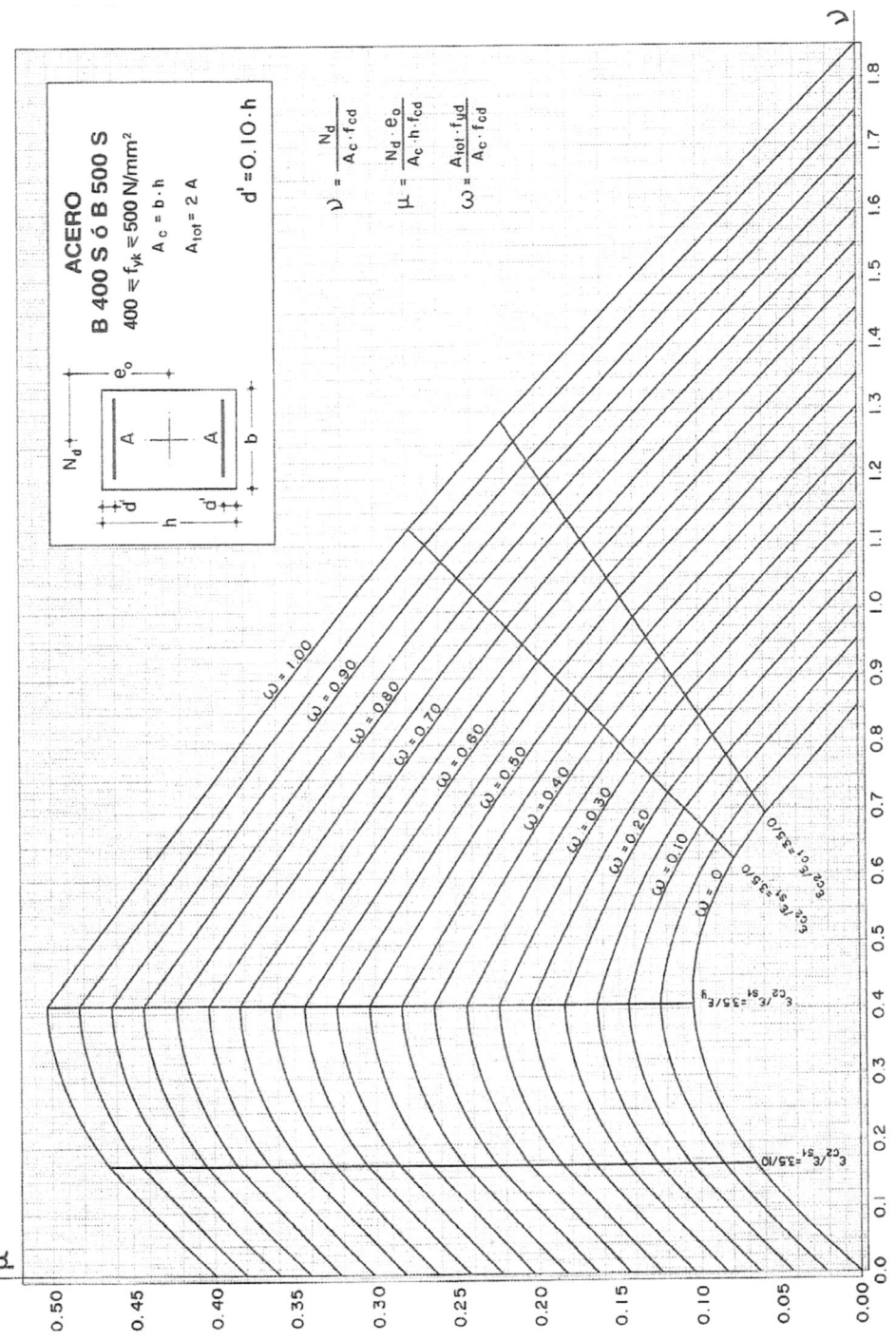

6) Cálculo del muro como viga de cimentación

El muro, en dirección longitudinal, funciona como una viga de cimentación. Si la estructura es flexible, el cálculo del muro puede hacerse como viga flotante. Como simplificación, en cualquier caso, puede aplicarse el siguiente método.

a) Se considera el muro como un cuerpo rígido, sometido a las cargas N_i de los pilares (y del forjado en su coronación) y a su peso propio.

b) Se halla la resultante ΣN de todas las cargas y su distancia **e**.

c) Con **e** y ΣN se obtiene la distribución lineal de presiones, variando de σ_1 a σ_2 (en la mayoría de los casos la distribución resultará sensiblemente uniforme).

d) Conocidas las acciones y las reacciones sobre la viga, se calculan los momentos flectores y esfuerzos cortantes (el método es conservador).

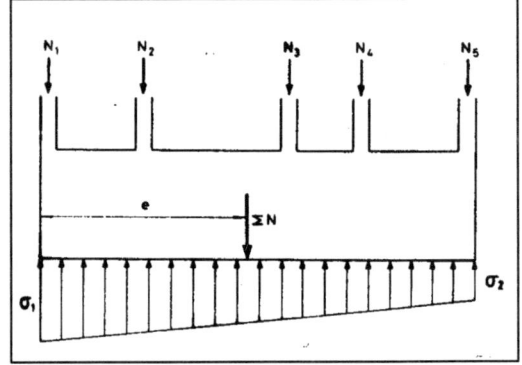

e) En general, las armaduras mínimas de retracción y temperatura son importantes, según se indica en la tabla siguiente, y reducen la armadura necesaria para resistir los momentos flectores resultantes.

Cuantía mínima total de la armadura de retracción y temperatura		
Acero	Armadura (tanto por mil)	
	Horizontal (*)	Vertical (**)
B-400S	4,0	1,2
B-500S	3,2	0,9

(*) La armadura mínima horizontal deberá repartirse en ambas caras. Para muros vistos por ambas caras (encofrados a dos caras), se deberá disponer el 50% en cada cara.

La armadura de retracción y temperatura dispuesta en ambas caras se puede tener en cuenta para resistir los momentos flectores.

(**) La cuantía de armadura vertical corresponde a la cara de tracción. En la cara opuesta se dispondrá una armadura de al menos de un 30% de la indicada.

La optimización de la suma de armaduras para las dos caras se puede obtener de acuerdo con el gráfico siguiente.

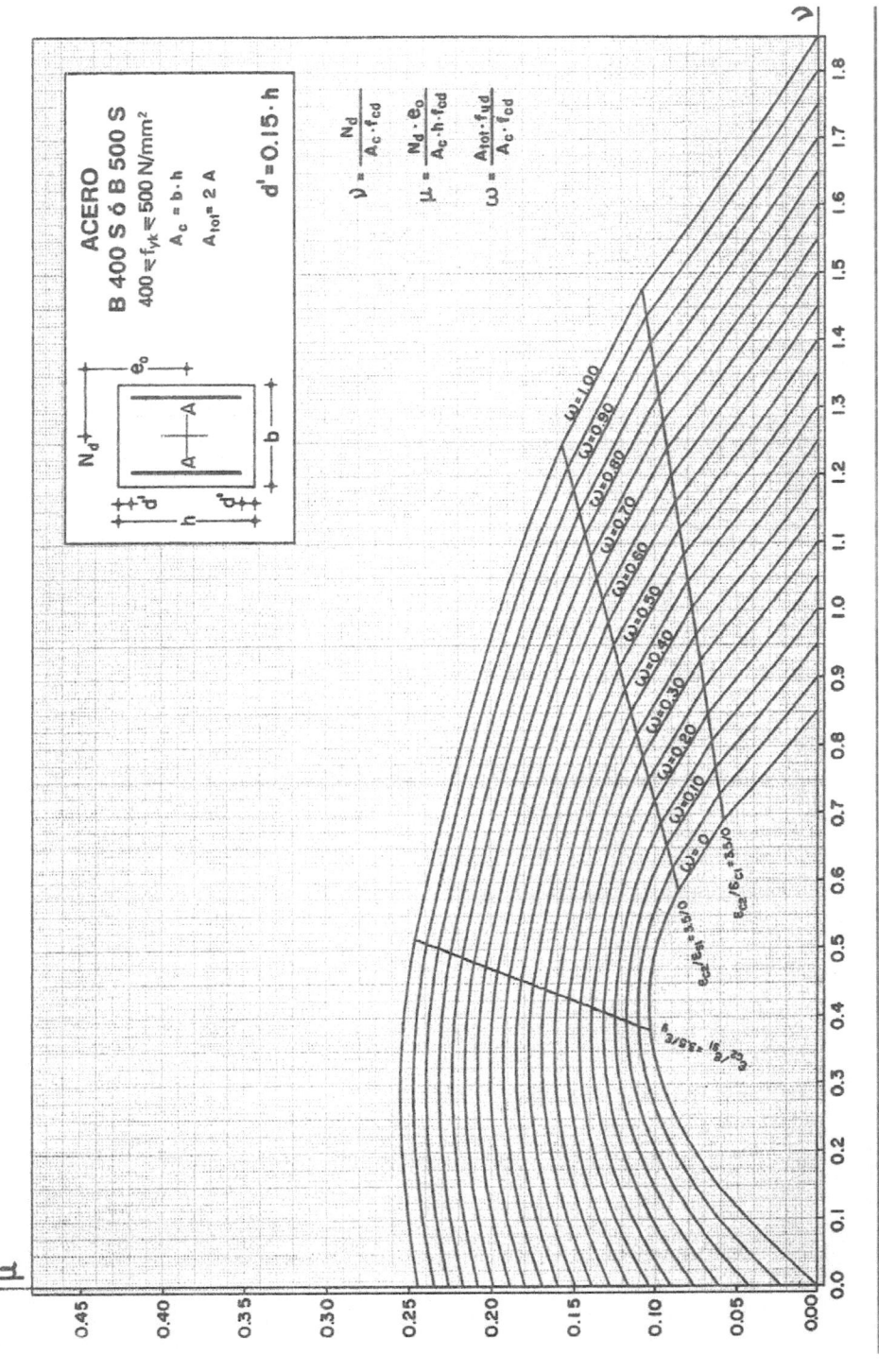

$$\nu = \frac{N_d}{A_c \cdot f_{cd}}$$

$$\mu = \frac{N_d \cdot e_o}{A_c \cdot h \cdot f_{cd}}$$

$$\omega = \frac{A_{tot} \cdot f_{yd}}{A_c \cdot f_{cd}}$$

ACERO
B 400 S ó B 500 S
$400 \le f_{yk} \le 500$ N/mm²
$A_c = b \cdot h$
$A_{tot} = 2 \, A$

$d' = 0.15 \cdot h$

EJEMPLO: ARMADO DE UN MURO DE SÓTANO

Determinar las armaduras verticales y horizontales del muro de sótano analizado anteriormente y representado en la figura siguiente.

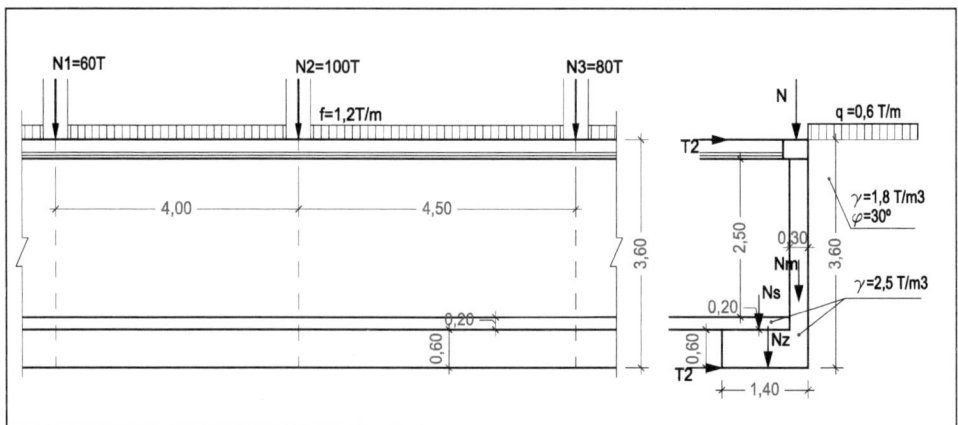

Datos:

ángulo de rozamiento interno del relleno: $\varphi = 30°$

Tensión máxima admisible del terreno: $\sigma = 2,0$ Kp/cm²

Altura total del muro: H = 3,60 m

Espesor del muro: h = 0,30 m

Ancho de la zapata: 1,40 m

Canto de la zapata: 0,60 m

Espesor de la solera: 0,20 m

Carga uniforme transmitida por el forjado: 1,20 T/m

Peso específico del terreno: $\gamma_t = 1,8$ T/m³

Peso específico del hormigón: $\gamma_h = 2,5$ T/m³

Coeficiente de rozamiento entre cimiento y terreno: $\mu = tg\ 30°$

Datos de materiales:

Hormigón HA-25.

Acero B500 S.

SOLUCIÓN

1. Armado vertical del muro:

El muro en sentido transversal se considera como una viga apoyada en coronación y empotrada en el cimiento y que está sometida a las siguientes acciones:

- Las cargas por metro de muro:

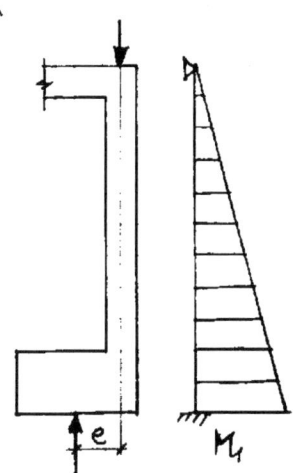

$$N = \frac{\dfrac{N_1}{2} + N_2 + \dfrac{N_3}{2}}{l_1 + l_2} + f = \frac{\dfrac{60}{2} + 100 + \dfrac{80}{2}}{4 + 4,5} + 1,2 = 21,20 \text{ T}$$

Muro: $N_m = 0,30 \times 3,00 \times 2,5 =$ 2,25 T

Zapata: $N_z = 1,40 \times 0,60 \times 2,5 =$ 2,10 T

Solera: $N_s = 0,20 \times (1,40 - 0,30) \times 2,5 = 0,55$ T

Carga total: $\boxed{\Sigma N = 26,10 \text{ T}}$.

- La presión del terreno σ_t sobre el cimiento, cuya resultante ΣN pasa por el centro de la zapata y produce una ley triangular de momentos con un máximo M_1 en el fondo del cimiento:

$M_1 = \Sigma N \, e = 26,10 \times (0,70 - 0,15) = 14,355 \text{ m} \cdot \text{T}.$

El momento en la sección inferior del muro, por semejanza de triángulos, será:

$$\boxed{M = 14,355 \times 3,00 \,/\, 3,60 = 11,96 \text{ m} \cdot \text{T}}$$

- La presión en reposo P_r del relleno sobre el trasdós del muro, con un valor:

$$P_r = \frac{2}{3} k'_r \,(q + \gamma \, H) = \frac{2}{3} \times 0,50 \times (0,60 + 1,80 \times 3,60) = 2,36 \text{ T/m}$$

que produce una ley parabólica de momentos con el siguiente valor en la sección empotrada en la base del muro, situada a una profundidad $H_1 = 3,0$ m de la coronación (elemento apoyado / empotrado):

$$\boxed{M^- = \frac{P_r H_1^2}{8} = \frac{2,36 \cdot 3,0^2}{8} = 2,66 \text{ m·t}}$$

- Además es conveniente cubrir la ley de momentos que corresponde al muro considerado como apoyado en ambos extremos (coronación y base, con una luz de 3,00 m), lo que implica un momento máximo en la zona central del intradós de valor:

$$\boxed{M^+ = \frac{P_r H_1^2}{8} = \frac{2,36 \cdot 3,0^2}{8} = 2,66 \text{ m·t}}$$

(El hecho de que coincidan estos dos momentos flectores es normal)

- La envolvente de las leyes de momentos flectores será la que se indica en la figura siguiente.

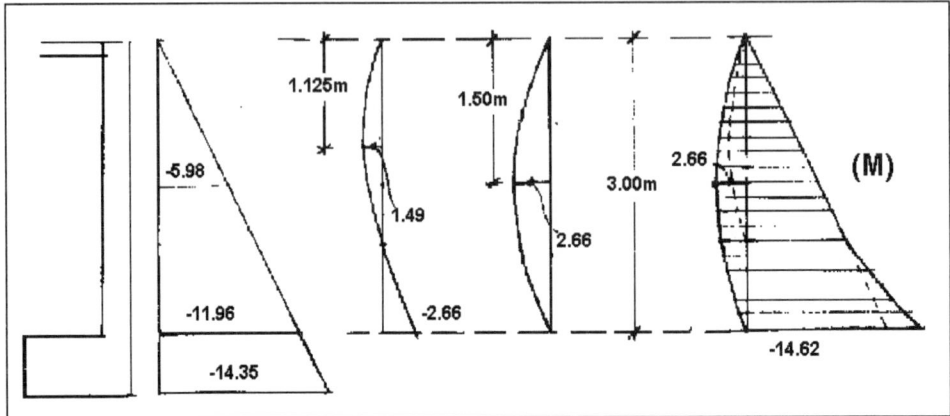

- Para armar el muro en flexión compuesta tendremos en cuenta el axil al que está sometido (la carga superior, de 21,20 t).

El cálculo debería efectuarse para las secciones más desfavorables, es decir, la base del muro (profundidad = 3,00 m) para la armadura del trasdós y la sección central (profundidad = 1,50 m) para la del intradós. En nuestro caso, y dado que el momento en la cara vista es muy bajo, bastará con calcular la armadura vertical necesaria en la cara del trasdós y disponer 1/3 de la misma en la cara del intradós.

- Para ello, con los datos anteriores sabiendo que:

$$M_d = 1,5 \cdot 14,62 = 21,93 \text{ m·t}$$

$$N_d = 1,5 \cdot 21,20 = 31,80 \text{ t}$$

Utilizamos las Fórmulas Aproximadas para flexión compuesta con armaduras asimétricas mediante el siguiente procedimiento:

- Cálculo de la excentricidad referida a la armadura de tracción:

$$e_0 = \frac{M_d}{N_d} = \frac{21,93}{31,80} = 0,69 \text{ m}; \qquad e = e_0 + \frac{d-d'}{2} = 0,69 + \frac{0,26-0,04}{2} = 0,80 \text{ m}$$

- Capacidad mecánica de la sección de hormigón:

$$U_c = b \cdot d \cdot f_{cd} = 1,0 \times 0,26 \times 2.500 / 1,5 = 433,3 \text{ t}$$

- Valores reducidos del momento y del axil:

$$\mu = \frac{N_d}{U_c} \frac{e}{d} = \frac{31,80 \times 0,80}{433,3 \times 0,26} = 0,2258$$

$$\nu = \frac{N_d}{U_c} = \frac{31,80}{433,3} = 0,050$$

Para estos valores reducidos, la cuantía a tracción será:

$$\omega = \mu\,(1+\mu) - \nu = 0{,}2258 \times 1{,}2258 - 0{,}050 = 0{,}2268$$

y la capacidad mecánica de las armaduras por metro de muro:

$$U = \omega\,U_c = 0{,}2268 \times 433{,}3 = 98{,}27\ T$$

que, para el acero B500 S, suponen **8 ϕ 20 por metro** de muro (U = 103,04 T).

En el intradós colocaremos al menos 1/3 de la calculada, es decir, **8 ϕ 12** que dan una capacidad de 37,10 T.

2. <u>Armado horizontal del muro:</u>

- Calculamos en las secciones A y B de la figura los momentos flectores a los que está sometido el muro, con el fin de determinar el mayor de ellos y armar el muro longitudinalmente en función del mismo.

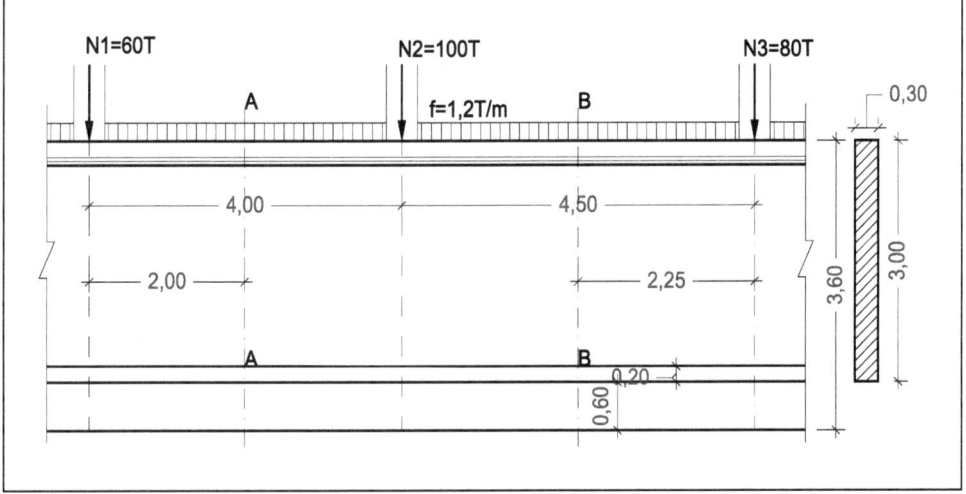

$$M_A = \frac{26{,}10 \cdot 2{,}00^2}{2} - \frac{60}{2} \cdot 2{,}00 - \frac{1{,}2 \cdot 2{,}00^2}{2} = \underline{-10{,}20}\ m{\cdot}T$$

$$M_B = \frac{26{,}10 \cdot 2{,}25^2}{2} - \frac{80}{2} \cdot 2{,}25 - \frac{1{,}2 \cdot 2{,}25^2}{2} = \underline{-26{,}97}\ m{\cdot}T$$

- Armamos todo el muro en horizontal con la armadura que aguante el mayor de los momentos de cálculo, es decir:

$$M_{dB} = 1{,}5 \cdot 26{,}97 = \underline{40{,}455}\ m{\cdot}t$$

- Capacidad mecánica de la sección de hormigón:

$$U_c = b{\cdot}d{\cdot}f_{cd} = 0{,}30 \times 2{,}96 \times 2.500\,/\,1{,}5 = 1.480\ t$$

- Valor del momento reducido:

$$\mu = \frac{M_{dB}}{U_c \, d} = \frac{40,455}{1.480 \times 2,96} = 0,00923$$

Con las Fórmulas Aproximadas, la cuantía a tracción será:

$$\omega = \mu \, (1 + \mu) = 0,00923 \times 1,00923 = 0,00932 \cong 0,01$$

y la capacidad mecánica de las armaduras por metro de muro:

$$\boxed{U = \omega \, U_c = 0,01 \times 1.480 = 14,80 \ t}$$

con la expresión del brazo mecánico, la capacidad necesaria sería:

$$\boxed{U = \frac{M_{dB}}{0,9 \, d} = \frac{40,455}{0,9 \times 2,96} = 15,18 \ T}$$

En ambos casos bastaría una armadura de **2ϕ16** (16,49 t para el acero B500 S).

- Finalmente deberemos comprobar la armadura mínima longitudinal de retracción y temperatura por cuantía geométrica que establece el art. 42.3.5 de la EHE-08 (el 3,2 por mil de la sección total de hormigón repartida entre las dos caras), es decir:

$$A_{s1} + A_{s2} = 0,0032 \cdot 30 \cdot 300 = 28,8 \ cm^2$$

Esta sección supone un área de 14,40 cm² en cada cara, equivalentes a **13ϕ12** en los 3,00 m, o lo que es lo mismo, **1ϕ12 cada 25 cm** aproximadamente.

Y con esto damos por terminado el armado del muro.

3.3.   ELEMENTOS LINEALES: PILARES Y VIGAS

3.3.1.   Las vigas y pilares en la Instrucción EHE-08

Las referencias específicas a vigas y soportes en la Instrucción EHE-08, se encuentran, dentro de Capítulo 12, Elementos Estructurales, en los Artículos 53º (Vigas) y 54º (Soportes) y su redacción literal es la que sigue:

"Artículo 53º Vigas

Las vigas sometidas a flexión se calcularán de acuerdo con el Artículo 42º o las fórmulas simplificadas del Anejo núm. 7, a partir de los valores de cálculo de las resistencias de los materiales (Artículo 15º) y de los valores mayorados de las acciones combinadas (Artículo 13º). Si la flexión está combinada con esfuerzo cortante, se calculará la pieza frente a este último esfuerzo con arreglo al Artículo 44º y con arreglo al Artículo 45º si existe, además, torsión. Para piezas compuestas se comprobará el Estado Límite de Rasante (Artículo 47º).

Asimismo se comprobarán los Estados Límite de Fisuración, Deformación y Vibraciones, cuando sea necesario, según los Artículos 49º, 50º y 51º, respectivamente.

Cuando se trate de vigas en T o de formas especiales, se tendrá presente el punto 18.2.1.

La disposición de armaduras se ajustará a lo prescrito en los Artículos 69º, para las armaduras pasivas, y 70º, para las armaduras activas.

Artículo 54º Soportes

Los soportes se calcularán, frente a solicitaciones normales, de acuerdo con el Artículo 42º o las fórmulas simplificadas del Anejo núm. 7, a partir de los valores de cálculo de las resistencias de los materiales (Artículo 15º) y de los valores mayorados de las acciones combinadas (Artículo 13º). Cuando la esbeltez del soporte sea apreciable, se comprobará el Estado Límite de Inestabilidad (Artículo 43º). Si existe esfuerzo cortante, se calculará la pieza frente a dicho esfuerzo con arreglo al Artículo 44º y con arreglo al Artículo 45º si existe, además, torsión.

Cuando sea necesario se comprobará el Estado Límite de Fisuración de acuerdo con el Artículo 49º.

Los soportes ejecutados en obra deberán tener su dimensión mínima mayor o igual a 25 cm.

La disposición de armaduras se ajustará a lo prescrito en los Artículos 69º, para las armaduras pasivas, y 70º, para las armaduras activas.

La armadura principal estará formada, al menos, por cuatro barras, en el caso de secciones rectangulares y por seis barras en el caso de secciones circulares siendo la separación entre dos consecutivas de 35 cm como máximo. El diámetro de la barra comprimida más delgada no será inferior a 12 mm. Además, tales barras irán sujetas por cercos o estribos con las separaciones máximas y diámetros mínimos de la armadura transversal que se indican en 42.3.1.

En soportes circulares los estribos podrán ser circulares o adoptar una distribución helicoidal".

3.3.2. Soportes de hormigón armado

1) Generalidades

Los soportes o pilares de hormigón armado son piezas, generalmente verticales, en las que la solicitación normal es predominante. Sus secciones transversales pueden estar sometidas a compresión simple, compresión compuesta o flexión compuesta.

Son elementos de gran responsabilidad resistente, ya que su misión es transmitir las acciones que actúan sobre la estructura hasta la cimentación.

Las secciones más corrientes de los soportes de hormigón armado son las rectangulares y cuadradas, aunque a veces pueden tener sección circular (columnas). La dimensión transversal mínima de los pilares realizados in situ será de 25 cm.

Las armaduras suelen estar constituidas por barras longitudinales y cercos o estribos. Las primeras constituyen la armadura principal y se encargan de absorber las compresiones, colaborando con el hormigón, o las tracciones en casos de flexión compuesta. Los cercos o estribos son las armaduras transversales, cuya misión es evitar el pandeo de las armaduras longitudinales y absorber, eventualmente, los esfuerzos cortantes.

De acuerdo con algunas normas, hasta la aparición de la EHE de 1998, en las piezas hormigonadas verticalmente, como en el caso de los soportes, la resistencia de cálculo del hormigón debía rebajarse en un 10% con objeto de prever la pérdida de resistencia debida al proceso de compactación (el agua tiende a elevarse hacia la parte superior de la pieza). En el caso de la vigente Instrucción de Hormigón Estructural, EHE-08, esta disminución de resistencia ya no se contempla por obvias razones, entre las que destaca una mayor calidad de los hormigones, un aumento de su capacidad resistente y un mayor control en los procesos constructivos.

Respecto al cálculo de secciones, vale lo dicho en los distintos métodos estudiados anteriormente (parábola - rectángulo, diagrama rectangular y fórmulas aproximadas), si bien es importante subrayar la conveniencia de disponer armaduras simétricas en dos caras o incluso en las cuatro caras del soporte.

En el caso de secciones sometidas a tracción, la anterior EHE, en su artículo 42.3.4, establecía una cuantía mínima de armadura del 20% de la del hormigón:

$$A_s \cdot f_{yd} \geqslant 0,20 \cdot A_c \cdot f_{cd}$$

Esta recomendación ha desaparecido de la redacción del Artículo 42° de la nueva Instrucción EHE-08, habiendo sido sustituida por la condición de que la capacidad mecánica de estas armaduras sea igual a la capacidad mecánica media a tracción del hormigón. Simplificando la expresión de la EHE-08 (es decir eliminando las referencias a armaduras activas y a fuerza de pretensado), la condición es la siguiente:

$$A_s \cdot f_{yd} \geqslant A_c \cdot f_{ct,m}$$

2) Compresión simple

Excentricidad mínima de cálculo

La compresión simple corresponde al caso en que la solicitación exterior es un esfuerzo normal **N** que actúa en el baricentro plástico de la sección, por lo que todas las fibras de la sección sufren un acortamiento uniforme del 2 por mil.

Como ya se ha apuntado anteriormente, al ser muy difícil que en la práctica se presente un caso de compresión simple por la incertidumbre que existe en el punto de aplicación del esfuerzo normal, las normas modernas recomiendan que estas piezas se calculen con una <u>excentricidad mínima accidental</u>, o bien que se aumenten los coeficientes de seguridad.

En el caso de la Instrucción (Art. 42.2.1), recordamos que la excentricidad mínima ficticia que se prescribe, en la dirección principal más desfavorable, es la mayor de los valores:

$$h / 20 \qquad ó \qquad 2,0 \text{ cm}$$

siendo **h** el canto total en esa dirección.

A veces resulta más cómodo aumentar convenientemente el coeficiente de seguridad γ_f de la solicitación, de manera que los resultados obtenidos concuerden con los que corresponden a la excentricidad mínima o queden del lado de la seguridad.

Fórmulas prácticas de compresión simple

De acuerdo con lo anterior, se pueden establecer unas fórmulas prácticas para el cálculo de soportes sometidos a compresión simple con armaduras simétricas o doblemente simétricas, debidas al Prof. Jiménez Montoya, que se exponen a continuación.

a) En el caso de secciones rectangulares se expresa en la forma:

$$\gamma_n N_d \leq N_u = 0{,}85 b h f_{cd} + A_s f_{yd}$$

con los siguientes significados:

N_d = esfuerzo axil de cálculo

N_u = esfuerzo axil último de agotamiento

b, h = dimensiones totales de la sección

f_{cd} = resistencia de cálculo del hormigón

A_s = área total de la sección de acero

f_{yd} = resistencia de cálculo del acero

γ_n = coeficiente complementario de mayoración de cargas.

La resistencia de cálculo del acero a compresión debe limitarse a 400 N/mm² (Artículo 40.3.3 de la EHE-08).

Por otra parte, el coeficiente complementario γ_n de mayoración de cargas, para recubrimientos del orden de un 10 por 100, viene dado por la expresión:

$$\gamma_n = \frac{b+50}{b} \geq \frac{9}{8}$$

con la dimensión menor **b** de la sección expresada en milímetros.

b) Para pilares de sección circular, la fórmula de compresión simple se puede expresar de la siguiente forma:

$$\gamma_n N_d \leq N_u = 0,85\,\pi\frac{h^2}{4}f_{cd} + A_s f_{yd}$$

En este caso el coeficiente complementario γ_n de mayoración de cargas tiene el valor:

$$\gamma_n = \frac{h+60}{h} \geq 1,15$$

siendo **h** el diámetro de la sección en mm.

Si seguimos el criterio general de la EHE-08, se podría llevar la tensión del hormigón hasta su resistencia de cálculo sin necesidad de reducirla al 85% expresado.

3) <u>Disposiciones relativas a las armaduras</u>

<u>Armaduras longitudinales</u>

-   Las armaduras longitudinales tendrán un diámetro no menor de 12 mm (Art. 54º de la EHE-08) y se situarán en las proximidades de las caras del pilar, debiendo disponerse por lo menos una barra en cada esquina.

-   En los soportes de sección circular el número mínimo de barras será de 6.

-   Los recubrimientos de las armaduras principales deben estar comprendidos entre 25 y 50 milímetros, no debiendo ser inferior al diámetro de las barras ni al tamaño máximo del árido.

-   La separación máxima entre dos barras consecutivas de la misma cara no debe ser superior a 300 mm.

-   Toda barra que diste más de 15 cm de sus contiguas deberá arriostrarse mediante cercos o estribos (Art. 42.3.1 de la EHE-08).

-   La separación mínima entre dos barras de la misma cara (para que el hormigón pueda ser vibrado adecuadamente) deberá ser al menos de 20 milímetros, el diámetro de la mayor y 1,25 veces el tamaño máximo del árido. En las esquinas de los soportes se podrán colocar dos o tres barras en contacto (grupos de barras).

-   Las cuantías mecánicas de las armaduras longitudinales de los soportes sometidos a compresión simple o compuesta, según la Instrucción EHE (art. 42.3.3), estarán comprendidas en los siguientes intervalos:

$$0,05 N_d \leq A_1 f_{yd} \leq 0,5 A_c f_{cd}$$

$$0,05 N_d \leq A_2 f_{yd} \leq 0,5 A_c f_{cd}$$

siempre que la resistencia de cálculo del acero no sea superior a 400 N/mm².

Estas cuantías máximas, en el caso de compresión simple con armadura simétrica, se reducen a la siguiente condición:

$$0,1 N_d \leq A_s\, f_{yd} \leq A_c\, f_{cd}$$

siendo A_s la sección total de las armaduras longitudinales en compresión.

Dicho de otra forma, la capacidad mecánica total de las armaduras deberá cubrir al menos el 10% del esfuerzo axil de cálculo y no podrá ser superior a la capacidad mecánica total de la sección de hormigón.

- Se comprobará además que las cuantías geométricas no son inferiores al 4 por mil de la sección total de hormigón (válido para cualquier tipo de acero corrugado). La Tabla 42.3.5 de la Instrucción EHE-08, como ya se ha repetido, establece las cuantías geométricas mínimas, en tanto por mil, referidas a la sección total de hormigón, para los distintos tipos de elemento estructural: pilares, losas, vigas y muros, según el tipo de acero que se utilice.

Armaduras transversales

- Con objeto de evitar la rotura por deslizamiento del hormigón, la separación s entre planos de cercos o estribos debe ser:

$$s \leq b_e$$

siendo b_e la menor dimensión del <u>núcleo de hormigón</u>, limitado por el borde exterior de la armadura transversal, recomendándose no adoptar valores mayores de 300 milímetros para la separación.

- Con el fin de evitar el pandeo de las barras longitudinales comprimidas, la separación s deberá ser:

$$s \leq 15\,\phi$$

siendo ϕ el diámetro de la barra longitudinal más delgada.

- Para estructuras ubicadas en zonas sísmicas importantes o sometidas a la acción del viento, o en general para obras especialmente delicadas, la separación no deberá sobrepasar los 12 diámetros de la barra longitudinal más delgada.

- El diámetro de cercos o estribos no debe ser inferior a ¼ del diámetro correspondiente a la barra longitudinal más gruesa, y en ningún caso será inferior a 6 mm (Art. 42.3.1 EHE-08).

- Para el caso de pilares circulares, los estribos podrán ser circulares o helicoidales.

EJEMPLO: ARMADO DE UN PILAR

Determinar las armaduras de un pilar de 0,40 x 0,40m con recubrimientos de 4cm, sometido a un axil de servicio N = 150 T de compresión centrada.

SOLUCIÓN:

Axil de cálculo: $\qquad\qquad N_d = 1,5 \times 1\,50 = 225\,T$

a) <u>Capacidad mecánica de la sección:</u>

$$U_c = f_{cd}\,b\,h = \frac{2.500}{1,5} \times 0,40 \times 0,40 = 266,667\,T$$

b) <u>Armaduras longitudinales por Jiménez Montoya</u>

$$\gamma_n = \frac{b + 50}{b} = \frac{400 + 50}{400} = 1,125$$

$$U_{total} = \gamma_n\,N_d - 0,85\,f_{cd}\,b\,h = 1,125 \times 225 - 0,85 \times \frac{2.500}{1,5} \times 0,40 \times 0,40$$

$$\boxed{U_{total} = 253,12 - 226,67 = \underline{\underline{26,45\,T}}}$$

Adoptamos un total de $\boxed{6\phi 12\ (U = 27,82\,T)}$ dispuestos en ambas caras.

c) <u>Armaduras longitudinales por las Fórmulas Aproximadas</u>

Axil reducido: $\qquad \nu = \dfrac{N_d}{U_c} = \dfrac{225}{266,667} = 0,847$

Excentricidad mínima según EHE:

$$e_0 = \frac{h}{20} = \frac{0,40}{20} = 0,02\,m.$$

Momento de cálculo: $\qquad\qquad M_d = N_d\,e_0 = 225 \times 0,02 = 4,50\,m\cdot T$

Momento reducido: $\qquad \mu = \dfrac{M_d}{U_c\,h} = \dfrac{4,50}{266,667 \times 0,40} = 0,042$

Cuantía total: interpolando en la tabla entre 0,80 y 0,90 deducimos los coeficientes:

$$\alpha_1 = -0,01 \quad \alpha_2 = 0,31 \quad \alpha_3 = 1,69$$

$$\omega = \frac{\alpha_1 + \alpha_2\mu}{1 - \alpha_3\delta} = \frac{-0,01 + 2,31 \times 0,042}{1 - 1,69 \times \frac{4}{40}} = \frac{0,087}{0,831} = 0,1047$$

Capacidad de las armaduras:

$$\boxed{U_{TOTAL} = 0,1516 \times 266,667 = \underline{27,92 \text{ T}}}$$

d) Armaduras transversales

Dado que no existe cortante, bastará tener en cuenta las recomendaciones de diámetro mínimo y separación máxima:

- Separación máxima:

$$s_t \leq 15 \, \phi = 15 \times 12 \text{ mm} = 180 \text{ mm} < 300 \text{ mm}$$

$$s_t \leq 0,75 \cdot d = 0,75 \times 360 \text{ mm} = 270 \text{ mm} < 300 \text{ mm}$$

Adoptamos estribos de 2 ramas de 6 mm con una separación de 180 mm.

Comprobación:

$$V_{su} = \frac{0,9 \, d \, U_{90}}{s} = \frac{0,9 \times 360 \times 2,32}{180} = \underline{4,18} \text{ T}$$

Es el cortante que soportarían los estribos de 2 ramas de 6 mm con una separación de 180 mm.

3.3.3. Vigas de hormigón armado

1) Dimensiones de la sección transversal

El canto de las vigas determina de manera muy importante la rigidez de las mismas. Por ello el predimensionamiento de la pieza debe contemplar la relación entre el canto y la luz del elemento con la deformabilidad que pueda tener.

En el caso de **vigas planas**, los cantos de la viga y del forjado serán iguales. Siendo L la luz de la viga, es conveniente que los cantos sean al menos:

- $h = L/18$ para vanos extremos
- $h = L/20$ para vanos interiores
- $h = L/8$ para voladizos

En el hipotético caso de que hubiera una viga simplemente apoyada, esta relación deberá ser como mínimo de $L/14$.

La utilización de cantos reducidos en vigas planas conlleva que los errores en la colocación de la armadura longitudinal influyan de manera notable en el canto de las mismas, pudiendo provocar problemas de deformaciones, incluso deformaciones diferidas si se producen altas tensiones en servicio sobre el hormigón.

En el caso de vigas planas donde el ancho sea tal que el "vuelo transversal" (es decir la distancia de la cara del pilar al borde de la viga) sea superior a 1,5 veces el canto h de la viga, será necesario estudiar el modo de transmisión de los esfuerzos de la viga al pilar. Por eso no es conveniente sobrepasar dicho ancho.

Para el canto indicado, los anchos de las vigas planas no deberían ser inferiores a:

- b = L/10   para alineaciones con paños a ambos lados
- b = L/10 – 10 cm   para alineaciones con paños a un solo lado
- b = 0,30 m   para alineaciones sin paños de forjado.

Para vigas con luz mayor de 5,50 m conviene aumentar los anchos en 10 cm.

En el caso de **vigas descolgadas**, se estiman las siguientes dimensiones:

- anchos comprendidos entre 25 y 40 cm
- cantos comprendidos entre L/10 y L/12, pudiéndose llegar a L/14.

En general tampoco es recomendable disponer de vigas con el mismo ancho que el pilar donde se insertan, ya que esto reduce el espacio entre las armaduras del nudo.

2) Armado práctico de una viga

El procedimiento de armado de una viga se efectúa en tres fases:

1ª)   Determinación de las dimensiones de la viga.

- Se fija el ancho **b** mediante criterios de diseño.

- Se fija el canto **h** mediante criterios de cálculo o de economía, en función del momento máximo previsible, de manera que no sea necesaria la armadura de compresión. (Se disponen unas armaduras de montaje, que no se consideran en el cálculo).

2ª)   Dimensionamiento de armaduras longitudinales.

- Se dibuja el diagrama de flectores y se desplaza en una distancia **d** hacia el apoyo (los momentos positivos) o hacia el vano (los negativos).

- Se fija, por cualquiera de los métodos admitidos, el número de barras n correspondiente a los máximos momentos de cálculo (tanto negativos como positivos) en las secciones extremas y en la central, y se divide el diagrama de flectores en n franjas paralelas.

- Estas franjas cortarán a la curva de los momentos en puntos donde la armadura de tracción puede irse disminuyendo en una barra. Dichos puntos se prolongarán en una longitud de anclaje lb, según las recomendaciones de anclajes (EHE, 69.5.1).

- Al menos dos barras se prolongarán en toda la longitud de la viga (tanto la armadura de positivos como la de negativos) para que sirvan de sujeción de los estribos.

- Las barras que se sitúen en zonas comprimidas, si no son necesarias (caso de las armaduras de montaje), no se deben considerar en el cálculo, para no tener que colocar los estribos demasiado juntos (st ≤ 15 ϕ).

- En la práctica se admite que el resto de barras se corten con las longitudes siguientes:

- **de L/2 a 2L/3 para los momentos positivos y**

- **entre L/3 y L/4 para los momentos negativos.**

3ª)   Dimensionamiento de armaduras transversales.

- Se determina el esfuerzo cortante V_{cu} que absorbe el hormigón y el cortante máximo V_{u1} de agotamiento por compresión del alma:

$$V_{cu} = f_{cv}\ b\ d$$

$$V_{u1} = 0,30\ f_{cd}\ b\ d$$

siendo $f_{cv} = 0,10 \cdot \xi \cdot \left(100 \cdot \rho_1 \cdot f_{ck}\right)^{\frac{1}{3}}$

$$\xi = 1 + \sqrt{\frac{200}{d}}$$

$$\rho_1 = \frac{A_s}{b \cdot d}$$

- Estos valores se comparan, en las distintas secciones, con el esfuerzo cortante de cálculo V_d, cuyo valor máximo se encuentra en una sección situada a una distancia d desde el borde exterior del apoyo. Habrá entonces tres casos:

1. Si $\boxed{V_d \le V_{cu}}$ el hormigón resiste por sí solo el cortante, y la viga no necesitaría, por cálculo, la armadura transversal, pero se colocarán estribos de diámetro 6 mm (o superior a ¼ del diámetro de las barras longitudinales), con una separación de 0,8·d y no superior a 30 cm.

2. Si $\boxed{V_{cu} \le V_d \le V_{u1}}$ se determina la armadura transversal necesaria para absorber el cortante residual $V_{su} = V_d - V_{cu}$ de la siguiente manera:

   • en el diagrama de cortantes de cálculo se descuenta el que absorbe el hormigón V_{cu} trazando una paralela al eje de abscisas;

ESFUERZO CORTANTE DE AGOTAMIENTO QUE ABSORBEN LOS ESTRIBOS DE DOS RAMAS (TONELADAS)

Acero: B 500 S

fyk =	5100	Kp/cm²	
fyd=	4100,0	Kp/cm²	

s/d	ESTRIBOS DE DOS RAMAS		
	2∅6	2∅8	2∅10
0,10	20,87	37,10	57,96
0,15	13,91	24,73	38,64
0,20	10,43	18,55	28,98
0,25	8,35	14,84	23,18
0,30	6,96	12,37	19,32
0,35	5,96	10,60	16,56
0,40	5,22	9,27	14,49
0,45	4,64	8,24	12,88
0,50	4,17	7,42	11,59
0,55	3,79	6,74	10,54
0,60	3,48	6,18	9,66
0,65	3,21	5,71	8,92
0,70	2,98	5,30	8,28
0,75	2,78	4,95	7,73

- en las zonas en que el cortante sea mayor que el que absorbe el hormigón, se determinarán los estribos necesarios para resistir el cortante V_{su} residual (ver tabla adjunta);

- una vez establecidos los estribos y su separación relativa al canto, se calcula la separación real (en cm o en mm) y se procede a redondear la misma conforme al criterio del proyectista;

- finalmente, se comprueba que el cortante que realmente absorbe esa disposición de cercos con la separación prevista es superior al cortante residual V_{su} calculado anteriormente, mediante la expresión:

$$V_{su} = \frac{0,9 \, d \, U_{90}}{s}$$

3. Si $\boxed{V_d > V_{u1}}$ es necesario, según las prescripciones de EHE, aumentar las dimensiones de la sección.

EJEMPLO : ARMADO DE UNA VIGA

Determinar las armaduras longitudinales y transversales de una viga de 5,10 m de luz libre, sección rectangular de 0,60 x 0,30 de canto total con recubrimientos de 3 cm, de hormigón HA-25 y acero B500S, apoyada en sus extremos y sometida a una carga uniforme q = 2,40 T/m.

<u>SOLUCIÓN</u>

Se deberán prever las armaduras longitudinales que puedan absorber el momento de cálculo M_d en el centro del vano, mientras que las armaduras transversales se calcularán para resistir el cortante de cálculo V_d en las zonas más próximas a los apoyos.

a. **Armaduras longitudinales**

Momento de cálculo en el centro del vano:

$$M_d = \frac{\gamma_f \, q l^2}{8} = \frac{1,5 \times 2,40 \times 5,10^2}{8} = 11,70 \, m \cdot T$$

Capacidad mecánica de la sección de hormigón:

$$U_c = b \, d \, f_{cd} = 0,6 \times 0,27 \times 2.500 \, / \, 1,5 = 270 \, T$$

<u>*Según el Anejo 7 de la EHE:*</u>

a) <u>Momento límite correspondiente:</u>

$$\boxed{M_l = 0,375 \, U_0 \, d = 0,375 \times 270 \times 0,27 = 27,338 \, m \cdot T}$$

El momento de cálculo es inferior al momento límite:

$$M_d \leq 0,375 \, U_0 \, d$$

b) <u>Capacidades mecánicas de la armadura de tracción:</u>

Sección E: $\quad U_{s1} = U_0 \left(1 - \sqrt{1 - \dfrac{2 \, M_d}{U_0 \, d}} \right) = 270 \left(1 - \sqrt{1 - \dfrac{2 \times 11,70}{270 \times 0,27}} \right) = 47,51 \, T$

<u>*Según las Fórmulas Aproximadas:*</u>

Momento reducido de cálculo:

$$\mu = \frac{M_d}{U_c d} = \frac{11,70}{270 \times 0,27} = 0,1605 < 0,375$$

No se necesita armadura de compresión, por lo que dispondremos solamente unos redondos de montaje.

La cuantía de la armadura de tracción será:

$$\omega = \mu (1 + \mu) = 0,1605 \times 1,1605 = 0,186$$

Y la capacidad mecánica será:

$$U = \omega\, U_c = 0{,}186 \times 270 = \underline{50{,}22}\ T$$

Dispondremos en la zona superior **3ɸ10** como armadura de montaje y en la zona inferior, para tracción, **7ɸ16** (U = 56,30 T).

Como se puede observar, la diferencia entre las capacidades halladas mediante ambos métodos es de apenas poco más de un 5 por ciento.

Las barras de la armadura de montaje se mantendrán a lo largo de toda la viga en su zona superior, mientras que 4 de los 7 redondos de tracción los dispondremos solamente en la mitad central de la viga, dejando cerca de los apoyos solamente 3 de ellos, que nos servirán de sujeción para los cercos.

---

b. Armaduras transversales

La sección de estudio para el cortante máximo se encuentra a la distancia de un canto útil del borde del apoyo, es decir, a una distancia de:

$$\boxed{\frac{5{,}10}{2} - 0{,}27 = 2{,}28\,\text{m}}$$

El cortante de cálculo en esa sección valdrá:

$$\boxed{V_d = 1{,}5 \times 2{,}40 \times 2{,}28 = 8{,}21\,T}$$

Cortante último de agotamiento por compresión del alma:

$$\boxed{V_{u1} = 0{,}30\,U_c = 0{,}30 \times 270 = 81{,}00\,T}$$

(estamos en el caso 1º: $V_d > V_{u1}$ /5 a efectos de la separación máxima).

Resistencia a cortante del hormigón en la zona de mayor cortante y menor momento (donde la armadura longitudinal a tracción se reduce a 3ɸ16):

$$\xi = 1 + \sqrt{\frac{200}{d}} = 1 + \sqrt{\frac{200}{270}} = 1{,}86$$

$$\rho_1 = \frac{A_s}{b\,d} = \frac{6{,}03}{60 \times 27} = \frac{6{,}03}{1.620} = 3{,}72 \times 10^{-3}$$

$$f_{cv} = 0{,}10\,\xi\,(100\,\rho_1\,f_{ck})^{1/3} = 0{,}186 \times (0{,}372 \times 25)^{1/3} = 0{,}391\,\text{N}/\text{mm}^2 = 39{,}1\,T/\text{m}^2$$

Contribución del hormigón:

$$\boxed{V_{cu} = f_{cv}\,b\,d = 39{,}1 \times 0{,}60 \times 0{,}27 = 6{,}33\ T}$$

Cortante residual que deberán soportar los estribos:

$$V_{su} = V_d - V_{cu} = 8,21 - 6,33 = \underline{1,88} \text{ T}$$

Pero el cortante que deben resistir los estribos para considerarlos en el cálculo es del 2% de U_c, es decir:

$$2\% \times 270 \text{ T} = 5,40 \text{ T}$$

Consultando la tabla de estribos para acero B500 S, obtenemos que para absorber un cortante algo mayor (5,96 T) se necesitan **estribos de 2 ramas $\phi 6$** con una separación s/d=0,35 (s = 0,35 x 27 = 9,45 cm).

Disponiendo entonces unos estribos de 4 ramas $\phi 6$ cada 20 cm, desde los apoyos hasta ¼ de la luz, se resistirá un cortante de:

$$V_{su} = \frac{0,9 \, d}{s} U_{90} = \frac{0,9 \times 27}{20} \times 4,64 = 5,64 \text{ T}$$

Adoptaremos entonces: $\boxed{2 \text{ c } 2 \text{ r } 6 \text{ cada } 20 \text{ cm}}$

En la mitad central irán estribos simples (2 ramas $\phi 6$) con la máxima separación: 20 cm.

BIBLIOGRAFÍA

- EHE-08: "Instrucción de Hormigón Estructural, con comentarios de los miembros de la Comisión Permanente del Hormigón". Ministerio de Fomento, 2008.

- Comisión Permanente del Hormigón: "Guía de aplicación de la Instrucción de Hormigón Estructural. EDIFICACIÓN". Ministerio de Fomento, 2002.

- EFHE: "Instrucción para el proyecto y la ejecución de forjados unidireccionales de hormigón estructural realizados con elementos prefabricados". Ministerio de Fomento, 2002.

- Calavera, J.: "Cálculo, construcción, patología y rehabilitación de Forjados de Edificación". INTEMAC. Madrid, 2000

- Calavera, J.: "Cálculo de estructuras de cimentación". INTEMAC. Madrid, 2000

- Calavera, J.: "Muros de contención y muros de sótano" (De acuerdo con EHE). INTEMAC. Madrid, 2000

- Jiménez Montoya, García Meseguer, Morán Cabré: "Hormigón Armado". Basada en la EHE. 14ª Edición. Gustavo Gili, S.A. Barcelona, 2000.

- EHE: "Instrucción de Hormigón Estructural". Ministerio de Fomento, 1999.

- Calavera, J.: "Proyecto de cálculo de estructuras de hormigón (En masa, armado y pretensado)". INTEMAC. Madrid, 1999.

- EF-96: "Instrucción para el proyecto y la ejecución de forjados unidireccionales de hormigón armado o pretensado". Ministerio de Fomento, 1996.

- Pellicer Daviña, D.: "El hormigón armado en la construcción arquitectónica" (2 Vol.). Librería Editorial Bellisco. Madrid.

- I.C.C. Eduardo Torroja: "Recomendaciones para la ejecución de forjados unidireccionales". Asociación Nacional de Fabricantes con sello CIETAN. Madrid.

- Regalado Tesoro, F.: "Los forjados reticulares". CYPE Ingenieros. Alicante.

- Rodríguez Martín, L.F.: "Estructuras varias. Forjados (U.D.2)". Fundación Escuela de la Edificación. Madrid.